닉 부이치치의 허그

Life Without Limits
by Nick Vujicic

Copyright © 2010 by Nicholas James Vujicic

All rights reserved.
Published in the United States by Doubleday Religion,
an imprint of the Crown Publishing Group,
a division of Random House, Inc., New York.
www.crownpublishing.com

Korean translation copyright © 2010 by Duranno Press
This translation published by arrangement with Doubleday Religion, an imprint of
the Crown Publishing Group, a division of Random House, Inc.
through EYA (Eric Yang Agency)

이 책의 한국어판 저작권은 EYA(Eric Yang Agency)를 통해 The Crown Publishing Group과
독점계약한 '사단법인 두란노서원'에 있습니다.
저작권법에 의하여 한국 내에서 보호를 받는 저작물이므로 무단전재와 복제를 금합니다.

닉 부이치치의 허그

지은이 | 닉 부이치치
옮긴이 | 최종훈
초판 발행 | 2010. 10. 1
81 쇄발행 | 2012. 4. 27.
등록번호 | 제3-203호
등록된 곳 | 서울시 용산구 서빙고동 95번지
발행처 | 사단법인 두란노서원
영업부 | 2078-3333 FAX | 080-749-3705
출판부 | 2078-3444

책값은 뒤표지에 있습니다.
ISBN 978-89-531-1385-5 03230

독자의 의견을 기다립니다.
tpress@duranno.com http://www.duranno.com

두란노서원은 바울 사도가 3차 전도 여행 때 에베소에서 성령 받은 제자들을 따로 세워 하나님의
말씀으로 양육하던 장소입니다. 사도행전 19장 8-20절의 정신에 따라 첫째 목회자를 돕는 사역
과 평신도를 훈련시키는 사역, 둘째 세계선교(TIM)와 문서선교(단행본· 잡지)사역, 셋째 예수문화 및 경
배와 찬양 사역, 그리고 가정· 상담 사역 등을 감당하고 있습니다. 1980년 12월 22일에 창립된
두란노서원은 주님 오실 때까지 이 사역들을 계속할 것입니다.

닉 부이치치의 허그

닉 부이치치 지음 | 최종훈 옮김

두란노

이 책을 성부와 성자, 성령 하나님께 바칩니다.
아울러 캘리포니아 주 샌디에고의 토스 가족에게도 이 책을 드립니다.
필(Phil)이 내 삶에 놓아준 디딤돌을 영원히 잊을 수 없을 겁니다.
그는 선교의 불씨를 내게 퍼트려서 맹렬한 불꽃으로 키워 주었습니다.

c o n t e n t s   > > >

I am Nick Vujicic
Life Without Limits

닉 부이치치는 자신의 장애를 극복했을 뿐 아니라, 장애를 만인들에게 축복의 통로가 되게 하는 긍정적인 자산으로 만들었습니다. 그의 이야기는 장애인에게 희망과 꿈을 심어 주고, 비장애인에게는 고난 중에 감사할 조건을 헤아려 감사하는 마음과 미래에 대한 긍정적인 생각을 품게 도와줄 것입니다.

　　　　　– **강영우**(UN 세계장애위원회 부의장, 전 백악관 국가장애위원회 정책차관보)

저자는 장애를 축복으로 바꾼 사람입니다. 걸림돌을 디딤돌로 만든 사람입니다. 이 책에는 역경을 재료삼아 기적을 창조하는 지혜가 담겨 있습니다. 저자는 이 책을 통해 슬픔 중에 있는 사람을 위로해 줍니다. 절망 중에 있는 사람에게는 소망을 줍니다. 낙심된 자를 다시 일으켜 세워 줍니다. 마지막 남아 있는 작은 것으로부터 다시 시작하도록 도와줍니다. 이 책에는 보석 같은 인생 레슨이 담겨 있습니다. 탁월한 자녀 교육 원리가 담겨 있습니다. 이 책은 이 시대를 향한 희망의 메시지입니다.

　　　　　– **강준민**(새생명비전교회 담임목사)

닉 부이치치는 빛나는 영혼을 소유한 사람입니다. 그는 고통과 시련, 절망과 슬픔의 시기를 보내면서 자신을 하나님의 눈으로 다시 보게 되었고, 이전과는 전혀 다른 인생을 살게 되었습니다. 하나님은 사람을 바꾸십니다. 그리고 세상을 바꾸십니다. 우리들도 닉처럼 환경과 상황을 뛰어넘은 하나님의 도구가 되기를 소망합니다.

– 김영길(한동대학교 총장)

닉 부이치치는 전 세계를 다니며, 희망을 전하고 있습니다. 이제 그의 감동적인 삶과 메시지를 책으로 만나 볼 수 있게 되어 참으로 기쁩니다. 이 책이 고난과 절망 속에 살아가는 사람들에게 새로운 힘과 용기를 주고, 영의 눈을 밝혀 나 자신과 이웃, 교회, 그리고 세상을 허그하게 해줄 것이라 확신합니다.

– 김장환(극동방송 이사장)

사람이 가진 한계는 그저 환상에 불과하다고 말하는 닉 부이치치. 그래서 절대로 좌절하거나 비전을 포기할 수 없다고 하는 그의 라이프스토리가 많은 사람들의 영혼에 파장을 일으킬 것입니다. 그에게는 좌절을 이겨낸 희망의 흔적들이 고스란히 묻어 있습니다. 지금 인생의 시련을 경험하고 있다면 그를 만나 볼 필요가 있습니다.

– 박성민(C.C.C. 대표)

우리는 닉 부이치치를 보면서 장애가 그의 삶에 가져다주었을 절망의 나락을 보고 탄식합니다. 그러나 그의 확실한 소망과 굳센 믿음은 약한 것으로 강하게 하시고, 없는 것을 있게 하시며, 죽은 것을 살리시는 하나님을 증거하는 살아 있는 메시지가 되고 있습니다. 그는 건강한 정신과 헌신적인 삶을 통해 장애가 삶을 절망에 고착시키는 멍에가 아니라, 하나님의 무한한 자원에 참여함으로 한계를 뛰어넘어 자유롭게 비상하는 날개가 될 수 있음을 보여 줍니다. 그가 영혼의 발에 평안의 복음의 신을 신고, 육신의 팔 대신 사랑과 용납의 품으로 세상을 껴안으며 하나님과 동행하는 여정을 함께할 때 당신의 가슴에도 새로운 소망과 용기의 불꽃이 살아날 것입니다.

– **오정현**(사랑의교회 담임목사)

"사랑이 그렇게 많으신 하나님이 어째서 이런 일을 허락하셨을까?" 하고 묻고 싶은 순간이 찾아올 때, 닉 부이치치를 만나보십시오. 그는 아픔을 딛고 당당히 일어서서 더 나은 삶을 기대하며 그것을 즐기라고 말합니다. 우리에게 닥친 시련의 이유를 다 알지 못한다 해서 위대한 비전을 품고 꿈을 실현하는 것이 불가능한 것은 아닙니다.

– **원희룡**(국회의원)

보통 사람이 견디기 힘든 장애를 가지고 있으면서도 닉 부이치치의 삶은 활력에 차 있습니다. 수영을 하고, 컴퓨터를 하고, 핸드폰을 받고, 파도를 타는 삶. 팔다리가 없는 닉 부이치치가 날마다 도전하는 삶입니다. 한계를 모르는 삶을 사는 닉의 비결을 배워 보십시오.

닉 부이치치의 삶은 시련과 좌절을 경험한 이들에게 희망을 줍니다. 어려움으로 인해 주저앉거나 절망하지 않고 그것을 아무것도 아닌 것으로 보게 하며 다시 일어서게 합니다. 일어설 뿐만 아니라 세상을 밝히는 빛이 되도록 우리의 가슴을 충동질합니다. 모든 독자들이 이 거룩한 충동을 느끼게 되길 바랍니다.

— **이어령**(이화여대 석좌교수)

그를 보면 포기하지 않는 열정을 느낍니다. 그의 건강한 정신에서 뿜어 나오는 열정이 사지가 없다는 것도 잊게 합니다. 멋진 인생을 사는 데 장애가 어떤 문제도 되지 않는다는 것을 보여 주는 그는 우리의 삶이 더 이상 여기 머물지 않도록 도전하고 있습니다. 그 도전을 받아들이고 싶습니다.

— **이영표**(국가대표 축구선수)

닉이 그저 '호주판 오체불만족'으로 불리워서는 안 되는 이유! 닉에게는 답이 있었습니다. 열쇠가 있었습니다. 그 열쇠와 답을 찾아 살아온 스물일곱 해 동안의 닉의 라이프스토리는 절망 중에 주저앉은 이들에게 한계를 뛰어넘는 인생을 바라볼 소망을 줍니다. 인생의 답을 찾지 못하는 이들에게, 닫힌 문 앞에서 열쇠를 찾지 못하는 이들에게 닉은 열정적 언어로, 그의 작지만 큰 몸으로 말합니다. 완전하신 주님, 실수가 없으신 그 주님이 바로 우리와 함께 계심을!

- 이지선(「지선아 사랑해」 저자)

끝이라고 생각되는 돌이킬 수 없는 현실들. 하지만 그 모든 상황들은 겨우 10퍼센트에 불과합니다. 아무리 절망적인 상황이라 해도 우리 스스로가 선택한 반응에 의해 결과는 90퍼센트 이상 달라질 수 있기 때문입니다. 닉 부이치치가 끔찍한 현실 속에서 선택해 온 흥미진진한 '반응'들에 흠뻑 젖노라면 누구라도 마음 깊은 곳에서부터 꿈틀거리는 희망을 새롭게 발견하게 될 것입니다.

- 조신영(늘사랑기독학교[ECS]교장, 「쿠션」 저자)

우리가 살아가는 인생의 수준은 마음의 태도에 달려 있습니다. 인생을 하나님의 관점으로 보는 사람에게는 상황과 형편이 아무런 문제가 되지 않습니다. 닉은 팔다리가 없는 절망적인 상황 속에서도 더 큰 꿈을 향해 전진했습니다. 더 이상 잃을 것이 없기 때문입니다. 닉에게서 수준 높은 그리스도인으로 살아가는 법을 배우십시오. 그는 당신의 좋은 멘토가 될 것입니다.

- 조용기(여의도순복음교회 원로목사)

닉 부이치치의 이야기가 책으로 나왔다는 소식을 듣고 마음이 설레었습니다. 2008년 TV 프로그램 〈W〉에서 직접 닉 부이치치를 소개하고 나서 얻은 도전과 격려가 너무 컸기 때문입니다. 이번에는 나에게 어떤 도전을 줄까 생각하며 두근거리는 마음으로 책을 펼치게 됩니다. 이 책을 읽고 우리 모두 닉처럼 멋진 삶을 살 수 있는 좋은 조언들을 얻었으면 합니다.

— **최윤영**(MBC 아나운서)

닉 부이치치는 존재 자체가 은사인 사람입니다. 그는 태어났을 때 양팔과 다리가 없었습니다. 그래서 자살을 몇 번이나 생각했다고 합니다. 그런데 이 사람이 지금은 전 세계를 돌아다니면서 설교와 강연을 합니다. 이 사람이 청소년들 앞에 서면 자살하려고 했던 이들이 부끄러워서 말을 못합니다. 그에게 있는 은사가 얼마나 큽니까. 이 책을 통해 길을 잃은 많은 젊은이들이 희망과 도전을 얻기 바랍니다.

— **하용조**(온누리교회 담임목사)

닉 부이치치를 보면 두 가지 사실에 놀라게 됩니다. 하나는 그의 장애가 사람이 쉽게 감내하기 어려운 것이라는 점이고, 다른 하나는 그런 장애에도 불구하고 인생을 열정적으로 살아가는 그의 태도 때문입니다. 나는 오직 하나님만이 그러한 것을 가능하게 하셨다고 믿습니다. 하나님은 외적 조건과 상관없이 인생을 빛나게 하실 수 있는 분입니다. 닉의 이야기를 통해 그의 하나님을 만나십시오.

— **홍정길**(남서울은혜교회 담임목사)

난 정말 축복받은 사람이다.
지금 나는 그 누구도 상상하지 못했던
인생을 즐기고 있다.
나는 내 삶을 사랑한다.

숨 막히도록
멋진 인생을 위하여

> > >

s i m i l t n o c w i t h e L i f e

　　　　내 이름은 닉 부이치치이고, 올해 스물일
곱 살이다. 남들처럼 팔다리는 없지만 거기에 매이
지 않고 온 세계를 돌아다니며 수많은 이들에게 역
경을 이겨내며 꿈을 좇으라고 도전하고 있다.

　이 책에서 나누고 싶은 이야기는 지난날 내가 온
갖 난관과 장애를 딛고 일어섰던 경험들이다. 한편
으로 보면 지극히 개인적인 이야기이겠지만 다른
한편으로는 모든 이들에게 적용되는 보편적인 이야
기이기도 하다. 이 글을 읽는 모든 이들이 각자에게
주어진 도전과 어려움을 극복하고 인생의 목표를
분명하게 정할 뿐 아니라 숨 막히도록 멋진 삶의 통
로를 찾기를 바란다.

　누구든지 척박한 환경에서 고단한 세월을 보내노
라면 자기회의와 절망에 빠지기 마련이다. 때로는

인생이 참 불공평하게 느껴지기도 한다. 하지만 성경은 "여러 가지 시험을 당하거든 온전히 기쁘게 여기라"(약 1:2)라고 말한다. 나 또한 이 가르침을 받아들이기까지 개인적으로 오랜 씨름을 벌여야 했다. 하지만 마침내 시련이 '나 자신이 어떤 인간이 되어야 하는지, 내가 가진 재능을 이웃과 어떻게 나누어야 하는지' 생각할 기회를 준다는 사실을 마음 깊이 받아들이게 되었다. 그리고 내 경험을 토대로 이 진리를 전파할 수 있겠다는 결론에 이르렀다.

난 정말 축복받은 사람이다

나의 부모님은 경건한 그리스도인이었지만 팔다리가 없는 자식을 낳고서는 하나님의 뜻이 도대체 어디에 있는지 깊은 회의를 느꼈다고 한다. 처음에는 아이의 암담한 앞날 때문에 절망에 빠져 있었고, 자식이 정상적인 삶을 살기는 틀렸다고 생각했다.

하지만 지금 나는 그 누구도 상상하지 못했던 인생을 즐기고 있다. 사람들은 매일같이 내게 전화나 이메일, 편지나 트위터를 통해서 자신의 사연을 보내온다. 공항, 호텔, 레스토랑에서도 나를 먼저 알아보고 끌어안으며 내 이야기에 감동을 받았노라고 고백하는 사람들이 많다. 난 정말 축복받은 사람이며 지금 이 순간도 이루 말할 수 없이 행복하다.

그러나 가족들은 물론이고 나 자신도 이처럼 짐스럽기만 한 장애가 축복이 되리라고는 꿈에도 생각지 못했다. 덕분에 언제든 쉽게 누군가에게 다가설 수 있고, 공감하며, 그 아픔을 이해하고, 위로를 줄 수 있는 기회를 얻을 수 있었다. 비록 남다른 도전을 받고 있기는 하지만 다른 한편으로는 가족의 사랑과 민감한 마음, 깊고도 꾸준한 믿음 등의 축복을 누리고 있는 것 역시 사실이다. 여기서 솔직하게 고백하건데, 겁나고 두려운 시기가 없었더라면 믿음과 목적의식이 지금처럼 단단히 여물지는 못했을 것이다.

나 또한 한없이 절망했던 때가 있었다

예민한 사춘기에 들어서면 너나없이 자신이 누구랑 어울릴지 고민하게 된다. 나 또한 내 몫으로 주어진 환경에 한없이 절망했던 시간이 있었다. 내가 절대로 '정상적'으로 될 수 없을 것이라는 느낌이 마음 깊이 파고들었다. 어쨌거나 같은 반 친구들과 전혀 다른 몸뚱이를 가졌다는 것만큼은 부정할 수 없는 사실이 아닌가! 수영이나 스케이트보드 타기처럼 남들이 하는 활동들을 해보려고 애를 쓸수록 아무리 발버둥 쳐도 할 수 없는 일이 있다는 깨달음 역시 커졌다.

잔인한 아이들이 생각 없이 내뱉는 '괴물'이나 '외계인' 같다는 이야기들이 단단한 못이 되어 내 가슴에 박힌 적도 많았다. 나 역시 머리부터 발끝까지 보통 사람이 되어 남들처럼 평범하게 살길 바랐지만 가망이 없어 보였다. 친구들 사이에 자연스럽게 받아들여지면 좋겠다고 생각했지만 꿈같은 얘기란 느낌을 지울 수 없었다. 다른 이들과 어울리고 싶었지만 그럴 수 없을 것 같았다.

나는 땅을 치며 슬퍼했고 끝없이 우울했다. 늘 마음이 아팠고 항상 부정적인 생각에 짓눌렸다. 물론 주위에는 가족들과 친구들이 들끓었지만 정작 나는 늘 외로웠다. 사랑하는 이들에게 죽는 날까지 짐이 되지나 않을까 두려웠고 걱정스러웠다. 낙심천만이었다. 이리 보고 저리 봐도 출구를 찾을 수가 없었다.

비참했다. 칠흑같이 어두웠던 그 시절의 이야기들만 나열한다고 해도 족히 책 한 권은 쓰고도 남을 것이다. 하지만 이런 부정적인 생각은 정말, 정말 잘못된 생각이었다.

도전하려는 의욕이 있다면 목표를 이룰 수 있다

앞으로 이 책에서 써 내려갈 내용들을 통해서 고된 시련과 쓰라린 역경 가운데서도 소망의 끈을 놓지 않는 방법을 제시하려고 한다. 커다란 슬픔과 고민의 반대편에 있는, 더 강하고 단호하며 주체적인, 그래서 원하는 삶을 찾아내는 길을 비추어 보이고 싶다. 하나님의 뜻 안에서 한번 도전해 보려는 의욕과 열정이 있다면 반드시 목표를 이루게 될 것이다.

놀라운 얘기일지 모르겠지만, 솔직히 말해 나 역시 일 년 내내 한 치의 흔들림도 없이 이 원리를 신뢰하는 것은 아니다. 인터넷에 떠도는 내 동영상을 본 적이 있는가? 화면에 보이는 그 빛나고 행복한 모습은 고단하고 긴 여정 끝에 얻은 결실이다. 처음에는 그야말로 맨몸뚱이뿐이었다. 하지만 나는 험한 길을 걸으며 가져야 할 몇 가지 중요한 마음가짐이 있다는 것을 깨달았다. 한계를 뛰어넘는 삶을 살자면 다음의 요소들이 필수적이라는 것이다.

- 분명한 목적의식
- 결코 스러지지 않는 확실한 소망
- 하나님과 무한한 가능성을 신뢰하는 굳센 믿음

- 자신을 있는 그대로 받아들이는 사랑과 용납
- 고상한 태도
- 용맹스러운 기상
- 기꺼이 달라지려는 의지
- 믿고 의지하는 자세
- 기회에 목말라하는 갈증
- 위험을 감지하고 삶을 굽어볼 줄 아는 능력
- 나보다 남을 먼저 섬기는 소명감

이제 여기 열거된 각각의 마음가짐을 각 장에서 하나씩 설명해 나갈 것이다. 이를 통해 만족스럽고 의미 있는 삶으로 가는 저마다의 여정에 요긴한 이정표를 찾게 되기를 바란다. 나는 이런 원리를 제시함으로써 여러분이 각자를 향한 하나님의 사랑을 깨닫기 원한다. 부디 주님이 한 사람 한 사람을 위해 마련해 두신 기쁨과 충족감을 만끽하길 바란다.

하루하루 힘겨운 씨름을 벌이며 삶을 이어가고 있다면 내 이야기를 들으면서 그 부대낌 너머에 삶의 목적이 자리 잡고 있다는 사실을 명심했으면 좋겠다. 그리고 그 목적은 놀랍게도 우리의 상상을 훨씬, 훨씬, 아주 훨씬 뛰어넘는 것이다.

지금 가파른 고개를 넘어가고 있는가? 바닥에 쓰러져 다시 일어설 엄두조차 내지 못하는가? 어떤 느낌인지 잘 안다. 모르긴 해도 인간이라면 너나없이 최소한 한두 번은 겪는 일이다. 날이면 날마다 만사형통일 수는 없다. 하지만 거세게 닥쳐오는 도전을 잘 극복한다면 더 강해질 뿐 아니라 주어진 여건에 더욱 감사하게 될 것이다. 정말 중요한 것은 어려움이 있더라도 그것을 어떻게 잘 다루는가 하는 점이다.

누구나 그렇듯, 나도 내 삶을 사랑한다. 그렇다고 해서 기회가 항상 우리를 기다려 주지는 않는다. 자, 어떻게 하겠는가? 한번 덤벼들어 보지 않겠는가?

1

절망이 희망이 되는 삶

자신이 무엇보다도 아름답고 소중한, 온 세상의 다이아몬드를 다 가지고도 살 수 없을 만큼 값진 하나님의 자녀임을 잊지 말라. 나와 당신은 그분이 그려 두신 설계도에 딱 들어맞는 존재들이다. 그러므로 더 나은 인간이 되는 것을 목표로 삼고 더 큰 꿈을 꾸며 장벽을 뚫고 나가보도록 하자. 삶이 탄탄대로일 수는 없으므로 가다가 조금씩 진로를 수정할 필요는 있겠지만 값진 인생이라는 사실에는 변함이 없다. 환경과 조건이 어떠하든지, 여전히 숨을 쉬고 있다면 세상에서 해야 할 일이 남아 있다고 믿어도 좋다.

기적의 주인공이 되라

>
>
>

이루 헤아릴 수 없을 만큼 많은 이들이 나의 유튜브 동영상을 통해 내가 스케이트보드를 타고, 서핑을 하고, 악기를 연주하고, 골프공을 치고, 자빠졌다 일어나고, 청중들 앞에서 강연하고, 그리고 무엇보다 각계각층의 멋진 사람들과 포용하는 모습을 보고는 박수갈채를 보내 주었다.

하지만 그건 누구나 할 수 있는 지극히 평범한 일들이다. 그렇지 않은가? 그렇다면 동영상의 접속 횟수가 수백만 건을 넘어서는 까닭이 무엇이라고 생각하는가? 모르긴 해도, 신체적인 장애가 한두 군데가 아닌데도 불구하고 마치 아무런 지장이 없다는 듯 태연하게 사는 내 모습을 보고 열광하는 것이 아닌가 싶다.

사람들은 장애를 가진 이들이 으레 소극적이고,

분노를 품고 있으며, 잔뜩 움츠러들었을 거라고 추측한다. 한편 나로서는 모험을 즐기고 매사에 만족하는 내 모습을 보고 깜짝 놀라는 사람들의 표정을 보는 것이 오히려 더 즐겁다.

동영상에는 수없이 많은 댓글들이 달려 있지만 뼈대는 대개 비슷하다. "이런 친구가 행복하게 사는 걸 보고 있노라니 이것저것 불만스러워하던 내 자신이 부끄러워진다. 이 친구는 팔다리가 없어도 연신 싱글벙글하는데 어떻게 내가 그런 생각을 할 수 있단 말인가!"

◤어떻게 그렇게 행복하세요?

종종 나는 "어떻게 그렇게 행복하게 사세요?"라는 질문을 받는다. 그때마다 나는 가능한 한 솔직하게 대답한다.

불행했던 내가, 비록 한 인간으로서는 모자라는 구석이 많지만 닉 부이치치라는 인격체로서는 완전하다는 사실을 깨닫는 순간, 행복으로 통하는 문이 활짝 열렸다. '나도 하나님의 피조물이다. 그리고 그분은 특별한 계획을 가지고 나를 창조하셨다'라는 깨달음이 나의 행복의 비밀이다. 개선의 여지가 전혀 없다는 이야기는 아니다. 개인적으로는 여전히 노력하는 중이다.

나는 내 삶에 한계가 없다고 믿는다. 팔다리가 없으니 공식적으로는 장애인이지만 실제로는 똑같은 이유에서 '뭐든지 다 할 수 있는 사람'이다. 남들에겐 없는 독특한 문제를 가졌지만 그 덕분에 어려움을 겪는 이들에게 손을 내밀 수 있는 특별한 기회들도 활짝 열렸다. 그렇다면 상상해 보라. 건강한 여러분은 얼마나 많은 일을 할 수 있겠는가?

나는 종종 사람들이 자신은 똑똑하지 못하거나, 예쁘고 잘생기지 못했거나, 재능이 부족해서 꿈을 좇지 못한다는 이야기를 듣는다. 남들이 던지는 한 마디에 마음이 흔들리고 심지어 스스로 담을 쌓고 그 안에 갇히기도 한다. 이처럼 자신을 쓸모없는 존재로 여기고 하나님의 역사를 제한해 버리는 것만큼 끔찍한 일이 또 있을까?

꿈을 포기하는 것은 창조주를 상자 안에 가둬 버리는 짓이나 다름 없다. 다른 건 다 제쳐 두고라도 인간은 누구나 하나님의 피조물이다. 그분은 특별한 뜻을 가지고 한 사람 한 사람을 지으셨다. 그러므로 하나님의 사랑을 무시하고 삶을 작은 틀에 묶으려는 것처럼 어리석은 일은 없다.

▌아직 희망이 있다

우리에게도 선택권이 있다. 자신의 결점과 처지에 실망하기로 결정하거나, 쓰라린 상처를 부여잡고 분노하거나 슬퍼하기로 작정할 수도 있다. 반면 어려운 일이나 상처를 주는 상대와 부대끼면서 꿋꿋이 전진하며 스스로 행복을 가꿔 가는 쪽을 선택할 수도 있다.

자신이 무엇보다도 아름답고 소중한, 온 세상의 다이아몬드를 다 가지고도 살 수 없을 만큼 값진 하나님의 자녀임을 잊지 말라. 나와 당신은 그분이 그려 두신 설계도에 딱 들어맞는 존재들이다. 그러므로 더 나은 인간이 되는 것을 목표로 삼고 더 큰 꿈을 꾸며 장벽을 뚫고 나가 보도록 하자. 가다가 조금씩 진로를 수정할 필요는 있겠지만 값진 인생이라는 사실에는 변함이 없다. 환경과 조건이 어떠하든지, 여전히 숨을 쉬고 있다면 세상에서 해야 할 일이 남아 있다고 믿어도 좋다.

등을 토닥이며 격려해 줄 수는 없지만 글로나마 내 진심을 전하고 싶다. 막다른 골목에 몰린 것 같은 생각이 들 때도 있겠지만 그래도 희망이 있다. 주위 환경이 끔찍해 보일지도 모르지만 쥐구멍에도 볕 들 날이 있는 법이다. 조건이 제아

> 꿈을 포기하는 것은 창조주를 상자 안에 가둬 버리는 짓이나 다름없다.
>
> Life Without Limits

무리 척박해도 얼마든지 딛고 일어설 가능성이 있다. 기대하는 것만으로는 변화가 일어나지 않는다. 구체적인 행동을 하기로 작정하라. 그 순간 모든 것이 달라지기 시작할 것이다.

하나님을 사랑하는 이들에게는 모든 일이 합력하여 선을 이루는 법이다. 거기에 대해서는 단 한 점의 의구심도 없다. 내 삶 자체가 그 증거이다. 팔다리 없이 사는 인생이 무슨 선한 일을 해내겠느냐고? 한번 몸을 훑어보기만 하고도 사람들은 내 말을 귀 기울여 듣는다. 신앙을 나누고, 하나님의 한없는 사랑을 전하고, 소망을 줄 길이 열리는 셈이다. 그런 식으로 나는 세상에 기여한다.

사람이 살아가면서 가장 중요한 것은 자신의 가치를 깨닫는 것이다. 좌절감에 시달리고 있는가? 괜찮다. 실망한다는 건 지금보다 더 나은 삶을 기대한다는 뜻이므로 문제될 것이 없다. 살다가 부딪히는 이런저런 어려움들 덕분에 하나님이 본래 계획하신 자신의 진면목을 발견하는 경우가 얼마나 많은가!

▮팔다리가 없습니다!

나는 내게 주어진 환경과 조건에서 삶의 의미를 찾기까지 제법 긴 시간이 걸렸다. 어머니는 스물다섯 살 때 첫 아기인 나를 임신했다. 그때까지 분만실에서 신생아를 전담하는 조산원으로 일하면서 수많은 산모와 아기들을 보살폈던 터라, 어머니는 임신중에 산모가 어떻게 해야 좋은지 누구보다 잘 알고 있었다.

그래서 균형 잡힌 식사를 했고, 약을 잘못 먹지 않도록 조심했으며, 술, 아스피린, 진통제 따위는 입에 대지도 않았다. 그리고 평판이 좋은 의사들을 찾아가서 진찰을 받았다. 그들은 순산하게 될 테니 조금도 염려하지 말라며 어머니를 격려했다. 그래도 왠지 걱정이 가시지 않았는지 어머니는 출산 예정일이 다가오면서 여러 차례 아버지에게 불안한 마음을 하소연했다. "제발 아기한테 아무 일도 없었으면 좋겠어요." 임신 기간 동안 받은 두 차례의 초음파 검사에서도 담당의사는 이상 징후를 전혀 발견하지 못했다. 아기가 아들이라는 얘기뿐, 팔다리가 보이지 않는다는 식의 얘기는 단 한 마디도 없었다.

1982년 12월 4일, 마침내 아기가 태어났다. "아기는 괜찮은 거죠?" 갓 출산을 한 어머니가 의사에게 처음 던진 질문이었다. 대답이 없었다. 의료진은 어머니 품에 나를 안겨 주는 대신, 소아과 전문의를 불렀다. 그러고는 분만실 한 구석에 둘러선 채, 나와 서로의 얼굴을 번갈아 쳐다보면서 소곤소곤 의견을 주고받았다.

때마침 건강한 아이의 커다란 울음소리가 들려왔다. 어머니는 일단 안도했다. 하지만 아버지는 달랐다. 출산을 지켜보다가 아기에게 팔이 없는 것을 확인하고는 더 이상 견디지 못하고 부축을 받으며 분만실을 나갔다.

간호사와 의사들은 산모가 아기의 기괴한 모습에 충격을 받지 않도록 재빨리 시트로 아기를 둘둘 말아 감췄다. 하지만 어머니는 속지 않았다. 의사와 간호사들의 얼굴에 스치는 불안하고 불편한 표정을 보면서 뭔가 잘못돼도 단단히 잘못됐다는 것을 눈치 챈 것이다.

"뭐죠? 우리 애한테 무슨 일이 있는 거죠?"

담당의사는 좀처럼 입을 떼지 못했다. 그러나 산모가 워낙 강경하게 답변을 요구하자 전문적인 의학 용어를 동원해서 간신히 한 마디 대답을 내놓았다.

"해표지증(phocomelia)입니다."

병원에서 일했던 어머니는 그 말을 금방 알아들었다. 기형을 가졌다든지 팔이나 다리가 없이 태어난 아기를 일컫는 말이었다. 같은 시각, 아버지는 병실 바깥에 있었다. 방금 전에 본 아이의 모습이 진짜인지 의심스러웠다. 그래서 따라 나온 소아과 의사에게 울부짖듯 말했다. "아들아이가, 아기가 팔이 없어요!"

"실은 팔과 다리가 모두 없습니다." 나름대로 신경을 써가며 의사가 대꾸했다.

"뭐라고요!?" 벼락이라도 맞은 것처럼 놀라며 아버지가 소리쳤다.

아버지는 얼마나 충격적이고 고민스러웠던지 한동안 말문을 열지 못했다. 얼마나 시간이 흘렀을까? 아버지는 후다닥 병실로 달려 들어갔다. 산모가 먼저 아기를 보기 전에 충분히 준비를 시켜 두려는 심산이었다. 하지만 안타깝게도 어머니는 서럽게 울고 있었다. 의료진으로부터 그 참담한 소식을 전해 들었던 것이다. 의사는 아기를 받아서 안아 주라고 권했지만 산모는 도리질을 치며 얼씬도 못하게 했다.

"저리 치우세요! 보고 싶지도, 만지고 싶지도 않아요!"

아버지는 그날 병원 측에서 어머니에게 마음의 준비를 시킬 틈을 주지 않았던 걸 두고두고 서운해 했다. 제법 시간이 흐르고 산모가 잠들자, 아버지는 신생아실로 나를 찾아왔다. 그리고 다시 병실로 돌아가서 아내에게 속삭였다.

"여보, 근데, 애가 참 예뻐."

▌하나님의 특별한 계획

아버지와 어머니는 물론이고 온 교회가 나의 출생을 축하하고 축복하는 대신 깊은 슬픔에 빠졌다. "사랑이 그렇게 많으신 하나님이 어째서 이런 일을 허락하셨을까?"

열서너 살 무렵, 내가 태어날 때 어땠는지, 몸통뿐이라는 것을 처음 알고는 어떤 반응을 보였는지 캐묻기 전까지는 그런 일이 있었다는 것조차 새카맣게 몰랐다. 학교에서 짓궂은 아이들에게 시달리고 돌아온 어느 날, 어머니는 팔다리가 없어서 미칠 것 같다는 나를 끌어안고 한동안 서럽게 우셨다. 그러고는 두 분이 깨닫게 된 것이 있다고 했다. 나를 이렇게 만드신 데는 하나님의 특별한 계획이 있으며, 언젠가는 그 전모가 분명하게 드러날 것이라고 말이다. 처음 대화를 나눌 때만 해도 두 분은 신중하고 방어적인 대답만을 되풀이했다. 그러나 내가 제법 나이가 들어서 충분히 소화할 능력이 생겼다고 판단한 뒤부터는 꼬치꼬치 캐물을 때마다 조금씩 더 깊이 감정과 두려움을 털어놓았다.

하지만 갓 태어났을 때에 안아 주기도 싫었다는 고백을 들었을 때는 솔직히 받아들이기가 쉽지 않았다. 그것도 모자라서 쳐다보기만 해도 끔찍하더라는 얘기까지 들어야 했으니, 내 기분이 어땠겠는가? 그렇지만 그날부터 지금까지 아버지와 어머니가 나를 위해 해준 일들을 떠올려 보면 두 분은 말이 아닌 행동으로 나에 대한 사랑을 수없이 확인시켜 주었다.

지금 돌아보면, 그만큼이나마 아물어지고 두 분의 지극한 사랑을 뼛속 깊이 새긴 뒤에 쓰라린 이야기를 들었다는 것이 참으로 감사하다.

나는 지독하리만치 단호하면서도 상당히 낙천적인 아이였다. 그래서 선생님들이나 친구들의 부모님들, 심지어 생전 처음 보는 이들도 나와의 만남에 대해 "댁의 아들 덕에 큰 감동을 받았다"라고 얘기하곤 했다. 내 쪽에서도 세상을 보는 눈이 조금씩 달라졌다. 내가 감당하기 어려운 도전을 받고 있는 것은 부인할 수 없는 사실이지만 남들도 나 못지않게, 경우에 따라서는 더 버거운 짐을 짊어진 채 살아가고 있었다.

세계 곳곳을 돌아다니면서 말로 다 표현할 수 없는 끔찍한 현실을 목격할 때마다, 손에 쥐지 못한 것을 아쉬워하는 마음이 사라지고 당장 가진 것들에 감사하는 마음이 샘솟는다. 세계 도처에는 부모도 없이 성치 못한 다리를 끌고 하루하루 목숨을 이어가는 어린아이들이 얼마나 많은지 모른다. 수많은 젊은 여성들은 성노예로 살아가고 있으며, 너무 가난해서 빚을 갚지 못한 채 결국 감옥에 갇힌 남성들도 부지기수다.

고통스러운 상황은 어디를 가나 볼 수 있다. 눈을 의심해야 할 만큼 잔인한 상황도 드물지 않다. 그러나 처참하기 이를 데 없는 빈민가에서 표현하기조차 어려울 만큼 끔찍한 일들을 겪으며 사는 이들 가운데도 단순히 생존을 넘어 훌륭하게 자기 인생을 가꿔 가는 사람들이 있다. 그런 이들을 볼 때마다 나는 가슴이 벅차오른다.

이집트의 수도 카이로 변두리에 있는 악명 높은 슬럼가를 찾아갔을 때도 그랬다. 거기서 '기쁨'을 만나리라고는 눈곱만큼도 생각지 않았다. 만쉬예트 나사르는 깎아지른 절벽으로 둘러싸인 지역이다. 동네 전체를 감싸고 있는 지독한 악취 탓에 '쓰레기 특별시'라는, 불쾌하지만 딱 들어맞는 별명도 붙었다. 5만 명에 이르는 주민들 가운데 대다수는 카이로 시내를 돌아다니며 쓰레기를 긁어모아다가 쓸 만한 것들을 골라내는 일로 목숨을 연명하고 있었다. 1천 8백만 카이로 시민들이 쏟아내는 폐기물은 하루가 멀다 하고 거대한 산봉우리들을 만들어 냈다. 마을 사람들은 그 속을 누비며 팔 수 있거나, 재활용하거나, 써 먹을 만한 물건들을 찾아냈다.

쓰레기더미, 가축우리, 침출수가 지독한 냄새를 풍기며 흘러가는 도랑을 따라 뻗은 좁다란 길에 서면 누구라도 절망에 찌든 얼굴들을 떠올리겠지만, 2009년 내가 그곳을 방문해서 목격한 것은 전혀 다른 모습이었다. 너나없이 힘들게 사는 것은 맞지만 그들은 이웃을 배려할 줄 알았으며, 대단히 행복해 보였고, 누구보다 튼튼한 믿음을 가지고 있었다. 이집트는 전 인구의 90퍼센트가 무슬림이다. 반면에 '쓰레기 특별시'는 전국을 통틀어 유일하게 기독교 인구가 절대 다수를 차지하고 있었다. 전 주민의 98퍼센트가 콥트교회에 다니고 있었다.

그동안 세계 곳곳에 있는 수많은 빈민가들을 가 보았다. '쓰레기 특별시'는 환경으로 치자면 그중에서도 꼴찌였지만 가슴을 뜨겁게 하는 영성으로 꼽자면 단연 으뜸이었다. 그날도 교회로 쓰는 아주 조그만 콘크리트 건물에 150명이나 되는 사람들이 꽉꽉 들어찼다. 메시지를 전하는 내내 감동을 억누를 수 없었다. 청중들의 얼굴은 기쁨과 행복으로 환하게 빛나고 있었다. 하나

> 사람이 살아가면서 가장 중요한 것은 자신의 가치를 깨닫는 것이다.
>
> Life Without Limits

같이 환하게 웃는 낯이었다. 여태껏 살면서 그렇게 은혜로운 순간이 또 있었을까 싶다. 예수님이 내 삶을 어떻게 변화시키셨는지 간증하면서 한편으로는 믿음으로 어려운 환경을 이겨내고 있는 쓰레기 특별시 시민들에게 마음으로 뜨거운 박수를 보냈다.

집회가 끝난 뒤 교회 지도자들과 이야기를 나누면서 하나님의 권능으로 그곳에 사는 사람들의 삶이 어떻게 달라졌는지를 들었다. 그들은 모두 이 땅이 아닌 영원한 하늘나라에 소망을 두고 생활하고 있다고 했다. 그리고 기적을 믿으며 하나님의 존재와 역사에 감사한다고 고백했다. 마을을 떠나기 전에 몇몇 가정을 골라서 쌀이나 차 같은 생필품과 두어 주 정도 끼닛거리를 살 정도의 생활비를 선물했다. 아이들에게는 축구공과 줄넘기 따위의 스포츠 용품들을 나눠 주었다.

일단의 꼬맹이들이 함께 놀자며 우리 일행을 잡아끄는 바람에 쓰레기 더미에서 한바탕 축구 경기가 벌어지기도 했다. 주변은 지저분하기 짝이 없었지만 다 같이 공을 차고, 웃고, 떠들며 즐거운 시간을 보냈다. 그 아이들, 그리고 그 얼굴에 피어오르던 환한 웃음이 아직도 잊히지 않는다. 하나님을 온전히 신뢰하기만 하면 어떤 상황에서도 행복을 맛볼 수 있다는 사실을 다시 한 번 뼈저리게 실감했다.

그처럼 비참한 환경에서 사는 아이들이 어쩌면 그렇게 밝게 웃을 수 있을까? 어떻게 감옥에 갇힌 죄수들이 기쁨에 겨워 노래할 수 있을까? 그 해답은 단순했다. 그들은 어찌 해볼 수도 없고 납득할 수도 없는 일들에 대해서는 담담히 받아들이고, 자신이 영향력을 행사할 수 있고 이해할 수 있는 영역에 에너지의 초점을 맞추었다.

아버지와 어머니도 그랬다. "하나님을 사랑하는 자 곧 그의 뜻대로 부르심을 입은 자들에게는 모든 것이 합력하여 선을 이루느니라"(롬 8:28)는 말씀을 굳게 믿고 꿋꿋이 앞을 향해 나갔던 것이다.

◤뿌리 깊은 믿음의 가정

아버지와 어머니는 두 분 다 유고슬라비아, 그중에서도 지금은 세르비아라고 부르는 지역에 살던 독실한 기독교 집안 출신들이다. 두 가정은 제각기 공산 정권의 압박을 피해서 오스트레일리아로 이민을 왔다. 양가의 어른들은 양심을 걸고 무기 소지를 반대하는 것으로 잘 알려진 사도교회에 다녔는데 공산주의자들은 그 신앙을 걸고 넘어졌다. 그로 인해 노골적인 차별과 박해가 이어졌으며 교인들은 여기저기 숨어 다니면서 몰래 예배를 드렸다.

제2차 세계대전이 끝나자 세르비아의 그리스도인들은 줄지어 오스트레일리아, 미국, 캐나다 등지로 탈출했다. 친가와 외가의 어른들도 그 대열에 합류했다. 자녀들이 마음 놓고 신앙생활을 할 수 있도록 오스트레일리아로 삶의 터전을 옮긴 것이다. 형제자매를 포함해서 가까운 친인척들은 비슷한 시기에 미국과 캐나다로 떠났다. 친지들이 세계 곳곳에 흩어져 살고 있는 데는 그런 사연이 있다.

아버지와 어머니는 멜버른의 한 교회에서 만났다. 어머니(두쉬카)는 빅토리아에 있는 로열 아동병원 부설 간호학교 2학년생이었다. 아버지(보리스)는 관리와 회계 업무를 담당하는 부서에서 일하고 있었다. 나중에는 평신도 목회자 역할까지 맡아서 열심히 사역했다.

▌끊임없는 도전과 전진

두 분은 나를 낳은 후로 자식이 어떤 삶을 살게 될지 걱정이 많았다. 행복하게 잘 살지 못할 바에야 차라리 하나님께서 빨리 데려가시는 것이 낫겠다는 생각도 했다. 입양을 보내는 것을 포함하여 모든 가능성을 다 열어 두고 방법을 찾았다. 결국 어찌 되었든 힘닿는 데까지 나를 잘 키우는 것이 부모로서 당신들이 감당해야 할 책임이라는 결론에 이른 두 분은 곧 마음을 추스르고 신체적으로 온갖 도전을 받고 있는 아이를 최대한 '정상적으로' 키울 채비에 들어갔다. 워낙 신실했던 분들인지라 그 바탕에는 하나님이 그처럼 장애가 심한 아이를 주셨을 때는 그만한 뜻이 있을 것이라는 믿음이 자리 잡고 있었다.

세상 누구도 만사를 뜻대로 좌지우지할 수는 없다. 때로는 특별한 잘못을 저지르지 않았는데도 제힘만으로는 도저히 처리할 수 없는 어려운 일이 생기기도 한다. 그럴 때 우리는 선택의 기로에 서게 된다. 포기하든지 아니면 계속해서 더 나은 삶을 향해 나아가든지. 무슨 일에든 교훈이 있으며 결국은 이 모든 것이 합력하여 선을 이루게 된다는 사실을 잊지 말라.

어릴 때는 나 역시도 내가 여느 아기들처럼 온전히 사랑스러운 존재인 줄 알았다. 당연히 예쁘고 귀여울 거라고 철석같이 믿었다. 더 없이 행복한 착각이었지만 그때는 그 편이 더 나았다. 내가 남들과 많이 다르다든지 엄청난 도전이 기다리고 있다는 것을 미리 알았다면 오히려 더 힘들었을 것 같다. 자신을 힘들게 하는 어떤 장애를 가지고 있다면 그 시련을 넉넉히 이길 만한 능력도 축복으로 받았다고 믿으라.

하나님은 강인한 의지를 비롯해서 수많은 은사로 나를 무장시키셨다. 얼마 지나지 않아서 나는 내가 비록 팔다리는 없을지라도 탄탄한 근육과 그것을 잘 움직이는 능력이 있음을 입증해 보였다. 가진 건 몸통뿐이었지만 구르고 무작정 뛰어내리는 등 아기들이 할 수 있는 일은 다 해냈다. 이마를 벽에 대고 버팅기면서 자세를 잡는 법도 스스로 터득했다. 아버지와 어머니는 좀 더 편안한 방법을 익히게 하려고 오랫동안 노력했지만 나는 좀처럼 내 비법을 포기하려 들지 않았다.

혹시 도움이 될까 해서 어머니가 내준 쿠션이 몇 개 있었는데 그것을 버팀목 삼아 몸을 일으켰다. 하지만 이런저런 이유에서 차라리 맨 벽에 이마를 대고 조금씩 일어서는 편이 훨씬 낫다는 결론을 내렸다. 그때부터 다소 힘든 구석이 있다손 치더라도 나만의 방식으로 문제를 해결하는 것이 나의 트레이드 마크가 됐다.

아주 어려서는 머리를 쓰는 것이 유일한 대책이었다. 덕분에 지능이 엄청나게 좋아졌고(농담이다!) 목의 힘은 무소처럼 강해졌으며 이마는 돌처럼 단단해졌다. 물론 아버지와 어머니는 늘 걱정이 많았다. 건강한 아이가 태어나더라도 부모에게 양육은 충격적인 경험이다. 그래서 부모들끼리는 흔히 첫아이가 태어날 때 뱃속에서 육아 백과 같은 것을 들고 나왔으면 좋겠다는 따위의 농담을 주고받는다. 하지만 육아 백과를 포함해 그 어떤 책에서도 나 같은 아기를 키우는 법을 다루고 있지는 않다. 그럼에도 불구하고 나는 나날이 건강하고 대담해졌다. 여덟 쌍둥이가 피울 법한 말썽을 혼자 다 피우면서 '미운 두 살' 시기를 보냈다. 반면 부모님의 걱정도 많아졌다.

'혼자 밥 먹는 법을 깨우칠 수 있을까?'

'학교는 잘 다닐까?'

'우리에게 무슨 일이 생긴다면 누가 보살펴 줄까?'

'당당히 독립해서 살아갈 수 있을까?'

인간의 사고 능력은 축복일 수도 있고 저주일 수도 있다. 흔히들 나의 부모님처럼 자신의 사고력을 이용해 아직 일어나지도 않은 미래의 일들에 대해 조바심하며 걱정하며 살아간다. 그렇지만 그토록 두려워하던 문제가 알고 보면 별 것 아닌 경우가 얼마나 많은가! 미래를 내다보고 계획을 세우는 것은 바람직하지만 최악의 두려움도 얼마든지 최상의 놀라움으로 변할 수 있다는 소망만은 놓치지 말아야 한다. 살다보면 결국 잘 풀리는 일들도 적지 않기 마련이다.

어린 시절에 겪었던 놀라운 사건들 가운데 단연 으뜸은 나의 작은 왼발을 잘 쓸 줄 알게 된 것이다. 나는 본능적으로 발을 써서 몸을 굴리고, 걷어차고, 밀치고, 지탱했다. 부모님과 의사들은 이 왼발이 크기는 작을지라도 쓰임새는 클 것이라고 판단했다. 비록 발가락은 두 개뿐이고 그나마도 태어날 때는 달라붙어 있었지만 말이다. 아버지와 어머니는 의료진과 상의해서 두 발가락을 분리시키는 수술을 하기로 했다. 발가락이 따로 떨어지면 마치 손가락처럼 펜을 쥐고 책장을 넘기는 등 더 많은 일들을 자유롭게 할 수 있으리라고 믿었던 것이다.

그때 우리가 살던 멜버른은 오스트레일리아에서 의료 서비스가 가장 앞서는 곳이었지만, 의사들의 실력만으로는 내가 맞닥뜨리고 있는 난관들을 해결할 수 없었다. 어머니는 발가락 수술을 준비하는 의사들에게 내 특성을 수없이 되풀이해 설명했다. 평소에도 몸이 뜨거우니 열이 너무 올라가지 않도록 주의해 달라고 간곡히 부탁했다. 나처럼 팔다리가 없는 아이가 수술 도중 치솟는 체온을 잡지 못해서 발작을 일으킨 끝에 결국 뇌손상을 입었다는 소문을 들었기 때문이다.

"아이의 체온을 세심하게 살펴주세요." 어머니는 수술실에 들어가는 의료진을 붙들고 거듭 부탁했다. 하지만 의사들은 보호자가 간호사 출신이라는 걸 알면서도 그 얘기를 심각하게 받아들이지 않았다. 결국 어머니가 경고했던 바로 그 상황이 내게 벌어지고 말았다. 달라붙은 발가락을 분리하는 데는 별 문제가 없었지만 수술 도중 체온

이 급격하게 치솟은 것이다. 수술을 마치고 나오는 내 모습은 비 맞은 생쥐 꼴이었다. 갑작스런 체온 상승에 전혀 대비하지 않았던 의사들은 허둥지둥 물에 젖은 시트로 나의 온몸을 감쌌다. 열을 식히려는 미봉책이었다. 그래도 안심이 되지 않자 얼음을 가져다가 한 양동이씩 들이부었다. 그렇게 해서라도 발작을 막아야 했다. 어머니는 머리끝까지 화가 났다. '두쉬카 여사'의 맹렬한 분노 앞에 의료진들도 간이 오그라들었을 것이다.

> 계속 움직여 줘야 빨리 낫는 상처들이 있다. 삶의 걸림돌들도 마찬가지다.
>
> Life Without Limits

하지만 일단 체온이 떨어진 뒤에는 훨씬 편안해진 발가락 덕에 날개를 단 것처럼 자유로워졌다. 수술 효과는 애초에 바라던 수준에는 한참 못 미쳤지만 난 금방 적응했다. 팔다리가 없는 내 입장에서는 왜소한 발과 발가락 두 개로 해낼 수 있는 갖가지 일들이 그야말로 놀라울 따름이었다. 특별히 주문 제작한 전동 휠체어와 컴퓨터, 심지어 휴대폰까지 쓸 수 있게 됐으니 의사와 기술자들의 도움으로 엄청난 자유를 얻은 셈이다.

아버지와 어머니가 두려워하던 가장 끔찍한 일들은 대부분 벌어지지 않았다. 물론 나 같은 아이를 키우는 것이 쉬운 일은 아니었을 것이다. 그러나 어려움이 컸던 만큼 웃고 즐거워할 일도 많았음을 두 분도 인정하리라 믿는다. 어느 모로 보든, 나는 여염집의 건강한 맏이들이 다 그렇듯, 두 동생을 짓궂게 괴롭히는 걸 즐기면서 한없이 평범한 어린 시절을 보냈다.

지금 몹시 고달픈 삶을 살고 있더라도, 형편이 나아질 가능성이 보이지 않더라도 결코 포기하지 말고 계속 전진하라. 분명히 말하지만 상상도 못했던 멋진 세상이 우리를 기다리고 있다. 꿈에 초점을 맞추라. 최선을 다해 그 비전을 좇으라. 누구나 환경과 조건을 바꿀 힘을 가지고 있다. 무엇이 됐든 기대하고 소망하는 일들을 추구하라.

우리의 삶은 모험담을 기록해 나가는 일기장이다. 어서 첫 줄을 적으라. 드라마틱하고 사랑이 넘치며 행복한 이야기로 가득 채우라. 거기에 적힌 대로 살아가라.

▌계속되는 변화와 적응기

내가 일곱 살에 접어들 무렵, 부모님은 적극적으로 이민을 추진하기 시작했다. 장애를 가진 나를 돌보기 위해서는 의학 관련 기술이 앞서 있는 미국 쪽이 훨씬 낫다고 판단한 것이다.

마침 로스앤젤레스 근처 아고라 힐스에 건축 및 부동산 관련 회사를 운영하는 친척이 있었다. 바타 부이치치 삼촌은 틈만 나면 아버지에게 이민을 권유하며 취업비자만 받아오면 얼마든지 일거리를 마련해 주겠다고 했다. 로스앤젤레스에는 세르비아 출신 그리스도인들이 교회를 중심으로 커다란 공동체를 이루고 있었다. 비자를 받으려면 한참을 기다려야 한다는 이야기를 들은 터라 아버지는 서둘러 신청서를 내기로 했다. 하지만 만만한 일이 아니었다. 때마침 알레르기로 고생하던 나를 위해 날씨가 좋은 퀸즐랜드 주로 이사한 직후였다. 그곳은 브리즈번에서 1천 6백 킬로미터나 떨어진 시골이었다.

이민 서류 제출이 완전히 마무리되었을 즈음, 나는 초등학교 4학년, 나이로는 만 열 살에 접어들고 있었다. 아버지와 어머니는 나와 동생들이 미국 학제에 편입하기 좋은 시점이라고 생각했다. 하지만 아버지가 3년짜리 취업비자를 받기까지는 무려 18개월을 더 기다려야 했으며 1994년이 되어서야 비로소 이민 길에 오를 수 있었다.

불행하게도 캘리포니아 주에 뿌리를 내리려던 계획은 이런저런 난관에 부딪혔다. 오스트레일리아를 떠날 당시, 나는 이미 6학년에 올라간 상태였다. 그리고 아고라 힐스에 있는 초등학교에는 자리가 없었다. 학년을 올려서 편입하는 것이 유일한 해법이었다. 커리큘럼이 전혀 다른 건 둘째치고라도 수업 내용을 따라가기가 몹시 벅찼다. 항상 모범생 소리를 들었지만 학사 일정이 전혀 달라서 학기를 시작하기도 전에 꼴찌는 따 놓은 당상이었다. 그야말로 안간힘을 써가며 간격을 메워 갔다. 중학생이 되면서부터는 과목이 바뀔 때마다 교실을 옮겨 다녀야 했다. 오스트레일리아에서는 겪어 보지 못했던 또 다른 변화였다.

우리는 일단 삼촌네에 들어가 살았다. 집이 크기는 했지만 숙모와 여섯 아이들에 우리 가족까지 뒤엉켜 집안은 늘 소란스러웠다. 하루 빨리 독립해서 나가고 싶었지만 집값이 오스트레일리아에 비해 턱없이 비쌌다. 아버지는 바타 삼촌의 부동산 관리 회사에서 일했다. 반면 어머니는 간호사로 취업할 수가 없었다. 캘리포니아 주에서 발행하는 면허증이 없는 탓이었다.

삼촌 집에서 3개월을 살아보고 난 후 두 분이 내린 결론은 미국으로 이주하기로 한 결정이 올바른 판단이 아니었다는 것이었다. 나는 학교생활에 적응하기 위해 끙끙거렸고 어른들은 어른들대로 내 건

강보험을 확보하느라 골머리를 썩였다. 어머니로서는 캘리포니아의 살인적인 물가에도 불구하고 집안일에만 매달릴 수밖에 없었다. 걱정거리는 또 있었다. 집을 사서 안정된 생활을 시작하기가 하늘의 별 따기만큼 어려워 보였다. 변호사는 은행에서 융자받기가 쉽지 않을 거라고 귀띔해 주었다. 대출 담당자 입장에서는 나처럼 장애가 심한 아이의 병원비와 뒷수발에 드는 비용만 해도 감당하기 어렵다고 볼 것이기 때문이라는 것이다.

이밖에도 부담스러운 요소들은 한둘이 아니었다. 결국 아버지와 어머니는 미국 땅을 밟은 지 넉 달 만에 브리즈번으로 되돌아가야겠다는 결정을 내렸다. 그리고 이민 오기 직전까지 살았던 컬드색에 다시 집을 구했다. 덕분에 나와 동생들은 예전처럼 한 학교에 다니며 옛 친구들과 공부할 수 있었다. 아버지 역시 예전에 다니던 직장으로 돌아가 기술전문대학에서 컴퓨터와 경영을 가르쳤다. 어머니는 우리 셋, 그 가운데서도 특히 나를 돌보는 일에 전념할 수 있게 되었다.

▌내면에 답이 있었다

솔직히 한동안 내 삶의 시나리오를 바꿀 수 있다고 믿지 않았음을 인정한다. 어떤 방식으로 세상을 바꿀 수 있을지를 두고도 오랜 씨름을 벌였다. 한창 자랄 때는 아무짝에도 쓸모없는 내 뭉툭한 몸뚱이를 원망하기도 했다. 저녁을 먹은 후 자리에서 일어나 그릇을 치울 필요가 없다고? 손을 씻지 않아도 된다고? 발바닥이 가시에 찔릴 일이 없으니 좋겠다고? 사실이다. 하지만 그쯤으로는 위안이 되지 않았다.

동생들과 사촌들은 얼마나 극성맞든지 내가 자기연민에 빠질 틈을 주지 않았다. 녀석들은 내가 몸이 불편하다고 살살 다뤄 주는 법이 없었다. 함께 쇼핑몰에라도 갈라치면 사촌들은 날 가리키며 "여기 휠체어에 앉은 애 좀 보래요! 얼레리꼴레리, 외계인이래요!"라며 큰 소리로 놀려 대길 좋아했다. 어른들은 조무래기들과 놀림을 받는 가련한 아이가 한 패거리인 줄 모르고 펄쩍 뛰기 일쑤였고 그걸 보며 우린 까르르 웃음을 터트리곤 했다.

나이가 들수록 그런 사랑을 받는다는 것이 얼마나 큰 선물인지 실감이 났다. 문득 외로운 느낌이 드는가? 변함없이 사랑을 받고 있음을 기억하라. 하나님은 사랑으로 한 사람 한 사람을 지으셨다. 그분의 사랑은 무조건적이어서 이러저러하면 사랑해 주겠다고 말씀하시지 않는다. 외롭고 실망스러운 마음이 들 때마다 그 사실을 떠올리라. 감정은 감정일 뿐, 사실이 아니다. 인간이란 시시때때로 연약해지기 때문에 하나님의 사랑을 중심에 단단히 품는 것은 매우 중요하다. 내가 대가족의 틈바구니에서 산 것은 맞지만 늘 누군가가 곁에 있어서 나를 지켜 주었던 건 아니다. 일단 교문을 들어서는 순간부터는 친구들과 마찬가지로 그 어떤 가림막도 없이 혼자 상황을 헤쳐 나가야 했다. 아버지는 틈날 때마다 하나님은 실수가 없는 분이라는 진리를 되새겨 주었지만, 가끔은 스스로 그 원칙이 적용되지 않는 예외적인 존재가 된 것 같은 느낌을 떨쳐 버릴 수가 없었다.

"팔 하나 더 주시는 게 그렇게 아까우셨습니까?" 난 하나님께 물었다. "그랬더라면 더 많은 일들을 해낼 수 있었을 겁니다."

몸이 조금만 더 '정상'에 가까웠더라면 세상 살기가 한결 수월했을 거란 아쉬움을 정말 오랫동안 품고 살았다. 하지만 미처 깨닫지 못한 게 있었다. 굳이 정상이 되지 않더라도 있는 그대로 하늘 아버지의 자녀로서 주님의 섭리를 이뤄가는 데는 아무런 지장이 없다는 사실이다. 처음에는 문제의 핵심이 불편한 몸이 아닌 스스로 설정한 한계와 가능성을 보지 못하는 제한된 시야라는 사실을 인정하지 못했다.

원치 않는 자리에 있다든지 성취하고 싶은 일을 이루지 못했다면, 환경이 아니라 내면에서 그 원인을 찾아야 한다. 책임을 인정하고 상황을 개선하기 위한 작업에 착수하라. 우선 자신의 됨됨이와 가치를 믿어 주어야 한다. 남들이 마음속 은밀한 구석을 들여다 볼 때까지 기다리지 말라. 기적이나 '딱 맞는 기회'가 올 때까지 손 놓고 앉아 있지 말라. 자신을 든든한 주걱쯤으로 여기라. 지금 세상이라는 커다란 솥에서 죽이 펄펄 끓고 있다. 어서 뛰어 들어가서 힘차게 저어 주라.

친구들처럼 나 역시 사춘기에 접어들면서 예민해졌다. 자신이 어디에 잘 어울리고, 어떤 됨됨이를 가졌으며, 장차 무슨 일을 할지 생각할 때마다 약한 생각이 들었다. 아이들이 특별히 잔인해서가 아니라 그맘때 아이들이 다 그렇듯 깊이 헤아릴 줄 몰라서 가볍게 던지는 말들이 비수처럼 날아와 내 마음에 상처를 냈다. 또래들은 "왜 넌 팔다리가 없니?" 같은 질문을 예사롭게 던졌다.

그때는 친구들과 자연스럽게 어울리는 것이 내 꿈이었다. 운이 좋

은 날은 재치 있는 말을 하거나, 일부러 웃음거리가 되거나, 온몸을
던져 운동장을 굴러서 아이들의 관심을 얻을 수 있었다. 형편이 좋
지 못할 때는 나무 뒤편이나 텅 빈 교실에 몸을 숨기고 놀림과 상처
를 피해야 했다. 또래보다는 어른들
이나 나이 많은 사촌들과 보내는 시
간이 더 많다는 것도 문제였다. 때
로는 상대적으로 성숙해 보이는 얼
굴과 진지한 사고를 할 줄 아는 능
력이 오히려 내 마음을 암담하게 만들기도 했다.

> 하고 싶은 일을 이루지 못했다
> 면, 환경이 아니라 내면에서 그
> 원인을 찾아야 한다.
>
> Life Without Limits

  '나 같은 놈을 사랑하는 여자는 없을 거야. 팔이 없어서 여자 친구
를 어루만져 줄 수도 없잖아. 만에 하나 결혼해서 아이를 낳는다 해
도 안아 줄 수조차 없으니…. 그건 그렇다 쳐도 무슨 일을 해서 먹고
살지? 몸뚱이뿐인 나를 누가 써 주겠어? 무슨 일을 맡기든지 날 도
와줄 직원을 하나 더 써야 할 판인데, 내가 사장이라도 채용하지 않
겠어. 굳이 두 명 분의 월급을 지불할 까닭이 없잖아?'

  불편한 건 주로 몸이었지만 장애는 정서적인 영역에도 큰 영향을
미쳤다. 평범한 이들보다는 훨씬 일찍 깊은 좌절감을 붙들고 한바탕
씨름을 벌여야 했다. 하지만 놀랍고 감사하게도 십대 중반을 넘으면
서 차츰 나를, 그리고 다른 이들을 인정하고 받아들이게 됐다.

삶의 즐거움을 맛보고 싶다.
마지막 한 방울까지.
내 앞에는 숨 막히도록 멋진 삶이
펼쳐져 있기 때문이다.

인생의 목적을 발견하라

또래들 틈에 섞이고 싶어서 안달하는 과정에서 나는 내 삶의 목적으로 통하는 길을 찾았다. 낯선 학교로 전학 가서 혼자 도시락을 먹어 본 적이 있는가? 그렇다면 휠체어에 앉은 채 친구들 틈에 끼지 못하는 나의 처지를 충분히 이해하리라고 믿는다. 오스트레일리아 멜버른에서 브리즈번으로, 미국을 거쳐 다시 브리즈번으로 이사하면서 가뜩이나 어려운 것이 많은 삶에 적응의 짐까지 더해졌다.

학교를 옮길 때마다 친구들은 나를 신체적으로뿐만 아니라 정신적으로도 장애가 있는 아이로 취급했다. 그런 이유로 일정한 거리를 둔 채 웬만해선 다가오려 하지 않았다. 용기를 쥐어 짜내서 불쑥 말을 걸지 않는 한, 복도나 식당에서 마주치는 아이들과 대화를 나눌 기회는 거의 없었다. 하지만 내가 더 자주 다가설수록 친구들도 내가 하늘에서 뚝 떨어진 외계인이 아니라는 사실을 더 깊이 받아들였다.

알다시피, 하나님이 다른 이가 짊어진 무거운 짐을 나누어 들라고 말씀하실 때가 있다. 대부분 그러고 싶고 그러길 꿈꾸며 소망한다. 하지만 그것만으로는 충분치 않다. 바람과 꿈, 소망을 실현하려면 움직여야 한다. 뜻을 이루려면 자신을 뛰어넘어야 한다. 친구들이 나도 자기들과 똑같은 내면을 가졌음을 알아주길 바란다면 안전지대 바깥으로 과감하게 뛰쳐나갈 필요가 있다. 그런 식으로 다가서는 것이 쉽지는 않았지만 그 열매는 말할 수 없이 달콤했다.

▍세상을 향하여 입을 열다

멀쩡한 이들을 중심으로 돌아가는 세상에서 팔다리 없이 살아가는 나의 이야기를 친구들과 나눈 지 얼마 안 돼서부터 학생모임이라든지 교회 청소년부, 십대들을 대상으로 하는 단체들에서 강연 요청이 들어오기 시작했다. 학교에서 배울 수 없는, 삶의 중심이 될 만한 특별한 진리가 여기에 있다. 한 마디로 요약하자면, 하나님은 한 사람 한 사람에게 기쁨을 주고, 마음을 쏟게 만들며, 행복의 통로가 되는 은사(재주, 기술, 또는 솜씨라고 해도 좋다)를 주셨다는 사실이다.

자신에게 잘 어울릴 뿐만 아니라 만족을 얻을 만한 자리를 두루 찾고 있다면 먼저 자기 평가서를 작성해 보길 권하고 싶다. 종이와 펜, 또는 컴퓨터를 마주하고 앉아서 좋아하는 일들의 목록을 만들어 보라. 무얼 하면 정신없이 빠져드는가? 한번 시작하면 시간 가는 줄 모르고 계속하게 되는 활동은 무엇인가? 해도 해도 또 하고 싶은 일은 무엇인가? 그런 성향에 관해 남들은 무어라고 말하는가? 조직력이나 분석력이 뛰어나다는 칭찬을 받아 본 적이 있는가? 주위의 의견을 들어보지 못했다면, 가족과 친구들에게 어떻게 생각하는지 물어보라.

그렇게 해서 얻은 결과는 삶의 길, 즉 내면에 은밀하게 감춰둔 비밀 통로를 찾아내는 실마리가 된다. 인간은 오직 약속만을 가슴에 품고 벌거벗은 몸으로 이 땅에 태어난다. 그리고 현재에 갇힌 채로, 미래의 뚜껑이 열리길 기다린다. 자신이 종일, 그리고 날마다 해도 질리지 않고 완전히 몰두할 수 있는 일을 찾았다면 정상 궤도에 들어선 셈이다. 거기에 대가를 지불할 사람을 만나면 그 일이 곧 직업이 된다.

알음알음으로 모인 몇몇 청소년들을 대상으로 난생처음 해보았던 강의는 남들에게 손을 내밀고 나 역시 그들과 똑같은 인간임을 보여주는 계기가 되었다. 나의 내면세계를 나누고 청중과 교감할 수 있다는 것이 너무도 감사했다. 그러나 무언가를 이야기한다는 것이 내게 큰 힘이 되는 건 진즉에 알고 있었지만, 남에게도 영향을 미칠 수 있다는 사실은 한참 뒤에야 깨달았다.

▼숨은 길을 찾으라

그날도 3백여 명쯤 되는 십대 학생들에게 이야기를 하고 있었다. 그때까지 만나본 그룹 가운데 가장 규모가 컸다. 개인적인 감정과 믿음을 설명하는 도중에 놀라운 일이 일어났다. 그동안 헤쳐 온 난관들을 설명하다 문득 돌아보니 언제부터인가 학생과 교사들이 모두 울고 있었다. 어떤 여학생은 고개를 묻고 심하게 흐느끼기까지 했다. 어찌 된 일인지 도무지 알 수가

없었다. 혹시 본의 아니게 그 친구의 끔찍한 기억과 상처를 건드린 건 아닐까 걱정스럽기도 했다. 그 여학생은 슬픔과 눈물을 삼켜 가며 머뭇머뭇 조심스럽게 손을 들었다. 그러고는 놀랍고도 용감한 질문을 했다. 앞에 나가서 한번 안아 봐도 괜찮겠느냐는 얘기였다. 너무도 뜻밖이어서 숨이 턱 막히는 것 같았다.

나는 나오라고 했다. 여학생은 눈물을 훔치며 청중들 앞에 나섰다. 그러고는 내게 가까이 다가오더니 나를 서슴없이 끌어안았다. 안고 또 안았다. 내 인생을 통틀어 가장 멋진 순간 가운데 하나였다. 나뿐만 아니라 강당에 있는 이들의 눈에 눈물이 가득했다. 소녀가 내 귀에 속삭였다.

"아무도 지금 그대로의 내 모습이 예쁘다고 얘기해 주지 않았어요. 사랑한다고 말해 준 이도 없었고요. 그런데 그쪽이 내 삶을 완전히 바꿔 놓았어요. 이야기를 들으며 당신이 참 멋진 사람이라는 얘길 해주고 싶었어요."

사실 그때까지도 이 일이 과연 가치가 있는지 끊임없이 되묻고 있던 중이었다. 다른 십대 친구들에게 다가서고 싶은 마음에 이런저런 이야기를 들려주는 존재쯤으로 나 자신을 평가하고 있었기 때문이

다. 물론 난생처음 '멋지다'는 말(비아냥거림이 아니라 순수한 뜻으로)을 들은 것도 감동적이었지만, 내 이야기가 누군가에게 도움이 될 수 있다는 가능성을 본 것이 더 중요한 발견이었다. 여학생은 내 관점을 변화시켰다. '어쩌면 이런 일을 통해서 세상에 기여할 수 있을지도 몰라.'

그날의 경험들은 남들과 다르다는 사실이 무언가 특별한 일로 세상에 유익을 끼치는 자원이 될 수 있음을 나로 실감하게 해주었다. 게다가 하나님은 지금까지 나를 통해 학교, 교회, 교도소, 고아원, 병원, 또는 운동장과 강당에 모인 청중들에게 사랑의 메시지를 전하게 하셨다. 뿐만 아니라, 자신이 얼마나 소중한 존재인지 깨달은 수많은 이들과 얼굴을 맞대고 웃으며 뜨거운 포옹을 나눌 기회도 주셨다. 하나님은 비정상적인 몸을 가진 나를 택해서 상한 심령을 격려하고 일으켜 세우는 일을 맡기셨다. "너희를 향한 나의 생각을 내가 아나니 평안이요 재앙이 아니니라 너희에게 미래와 희망을 주는 것"(렘 29:11)이라고 하신 말씀 그대로다.

앞길을 비추는 한 줄기 빛

나는 열다섯 살 때 주님을 인격적으로 영접했다. 그리고 4년 뒤 세례를 받은 후로는 다른 이들에게도 내 신앙에 관해 이야기하기 시작했다. 그러면서 하나님이 내게 주신 소명을 제대로 찾았다는 느낌이 들었다. 나는 강사와 전도자로 활동하면서 사역의 범위를 점점 세계로 넓혀 갔다.

그러던 어느 날, 정말 예상치 못했던 순간에 놀라운 경험을 하게 되었다. 마음의 소망이 더 커지고 올바른 길을 선택했다는 확신이 깊어지는 특별한 사건이었다. 몇 년 전 주일 예배 시간에 설교를 하러 캘리포니아 주의 한 교회에 들어섰을 때다. 그때까지만 해도 특이한 것은 전혀 없었다. 평상시와 다른 게 있다면 이번에는 모임 장소가 집에서 아주 가까운 데 있었다는 정도였다. 그날 아침 도착한 애너하임의 노트애비뉴교회는 집에서 고작 몇 블록 떨어진 곳에 있었다.

성가대가 예배 시작을 알리는 찬양을 시작했다. 나는 휠체어를 타고 맨 앞자리까지 가서 긴 의자로 옮겨 앉았다.

> 곧 사라져 버릴 쾌락에 인생을 거는 한, 얻게 되는 것도 일시적인 만족에 그칠 수밖에 없다.
> Life Without Limits

그리고 예배당을 빼곡하게 채운 교인들에게 전할 메시지를 머릿속으로 다시 한 번 정리했다. 노트애비뉴교회에서는 처음으로 설교하는 것이라 사람들이 나를 알아보리라고는 조금도 예상하지 못했다. 찬양의 멜로디 사이로 "닉이다! 닉이야!"라는 소곤거림이 들렸지만 어디서 나는 소린지도 몰랐고 그 '닉'이 날 가리킨다는 의식도 없었다. 무심코 고개를 돌리는 순간 나이 지긋한 남성이 보였다. 그 어른은 좀 더 큰 소리로 외쳤다.

"정말 닉이 맞네!"

시선이 마주치자 노인은 바로 곁에 서 있는 누군가를 가리켰다. 발 디딜 틈 없이 늘어선 이들 사이로 아이를 안은 젊은이가 있었다. 예배당 안에 워낙 많은 교인들이 들어차서 처음에는 꼬맹이의 맑은 눈빛과 환하게 빛나는 갈색 머리칼, 미소와 함께 드러난 벌어진 이만

눈에 들어왔다.

청중들 틈에 서 있던 젊은이는 아이를 번쩍 들어올렸다. 비로소 꼬마의 모습이 또렷이 보였다. 전신이 드러나는 순간, 가슴이 철렁하면서 다리에(그런 게 내게 있다면 말이다) 힘이 쏙 빠지는 것 같았다.

맑은 눈을 하고 있던 그 아이는 나와 똑같은 모습이었다. 두 팔이 없었다. 두 다리도 없었다. 심지어 조그만 왼발까지도 나와 판박이였다. 아직 19개월짜리 어린애에 지나지 않았지만 모든 것이 나와 정확히 들어맞았다. 그제야 노인과 젊은이가 왜 그토록 나를 보고 싶어 했는지 이해할 수 있었다. 나중에 알았지만, 아이의 이름은 대니얼 마르티네스이고, 크리스와 패티의 아들이었다.

미리 준비해 온 이야기를 시작해야 하는데 대니얼을, 그리고 그 안에 있는 나 자신을 보는 순간 감정이 너무 심하게 요동쳐서 통 마음을 잡을 수가 없었다. 처음에는 아이와 가족들이 불쌍했다. 하지만 곧이어 나의 선명한 기억들과 아프고 안타까운 느낌들이 홍수처럼 밀려들었다. 그맘때 느꼈던 감정들이 생생하게 살아나면서 이 꼬맹이도 나와 비슷한 일들을 고스란히 겪겠구나 싶었다.

'저 애도 자라면서 나처럼 마음에 상처를 입겠지. 난 알아. 저 아이가 밟게 될 길을 이미 지나왔거든.' 대니얼을 바라보면서 나는 마치 나 자신을 보는 것 같았다. 놀라우리만치 깊숙한 감정이입이 일어났다. 불안감, 좌절감, 외로움 따위의 케케묵은 느낌들이 거세게 밀려들면서 숨이 턱 막혔다. 강단의 환한 조명 아래 그대로 얼어붙어 버린 느낌이었다. 어지러웠다. 눈앞에 보이는 꼬마의 작은 몸이 내 안에 있는 다른 아이를 일깨우는 것 같았다.

그러다 문득, 한 가지 생각이 떠오르면서 조금씩 마음이 가라앉았다. '내가 자랄 때는 나와 비슷한 처지에 있는 사람이 전혀 없었지. 아무리 주위를 둘러봐도 앞길을 적절히 이끌어 줄 사람들이 보이지 않았어. 하지만 대니얼은 혼자가 아니야. 내가 도와줄 수 있기 때문이지. 어머니와 아버지도 크리스와 패티에게 해줄 얘기가 많을 것이고.'

팔다리 없이 살아가기가 얼마나 힘든지 나는 이미 그 과정을 모두 경험했다. 그렇다면 내 삶도 남들과 나눌 만한 가치가 충분했다. 그만하면 세상을 변화시키는 데 한몫할 수 있는 조건은 다 갖춘 셈이다.

> 우리는 자기 자신을 내놓을 때 가장 큰 보상을 받을 수 있다.
> Life Without Limits

개인적으로 나는 사람들을 격려하고 힘을 불어넣어 줄 때 가장 큰 기쁨을 느낀다. 속 시원히 세상을 바꿔 놓지는 못했지만 세월을 낭비하는 인생도 아니었다. 주위에 보탬이 되려는 의지만큼은 투철하고 명확했다.

누구나 마찬가지다. 스스로 인류에 기여할 능력을 가졌음을 굳게 믿어야 한다. 의미 없는 삶은 소망이 없다. 소망이 없는 삶에는 믿음도 없다. 하지만 힘을 보탤 길을 찾으면 존재의 의미를 파악하게 되며 종착역에 도착하는 날까지 소망과 믿음이 곁을 떠나지 않을 것이다.

노트애비뉴교회를 방문한 것은 교인들을 격려하고 기운을 북돋아 주기 위해서였다. 그런데 오히려 한 아버지가 머리 위로 치켜 올린 아이를 통해서 내 삶이 수많은 이들, 특히 대니얼과 그 가족들처럼 커다란 시련에 직면하고 있는 이들 속에 변화를 일으킬 수 있다는 강한 확신을 얻었다. 나는 크리스와 패티에게 대니얼을 데리고 앞으로 나와 달라고 부탁했다. 그리고 교인들에게 말했다.

"세상에 저절로 되는 일은 없습니다. 숨 한 번 들이마시는 것도, 발 한 걸음 내딛는 것도 모두 하나님의 섭리 가운데 있습니다. 오늘 이 예배당에 팔다리가 없는 또 다른 친구가 참석한 건 우연이 아닙니다."

대니얼의 얼굴에서 청중들을 단박에 사로잡을 만큼 환한 미소가 피어올랐다. 크리스가 아들아이를 번쩍 들어다 내 곁에 세웠다. 예배당 안에 잠시 침묵이 흘렀다. 똑같은 장애에 직면한 젊은이와 어린아이가 나란히 서서 서로를 뚫어지게 바라보는 장면은 교인들의 마음을 울렸다. 여기저기서 훌쩍거리는 소리가 들렸다. 웬만해선 울지 않지만 그날은 눈물을 주체하지 못하는 청중들과 함께 나도 흐느꼈다.

▌새로 찾은 자신감

대니얼과 시선이 마주쳤던 순간은 꿈같고 경이로운 시간이었다. 나는 말문이 막혔고 마음이 녹아내리는 듯했다. 나처럼 생긴 사람을 단 한 명도 만나보지 못했던 어린 시절이 생각났다. 당시 나는 이 세상에 혼자 버려진 것이 아니라는 것과 내가 이 땅에 발붙이고 사는 여느 인간과 다르지 않다는 것을 확인하고 싶어서 몸부림쳤다. 하지만 아무도 내가 맞닥뜨린 시련이 얼마나 처절한지 모르는 것 같았다. 그 누구도 내 고통과 외로움을 진정으로 이해하지 못한다고 생각했다.

어린 시절을 돌아보면, 남들과 무척 다르다는 사실을 인식하면서 겪었던 온갖 아픈 일들이 떠올라서 가슴이 먹먹해진다. 놀림을 받거나 따돌림을 당할 때마다 회복하기 어려운 상처를 입었다. 그렇지만 대니얼과 함께 있는 이 자리에서 느끼는 하나님의 무한한 사랑과 영광, 권능에 비하면 그쯤은 아무것도 아니었다는 생각이 든다.

사람들 위로 불쑥 솟아오른 대니얼과 눈이 마주치는 순간, 나는 내가 그토록 기도했던 것처럼 스스로 기적이 되었음을 깨달았다. 하나님은 기적을 보여 주는 대신, 나로 하여금 그 아이의 기적이 되게 하셨다.

대니얼을 만났을 당시, 난 스물네 살이었다. 아이 엄마는 나를 끌어안으며 말했다. "오늘은 아이의 미래가 시작된 날입니다. 지금 난 장성한 내 아들을 안고 있는 것 같아요. 하나님이 우리 모자를 잊지 않으셨다는 증거를 보여 주시길 얼마나 간절히 기도했는지 모릅니다. 당신이 바로 그 증표이고 우리 가정에 임한 기적입니다."

그날의 예배를 잊을 수 없는 또 다른 이유가 있다. 아버지와 어머니가 오스트레일리아에서 날아오고 있었기 때문이다. 일 년 전, 내가 미국에 자리를 잡은 뒤로 처음이었다. 도착 이틀 후에 두 분은 대니얼의 부모를 만났다. 넷이서 얼마나 많은 얘기를 나눴는지, 아마 상상도 못할 것이다.

대니얼은 하나님으로부터 날아온 선물 보따리였다. 나는 내가 준 것보다 훨씬 큰 에너지와 기쁨을 그 꼬맹이에게서 얻었다. 전혀 기대하지 않았던 또 다른 축복이었다.

▼ 나누는 삶

헬렌 켈러는 채 두 살이 되기도 전에 열병으로 시력과 청력을 다 잃었다. 하지만 꾸준히 노력해서 작가로, 연사로, 사회 활동가로 세계적인 명성을 얻었다. 이 대단한 여성은 우리가 고상한 목표를 성실히 추구할 때 행복이 찾아온다고 말했다. 개인적으로는 자신의 재능을 잘 파악하고 키우고서 나누면 자연히 기쁨을 누리게 된다는 뜻으로 해석한다. 자기만족을 추구하는 차원을 넘어서 의미를 실현하려고 노력해야 한다는 말이다.

우리는 자기 자신을 내놓을 때 가장 큰 보상을 받을 수 있다. 다른 이들의 삶을 향상시키고, 자아를 초월해서 더 거대한 존재의 일부가 되며, 변화를 이끌어 내는 힘을 갖게 되는 것이다. 꼭 마더 테레사 같은 인물이 될 필요는 없다. '장애'를 가진 한 남자의 자리에서도 얼마든지 세상에 영향을 미칠 수 있다. '사지 없는 삶'(Life Without Limb) 홈페이지에 이메일을 보낸 아가씨에게 물어보기만 해도 알 수 있는 일이다.

*

닉 선생님께

와, 무슨 말부터 해야 좋을지 모르겠네요. 우선 제 소개부터 하죠. 저는 올해 열여섯 살이구요, 이렇게 편지를 쓰게 된 것은 선생님에 관한 DVD, "팔도, 다리도, 걱정도 없다"를 보고 이루 말할 수 없는 충격을 받았기 때문입니다. 그것은 저의 회복에 아주 큰 도움이 되었습니다.

'회복'이란 말을 해서 의아할 것 같은데 사실 저는 식이장애, 구체적으로는 거식증에서 빠져나오고 있는 중입니다. 작년부터 지금까지 입원 치료 센터를 들락거리고 있는데, 병원에 다니는 일은 정말 최악의 경험이었습니다. 지금은 캘리포니아 주에 있는 센터에서 퇴원한 지 얼마 안 됩니다.

거기 있는 동안 선생님의 DVD를 보았어요. 지금까지 살면서 그처럼 감동을 받고 가슴이 뜨거워졌던 적은 없습니다. 너무 놀라서 입이 다물어지지 않았어요. 선생님의 삶 전체가 멋지고 긍정적이었어요. 말 한 마디 한 마디가 모두 제 마음을 흔들었습니다.

저는 살면서 단 한 번도 선생님처럼 깊이 감사해 본 적이 없어요. '이대로 죽었으면 좋겠다'는 생각만 수없이 되풀이했습니다. 하지만 이제 누구나 세상에서 할 일이 있으며 있는 모습 그대로 자신을 존중해야 한다는 걸 배웠습니다.

언젠가 한 번 꼭 뵈었으면 좋겠습니다. 세상을 떠나기 전에 꼭 그런 날이 오길 바랍니다. 선생님은 인간에게 허락된 가장 훌륭한 재주를 가지고 있는 것 같아요. 저를 수없이 웃게 만들더군요. 센터에서는 웃을 일이 거의 없거든요. 덕분에 많이 강해졌어요. 내가 어떤 존재인지도 알았고요.

이제 더 이상 남들이 어떻게 보든 신경 쓰거나 온종일 우울해하지 않으려고요. 가르쳐 주신 대로 부정적인 성향을 바로잡아 긍정적인 모습으로 바꿔 나가고 있습니다. 내 인생을 수

렁에서 건져 올바른 방향으로 돌아서게 해주셔서 감사합니다. 수만 마디 말로도 이 고마움을 다 전하지 못할 겁니다. 선생님은 나의 영웅입니다.

*

다른 사람들을 돕기는커녕 자기 인생조차도 버거워하며 낙심했던 어린 시절을 생각하면 참으로 놀라운 변화다. 아직까지 삶의 의미를 찾고 있는가? 남들을 섬기지 않는 한, 진정한 성취감을 맛보기란 불가능함을 기억하라.

곧 사라져 버릴 쾌락에 인생을 거는 한, 얻게 되는 것도 일시적인 만족에 그칠 수밖에 없다. 싸구려 쾌감인 것이다. 비싼 값을 치르고 오늘 있다가 내일 사라질 것들을 사들이는 셈이다.

삶은 소유가 아닌 존재의 문제다. 아무리 많은 돈을 가졌다 하더라도 인간적으로는 상당히 비참한 삶을 살 수도 있다. 온전한 몸을 가지고도 내 절반만큼도 행복하지 못할 수도 있다. 세계를 돌아다니며 깨달은 놀라운 사실은 넓은 땅에 으리으리한 집을 짓고 사는 부자 동네에서보다 뭄바이의 슬럼가나 아프리카의 고아원에서 행복하고 즐겁게 사는 사람들을 훨씬 더 자주 만난다는 것이다.

어떻게 이런 일이 벌어지는 것일까? 번듯한 집, 멋진 옷, 고급 자동차 같은 물질이 인간에게 행복을 가져다주는 것이 아니기 때문이다. 물질에 시선을 빼앗기거나 "이러저러한 것만 있으면 행복할 텐데"라는 오류에 빠지지 말라. 그것은 그럴듯한 환상에 불과하다. 물질에 매달리는 한 결코 영원한 행복을 얻을 수 없다.

어려서는 지금이라도 하나님이 팔이나 다리를 주신다면 죽는 날까지 행복하게 살 수 있을 것 같았다. 이기적인 생각은 아니었다. 팔다리는 그야말로 기본 중에 기본이 아닌가! 그런데 알다시피 남들이 가지고 있는 것이 없어도 난 행복하게 살고 있다. 그리고 대니얼을 보면서 그 사실을 재확인할 수 있었다. 대니얼과 그 가족의 마음을 어루만지

> 삶의 목적을 찾는 것만큼 소중한 일은 없다. 누구에게나 세상에 보탬이 될 만한 구석이 있는 법이다.
>
> Life Without Limits

는 과정에서 나는 내가 이 세상에 존재하는 의미를 다시 한 번 되새겼다.

캘리포니아에 도착한 부모님은 며칠 뒤 대니얼의 가족과 만났다. 그것은 대단히 특별한 모임이었다. 각기 경험한 일들을 서로 나누고 꼬맹이가 맞닥뜨리게 될 난관을 어떻게 헤쳐 나갈지를 두고 시간 가는 줄 모르고 이야기를 나누었다. 첫날 맺은 그 단단한 유대관계는 지금까지 계속 이어지고 있다.

일 년 남짓 지났을 무렵, 두 집안이 다시 모일 기회가 있었다. 진지한 대화를 나누던 중에 대니얼의 휠체어 문제가 나왔다. 담당의사가 대니얼이 나처럼 맞춤 휠체어를 만들어 타기에는 아직 이르다며 반대한다는 것이다.

"근거가 뭐죠?" 내가 물었다. "나도 대니얼 나이 때부터 전동 휠체어를 몰았어요."

말로만 설명해서는 안 될 것 같았다. 얼른 휠체어에서 뛰어내리고

대신 대니얼을 태웠다. 녀석의 발은 조이스틱에 딱 들어맞았다. 아이가 얼마나 좋아하던지! 그리고 얼마 지나지 않아 휠체어를 능숙하게 조종하게 됐다. 우리 가족이 현장에 있었기에 가능한 일이었다. 이건 '곁에' 있어 주는 여러 가지 방식 가운데 하나일 뿐이다. 경험을 나누기만 해도 아이의 길에 빛을 비춰 줄 수 있었다. 한 아이의 가이드가 된다는 건 정말 말로 설명할 수 없을 만큼 짜릿한 일이었다.

그리고 이런 선물은 지금도 변함없이 오가고 있다. 한번은 나의 부모님이 날 키우면서 몹시 고민스러웠던 얘기를 꺼냈다. 팔다리가 없는 자식이 혹시라도 욕조에 빠져서 목숨을 잃을까 봐 조심스러웠다는 것이다. 그래서 갓난아이 시절에는 목욕을 시킬 때마다 신경을 곤두세워야 했다. 말귀를 알아들을 만큼 자라자 아버지는 두 손으로 내 몸을 부드럽게 잡고 물속으로 들어가곤 했다. 설령 물에 빠진다 하더라도 자연스럽게 수면 위로 떠오른다는 걸 알려 주려는 뜻이었다.

같은 경험을 되풀이할수록 나는 자신감이 붙었고 더 과감한 시도도 서슴지 않게 됐다. 허파에 공기가 조금만 남아 있어도 가라앉지 않는다는 걸 깨달았던 것이다. 나중에는 조그만 발을 프로펠러처럼 움직여서 물살을 가르는 재주도 터득했다. 몸이 성치 않은 아들이 물속에서 퍼덕거리는 동안 아버지 어머니는 얼마나 불안했을까? 그런 것을 감안하면, 얼마 후 물만 보면 뛰어드는 수영광이 된 자식이 얼마나 대견스러웠을지 넉넉히 짐작할 수 있을 것이다.

그런 이야기를 나누고 헤어진 지 얼마 안 돼서 반가운 소식이 날아들었다. 대니얼의 발음이 또렷해지기가 무섭게 "닉 형처럼 헤엄칠래!"라는 소리를 입에 달고 산다는 것이다. 지금은 그 꼬마도 수영의 귀재가 됐다. 그 숨 막히는 감격을 어떻게 전해야 할지 모르겠다. 설령 내 이야기가 아무에게도 감동을 주지 못한다 해도, "닉 형처럼 헤엄칠래!"라는 한 마디는 그동안 살아온 삶과 맞싸웠던 모든 고난을 보상하고도 남았다.

삶의 목적을 찾는 것만큼 소중한 일은 없다. 분명히 말하지만, 누구에게나 세상에 보탬이 될 만한 구석이 있는 법이다.

언젠가는 부드럽게 움직이는
팔다리를 만들어 줄
과학자와 발명가들이 나오겠지만
지금의 나는
그 가능성만 믿고 기다리기보다
모든 일을 손수 처리할 힘을 기르기로 결심했다.

팔다리가 없다? 절망도 없다!

나는 세계 곳곳을 돌아다니며 인간의 영혼이 빚어내는 놀라운 일들을 여러 차례 목격했다. 기적이 일어나는 현장도 두 눈으로 똑똑히 지켜보았다. 한결같이 주인공들이 소망을 단단히 붙들고 있을 때였다. 그렇다면 소망이란 무엇이며 어디서 시작되는 것일까?

소망은 목적의 속삭임이다. 무슨 일이 벌어지든 그것이 삶을 좌우할 수 없음을 인식하고 거듭 확인하는 음성이다. 어려운 일이 벌어지는 것은 통제할 수 없지만 거기에 반응하는 방식은 얼마든지 조절할 수 있기 때문이다.

마르틴 루터 킹 목사는 "인류가 이룬 모든 업적은 소망의 산물"이라고 말했다. 나 역시 소망이 없으면 인간이 살 수 없다고 믿는다. 우리는 미래를 내다볼 힘이 없는 연약한 존재들이다. 하지만 하나님이 우리에게 주신 소망을 통해 충분히 장래를 내다볼 수 있다. 그분이 어떤 앞날을 설계해 두셨는지 구체적으로는 몰라도 그분의 선하신 마음을 신뢰하고, 소망을 품으며, 최선을 다하라.

소망은 가장 어려운 시기에도 그 모습을 드러내서 하나님의 임재를 보여 준다. 세계 각지를 누비며 만나본 수많은 이들에 비하면 내 고통쯤은 그야말로 '새 발의 피'겠지만, 나 역시 사랑하는 사람을 잃은 경험이 있다. 사촌 로이는 스물일곱이라는 꽃다운 나이에 암으로 세상을 떠났다. 피붙이를 잃는 건 참 마음이 아픈 일이다. 나를 비롯하여 가족은 물론이고 교인들과 평소 가까이 지내던 헌신된 그리스도인들이 함께 열심히 기도했지만 소용이 없었다. 이럴 때는 우리의 궁극적인 소망이 하늘에 있음을 다시금 확인하는 수밖에 없는 것 같다. 그럼에도 불구하고 로이가 이제 하늘나라에서 주님과 함께 머물며 더 이상 고통을 받지 않으리라는 위로 따위는 별 도움이 되지 않았다.

감사한 것은 도저히 견딜 수 없을 것처럼 보이는 상황에서도 하나님은 우리가 가진 인내의 한계를 아신다는 것이다. 우리의 인생은 잠깐이며 영원한 삶을 준비하는 과정에 불과하다. 여기서 누렸던 삶이 여유로웠든 힘겨웠든, 분명 하늘나라의 약속이 기다리고 있다. 한없이 고달픈 시기가 닥치면 하나님이 그 어려움과 마음의 고통을 넉넉히 견뎌낼 힘을 주실 뿐 아니라 장차 누리게 될 그 나라의 소망까지도 붙들게 하신다.

기도 응답이 더딜 때는 도리어 다른 이들에게 도움의 손길을 내미는 방식으로 자신을 지킬 수도 있다. 괴로워서 견딜 수 없거든 고되게 사는 이들의 짐을 나누어 짊어지고 그 자리에 소망을 심어 주라. 고통 가운데 혼자 버려진 것이 아니라는 것을 깨닫고 위로를 받을 수 있도록 부축해 주라. 긍휼히 여김을 받고 싶으면 긍휼을 베풀라. 친구가 필요하면 친구가 되어 주라. 소망에 목마르면 소망을 주라.

나는 아직 세상을 안다고 하기에는 너무 어리다. 하지만 절망이 삶을 짓누르거나, 기도가 허공을 치는 것 같거나, 두려워하던 일이 현실이 될 때마다 주위에 있는 이들과의 관계가 구원의 열쇠 구실을 한다는 사실을 날이 갈수록 뼈저리게 느끼고 있다. 나처럼 그리스도인이라면 특히 하나님과의 관계, 그리고 주님의 사랑과 지혜를 믿는 믿음이 결정적인 해결책이 될 것이다.

▌소망이 절망을 물리친다

2008년 중국을 방문하면서 소망이 절망을 물리친다는 나의 믿음은 더욱 강해졌다. 베이징에서 본 만리장성의 모습은 그야말로 장관이었다. 그러나 중국 여행 전체를 놓고 볼 때, 세계적으로 손꼽히는 경이로운 건축물보다도 더 인상 깊었던 장면은 기쁨으로 반짝이던 한 여자아이의 눈망울이 아니었을까 싶다. 공연 팀에 속해 있던 그 소녀는 다른 아이들과 함께 올림픽 식전 행사 못지않을 만큼 멋진 공연을 펼치고 있었다. 몸짓 하나하나가 얼마나 매끄럽던지 눈길을 뗄 수 없었다. 다른 무용수들과 호흡을 맞추면서도 머리 위에서 돌아가고 있는 접시의 균형을 유지했다. 집중력이 대단했다. 오만가지 상념이 떠올랐겠지만, 소녀는 밝은 표정을 잃지 않았다. 나도 모르게 눈물이 핑 돌았다.

소녀는 고아였다. 곁에서 춤추는 아이들도 마찬가지였다. 몇 달 전 동네를 휩쓴 강력한 지진에 부모를 잃고 고아원에 수용된 후 그곳에 있던 4천여 어린이들 가운데 뽑혀 공연을 한 것이다. 공연 후 봉사자들과 코디네이터를 포함한 우리 일행은 후원 물품들을 가지고 그 고아원을 방문하러 갔다. 아이들에게 격려가 될 만한 이야기를 해주는 일정도 잡혀 있었다.

고아원에 가는 길에 우리는 지진이 사람들에게 얼마나 엄청난 피해와 고통을 가져다주었는지 똑똑히 볼 수 있었다. 나는 처참한 재난을 겪은 아이들 앞에서 할 말이 없었다. 땅이 입을 벌리고 사랑하는 이들과 정든 풍경을 모조리 삼켜 버렸는데 도대체 내가 무슨 소릴 한단 말인가? 나로서는 그렇게 끔찍한 일을 경험한 적이 없다. 도톰한 외투와 옷가지들이라면 모를까, 어떻게 소망을 나눠줄 수 있겠는가?

> 어려운 일이 벌어지는 것은 통제할 수 없지만 거기에 반응하는 방식은 얼마든지 조절할 수 있다.
>
> Life Without Limits

아직 해답을 찾지 못한 채 고아원에 도착했다. 어디선가 달려온 아이들이 둘러싸더니 차례차례 나를 안아 주었다. 중국어라곤 단 한 마디도 할 줄 몰랐지만 아무 문제가 되지 않았다. 표정만으로도 이미 많은 이야기가 전해지고 있었다. 아이들은 너나없이 밝은 얼굴이었다. 무슨 말로 위로할지 걱정했던 건 다 쓸데없는 짓이었다. 나는 꼬마들을 위로하고 격려해 주겠다는 생각을 접었다. 도리어 영감이 넘치는 공연으로 아이들이 내 기운을 북돋아준 것에 대해 감사했다. 그들은 대부분 부모와 가정, 집과 살림살이를 다 잃어버린 친구들이었지만 여전히 기쁨을 표현할 능력을 가지고 있었다. 인사말을 하러 나가서 어린이들의 용기 있는 모습에 갈채를 보냈다. 그리고 소망을 잃지 말고, 더 나은 삶을 기대하며, 있는 힘껏 꿈을 좇으라고 당부했다.

나는 중국의 고아원뿐 아니라 뭄바이의 빈민가와 루마니아의 교도소에서도 환경을 딛고 일어서는 인간의 능력을 여러 차례 보았다. 얼마 전에 한국의 사회복지 시설을 방문해서 강연할 기회가 있었는데 장애인들과 '한 부모 가정들'이 한데 모여 사는 공동체였다. 다들 얼마나 강인한 영혼을 가졌던지 깜짝 놀랄 정도였다. 콘크리트 담장과 녹슨 창살로 둘러싸인 남아프리카 공화국의 교도소에서도 동일한 것을 목격했다. 비록 몸은 갇혔지만 심령은 믿음과 소망에 힘입어 한없이 자유로운 이들이었다. 교도소 문을 나서며 그 안에 구금된 재소자들이 담장 밖에 사는 사람들보다 한결 거칠 게 없다는 생각이 들었다. 누구든 마음만 먹으면 내면에 소망이 살아 숨 쉬게 만들 수 있다.

슬픔도 삶의 목적을 이루는 도구가 될 수 있음을 잊지 말라. 서글픈 감정이 일어나는 것은 지극히 자연스러운 일이지만, 그 정서가 밤낮으로 자신의 생각을 지배하도록 방치해서는 안 된다. 그럴 때는 심령의 상태를 끌어올리는 방향으로 사고와 행동을 전환하여 슬픔에 대한 자신의 반응을 조절해야 한다.

나는 영에 속한 사람이므로 슬픈 일을 만나면 믿음에 의지한다. 하지만 구체적이고 현실적인 면에서는 회계학의 원리를 가지고 상황에 접근한다. 소망이 없다는 고백을 수학적으로 해석하자면 생활 속에서 다시 진정으로 행복하고 즐거운 경험을 할 확률이 제로라는 뜻이다. '0'(제로)이라니, 너무 극단적인 평가가 아닌가? 내게는 이처럼 현재의 상황이 결코 변하지 않을 거라고 믿는 것이 더 불가능해 보인다.

믿음과 사랑이 그렇듯, 소망은 영성을 떠받치는 기둥 가운데 하나다. 어떤 믿음을 가졌든 소망 없이는 살 수 없다. 살면서 만나는 모든 선한 것들이 거기서 비롯되기 때문이다. 소망은 한 단계 뛰어오를 때마다 반드시 밟아야 할 뜀틀과도 같다.

성경은 "오직 주를 소망으로 삼는 사람은 새 힘을 얻으리니, 독수리가 날개를 치며 솟아오르듯 올라갈 것이요, 뛰어도 지치지 않으며, 걸어도 피곤하지 않을 것"(사 40:31)이라고 말한다. 이 말씀을 듣고 나서 나는 내게 팔다리가 꼭 필요한 것이 아니라는 것을 깨달았다. 하늘 아버지는 당신의 자녀들을 절대로 포기하지 않으신다. 그러니 앞을 바라보며 꿋꿋이 나아가라.

◤소망을 품고 산다는 것

소망을 품으면 무엇이든 가능하다는 말이 미심쩍게 들릴 수도 있을 것이다. 어쩌면 추락에 추락을 거듭하는 바람에 이제는 절망의 수렁에서 기어나갈 기력조차 사라져 버렸을지도 모른다. 나한테도 그런 시기가 있었다. 죽었다가 깨어나도 가치 있는 존재가 될 수 없으며 사랑하는 이들에게 짐이 될 뿐이라고 믿었던 때가 있었다.

아버지와 어머니는 처음에 나를 낳고서는 깊이 낙심했다. 당연한 노릇이다. 팔다리가 없는 아기를 키우게 되리라고 꿈엔들 생각했겠는가? 부모라면 자식이 성장해서 언젠가는 넓은 세상에 나아가 제몫을 다하는 날을 그리게 마련이다. 두 어른은 내 장래를 가늠해 볼 길이 없었다. 앞날을 생각할 만큼 철이 든 뒤부터는 나도 똑같은 고민에 빠졌다.

사노라면 마치 쌩쌩 달리던 자동차가 전속력으로 벽돌담을 들이받듯, 장밋빛 꿈이 잔인한 현실에 부딪혀 짓구겨지는 시기들을 거치게 된다. 구체적인 상황은 저마다 다르겠지만 결국 깊이 낙담하고 좌절에 빠지는 건 너나없이 한결같다. 십대아이들이 보내오는 이메일 가운데는 아버지의 폭력과 방치로 집안이 풍비박산 났다는 사연들이 적지 않다. 어떤 사람들은 마약과 알코올, 포르노그래피가 자신의 인생을 망쳐 버렸다고 고백한다. 또 다른 사람들은 암에 걸렸거나 생사를 넘나들 만큼 위태로운 중병을 안고 살아가기도 한다.

그런 상황에서 어떻게 소망을 지킬 수 있는가? 하나님을 신뢰하고 의지하는 것 외에는 방법이 없다. 우리의 인생이 뜻이 있어서 세상에 왔음을 기억하고 그 목표를 이루는 데 온힘을 다하라. 어떤 어려움이 닥치든지 하나님은 우리에게 난관을 헤쳐 나갈 길을 보여 주신다. 한때 절망적인 상황과 맞닥뜨렸던 내 아버지와 어머니를 생각해 보라.

▶믿으라, 멋진 날이 온다

짐이 무거워서 견딜 수 없는 처지에서도 기운을 잃지 않고 긍정적인 마음가짐을 갖는다는 것은 분명 어려운 일이다. 개인적으로는 장차 어떤 일을 겪게 될지 짐작할 수 있을 만큼 나이가 든 후로 줄곧 절망감에 시달렸다. 낙관적인 일들이 나를 기다리고 있으리라고는 상상조차 하지 않았다. 내가 남들과 다르다는 것이 유난히 마음을 후벼 팔 때면 늘 영혼의 암흑기가 찾아왔다. 하지만 무슨 일로 괴로워하든, 지나 온 삶을 보면 소망을 붙드는 것이 얼마나 큰 힘이 되는지 절실히 깨닫게 된다. 소망이 현실 세계에서 어떤 힘을 발휘하는지 한 가지 예를 들어보자.

아직 두 돌이 안 됐을 무렵, 전문가들은 부모님에게 장애를 가진 다른 아기들과 나를 어울려 놀게 해보라고 권했다. 그 놀이 그룹에는 나처럼 팔다리가 없는 경우부터 종양을 앓고 있거나 정신지체가 심한 사례까지 다양한 장애를 가진 친구들이 참여한다고 했다. 부모님은 특별한 어려움을 겪고 있는 그 아이들을 가엾게 여기긴 했지만, 몸이 불편하다고 해서 따로 그룹을 짓는 건 바람직하지 않다고 생각했다. 아들이 아무런 제한도 받지 않는 삶을 누리게 될 줄 믿고 그 꿈이 실현되도록 끊임없이 싸웠던 것이다.

어머니는 어린 아들에게 틈날 때마다 담담하게 일러 주었다. "닉, 너는 정상적인 아이들과 같이 놀아야 해. 너도 정상이기 때문이지. 너는 몇 가지 사소한 신체 조직이 없을 뿐이야. 그게 전부야." 자식의 뇌리에 스스로 비정상이라는 생각이 들거나 어떤 형태로든 울타리에 갇히는 걸 그냥 두고 보지 않은 것이다. 신체적으로 남들과 다르다는 이유만으로 내향적이고, 수줍음 많고, 불안한 인간으로 자라는 것을 용납할 수 없었던 것이다.

부모님은 나도 모르는 사이에 내가 온갖 꼬리표와 규제를 벗어나 자유롭게 살 권리가 있다는 신념을 주입시켰다. 인간이라면 누구나 똑같은 권리를 가지고 있으므로 특정한 범주로 자신을 제한하려는 것은 자유를 포기하는 것이라고 믿었던 것이다.

꼬리표가 붙으면 은밀한 도피처가 생긴다. 어떤 이들은 자신의 약점을 이런저런 핑계거리로 삼고 툭하면 앞에 내세운다. '장애인'이나 '약자'라는 꼬리표 때문에 역동적인 삶을 즐기거나 중요한 일을 해내지 못하는 이들 또한 많다.

반면 소망은 일종의 촉매제와 같아서 우리를 옴짝달싹 못하게 하는 족쇄를 풀어 버리고 상상도 못했던 기회를 만들어 내기도 한다. 포기하지 않고 끈질기게 밀어붙이다 보면 도움의 손길이 다가오거나 문이 열리거나 길이 뚫린다. 작용에는 항상 반작용이 따른다. 당장이라도 때려치우고 싶은 마음이 굴뚝같다면, 하루만, 한 주만, 한 달만, 일 년만 더 참고 계속 가보라. 멈추지 않고 전진하다 보면 입이 다물어지지 않을 만큼 풍성한 열매를 거두게 될 것이다.

내가 초등학교에 들어갈 즈음, 주위 사람들은 일반적인 교육 과정 대신 특수교육을 받게 하라고 부모님을 설득했다. 하지만 끝끝내 신념을 포기하지 않았던 두 분 덕에 나는 오스트레일리아를 통틀어 정규 교과 과정, 그러니까 '주류'에 편입된 첫 번째 장애 아동이 됐다. 그리고 멋지게 학사 일정을 마무리 지어 지역신문에까지 사연이 소개됐다. '통합 교육으로 일궈낸 장애 소년의 꿈'이라는 헤드라인 밑에 여동생과 함께 전동 휠체어를 타고 있는 내 사진이 크게 실렸다. 기사가 나가기가 무섭게 전국에서 취재 요청이 쇄도했으며 정부 관계자들도 줄지어 찾아왔다. 방방곡곡에서 카드와 편지, 선물, 초대장이 날아들었다.

언론에 보도된 뒤로 각지에서 보내온 성금 덕에 보장구(장애인들의 활동을 돕는 보조기구—역주)를 마련하고

> 괴로워서 견딜 수 없거든 고되게 사는 이들의 짐을 나누어 짊어지고 그 자리에 소망을 심어주라.
>
> Life Without Limits

교체할 때마다 비용을 마련하느라 쩔쩔매던 어른들의 부담이 훨씬 줄어들었다. 생후 18개월이 지나서부터 두 분은 내게 줄곧 보장구를 맞추어 주었다. 첫 번째 보조 기구는 한쪽 팔이었는데 잘 맞지 않아서 애를 먹었다. 팔과 손을 도르래를 이용해서 기계적으로 움직이는 방식이었는데 보장구의 무게가 몸무게의 두 배에 이를 정도로 무거운 것이 흠이었다. 의수를 달고 나면 몸의 균형을 잡기가 어려웠지만 곧 능숙하게 다룰 줄 알게 됐다. 하지만 조그만 발이나 뺨, 이로 물건을 잡고 움직이는 기술이 이미 상당한 경지에 올랐으므로 때로는 의수가 거추장스럽기도 했다. 아버지와 어머니는 크게 실망했지만 내 생각은 달랐다. 별다른 기구 없이도 원하는 걸 다 해낼 수 있다는 자신감이 부쩍 커졌다. 어른들께 고마운 마음을 전하고 위로하면서 한편으로는 내 길을 가는 것이 최선이었다.

보장구를 착용하는 첫 번째 실험은 실패로 돌아갔지만, 최상의 삶을 살게 되리라는 믿음을 잃지는 않았다. 낙천적이고 밝은 성격에 깊은 인상을 받은 국제 봉사 단체 라이온스클럽 지부에서는 내게 치

료비와 휠체어 구입비로 2억 5천만 원을 지원했다. 그중 일부는 캐나다의 토론토를 방문하는 데 썼다. 그곳에 있는 한 아동병원에서 개발한 최첨단 전동의수를 사용할 수 있는지 알아보기 위해서였다. 하지만 현지 전문가도 나와 똑같은 결론을 내렸다. 의수의 도움 없이도 다채로운 과제들을 썩 효과적으로 수행해 낼 능력이 있다는 것이다.

언젠가는 부드럽게 움직이는 팔다리를 만들어 줄 과학자와 발명가들이 나오겠지만 지금의 나로서는 그 가능성만 믿고 기다리기보다 모든 일을 손수 처리할 힘을 기르기로 했다. 사람은 누구나 스스로 해답을 찾고 제 손으로 행복과 성공의 길을 열어가야 할 필요가 있다. 물론 가족과 친구들이 적절한 순간에 지원의 손길을 내밀 때 나로서는 언제라도 환영이다. 그러나 결국 상황을 끌고 나가는 주체는 자신이 되어야 한다. 그리고 그것은 더 노력할수록 더 많은 기회가 생기는 법이다.

때로는 목표를 이루는 것이 하늘의 별 따기만큼 어렵다는 느낌이 들 수도 있다. 그래도 그것이 포기의 이유가 될 수는 없다. 패배는 시도하지 않는 자들의 몫이다. 나는 아직도 정상인들처럼 자유롭게 걷고, 무거운 것을 들어 올리고, 도구를 잡는 날이 오리라고 믿는다. 그런 일이 일어난다면, 하나님이 친히 행하시든, 아니면 세상에 보내신 일꾼들을 통해 이루시든, 그야말로 기적이 될 것이다. 로봇 팔을 만드는 기술은 하루가 다르게 발전하고 있다. 언젠가는 최첨단 의수족을 입고 자연스럽게 움직이는 날이 오겠지만 지금은 이 모습 이대로 행복하다.

우리의 발목을 잡는 장애물이나 올가미들이 실제로는 자신을 강인하게 만들어 줄 수도 있음을 여러 사례를 통해 보게 된다. 따라서 오늘의 '부담'이 내일의 '유익'이 될 가능성은 언제나 열려 있다. 그런 의미에서 팔다리가 없는 내 현실은 소중한 자산이기도 하다. 영어를 한 마디도 알아듣지 못하는 남성과 여성, 아이들까지도 내가 수많은 난관을 돌파해 왔다는 사실을 한눈에 알아본다. 입술이 아니라 삶으로 전하는 메시지이기 때문이다.

나는 청중들 앞에서 더 나은 날이 오리라는 믿음을 잃지 말라는 이야기를 자주 한다. 이것은 주워들은 것이 아니라 내 경험에서 우러나온 말이다. 이미 겪어 보고 하는 소리이므로 믿어도 좋다.

▶낙심의 소용돌이

지금껏 살아오면서 서너 번 소망을 놓아 버렸던 때가 있었다. 유년 시절은 대부분 행복했지만 열 살 어간에는 부정적인 생각이 감당할 수 없을 만큼 강력하게 밀려와서 그야말로 바닥까지 곤두박질쳤었다. 낙관적인 생각을 품고, 각오를 단단히 하고, 창의적인 자세로 발버둥 쳐 봐도 도저히 해내지 못할 일들이 있었다. 대단한 일도 아니고 그저 일상적인 활동들이 문제였다. 예를 들면, 다른 애들처럼 냉장고를 열고 콜라를 꺼내 마실 수가 없었다. 혼자서 밥을 먹지 못하는 것도 날 우울하게 했다. 밥 좀 떠 먹여 달라고 부탁하는 것이 수치스럽고 끔찍했다. 나를 돕느라 밥 한 끼 편히 먹지 못하는 가족과 친구들을 보면 미안하고 서글펐다.

하지만 그쯤은 약과였다. 오랜 시간 따라다니며 나를 끈질기게 괴롭힌 더 큰 문제들은 이런 것이었다. '내가 과연 사랑하는 사람을 만나서 결혼할 수 있을까? 아내와 아이들이 생긴다 해도 어떻게 먹여 살리지? 위급한 일이 생기면 어떻게 가족들을 지켜내지?'

자존감과 자아상이 정립되는 사춘기를 지나면서 나는 그 어느 때보다 깊은 근심과 두려움의 습격을 받았다. 그릇된 판단은 어느새 나의 올바른 생각을 온통 압도했다.

소망을 잃어버리면서 마음이 심각하게 흔들리기 시작했다. 소망을 잃는 것은 팔다리를 잃는 것보다 훨씬 치명적이다. 깊은 슬픔과 우울을 경험해 본 이들은 절망이 얼마나 해로운지 잘 알 것이다. 분노와 상처, 혼란이 그 어느 때보다도 극렬해졌다.

하나님께 따지기 시작했다. 다른 이들에게는 골고루 다 나눠 주시면서 왜 나만 빼놓으셨느냐고 물었다. "제가 특별히 무슨 잘못을 저질렀습니까? 그래서 팔과 다리를 달라는 기도에 응답하지 않으시는 건가요? 어째서 도와주시지 않습니까? 이토록 고통스럽게 하시는 까닭이 무엇입니까?"

팔다리가 없이 태어난 이유를 하나님도 의사도 설명해 주지 않았다. 신앙적으로도 과학적으로도 설명할 수 없다는 것이 더 비참했다. 영적으로든 의학적으로든 원인이 정확하게 드러나면 견디기가 한결 수월할 것 같았다. 너무나 속이 상한 나머지 학교에 가지 않겠다고 버티기도 했다. 난생처음 자기연민에 깊이, 아주 깊이 빠졌다. 예전에는 장애를 극복하고 정상적으로 활동하려고 안간힘을 썼다. 다른 아이들과 똑같이 하려고 최선을 다했다. 그래서 과감한 결단력

과 뭐든지 스스로 하려는 나의 독립심에 선생님은 물론 다른 친구들
도 깊은 인상을 받곤 했다. 하지만
정작 내면에는 상처가 차곡차곡 쌓
이고 있었다.

　나는 예수님을 사랑하고 사모했
으며 예배에도 꼬박꼬박 참석했다.
기도의 힘과 치유하시는 하나님의 능력을 믿었다. 가끔은 저녁식사
를 할 때도 밥을 먹는 내내 주님이 빈자리에 앉아서 지켜보시는 것
같아서 빙그레 웃곤 했다. 바로 그분께 팔다리를 달라고 열심히 기
도했다.

　"팔과 다리를 주시면 온 세상을 돌아다니며 기적을 전하겠습니다.
텔레비전에 나가서 내게 일어난 일을 전국의 시청자들에게 설명하
겠습니다. 다들 깜짝 놀라며 하나님의 능력을 인정하게 될 겁니다."

　한동안은 다음날 아침에 눈을 뜨면 팔다리가 생겨났을 거라는 기
대를 품었다. 팔과 다리가 하나씩만 생겨도 좋겠다는 생각을 얼마나
많이 했는지 모른다. 아직 코흘리개에 불과했지만, 나를 지으신 하
나님의 목적을 정확히 꿰뚫고 있노라고 자부했다. 그래서 죽는 날까
지 그 가르침을 따르겠다고 고백했다. 스스로 기적이 되려고 애쓰지
는 않았다. 하지만 나의 삶의 목적은 하나님의 파트너가 돼서 기적
을 일으킴으로써 온 세상에 주님이 실제로 살아 계심을 알리는 것이
라고 확신했다. 하늘 아버지는 여러 경로를 통해 자녀들과 대화하신
다는 얘기를 어디선가 들은 적이 있다. 어쩌면 마음이 뜨거워지는
체험을 통해 응답하실지 모른다는 느낌이 들었다. 하지만 몇날 며칠

이 지나도록 침묵만 계속될 뿐이었다. 아무런 감정도 솟지 않았고 나는 점점 화가 났다.

아버지와 어머니는 "오직 하나님만이 네가 어째서 이런 모습으로 태어났는지 알고 계신단다"라는 이야기를 자주 했다. 그래서 직접 여쭈어도 봤지만 대답이 없었다. 허공을 치는 부르짖음과 대답 없는 질문들은 곧 뼈아픈 상처로 내게 남았다. 하나님과 제법 친한 줄 알았는데 그게 아닌 것 같았다.

헤쳐 나가야 할 어려움은 한두 가지가 아니었다. 우리는 할아버지 할머니를 비롯한 친척들이 모여 사는 동네를 떠나서 북쪽으로 1천 6백 킬로미터나 떨어진 퀸즐랜드의 바닷가로 이사를 하게 되었다. 안전한 포구 역할을 해주던 삼촌과 숙모들, 그리고 스물여섯 명의 사촌들이 한꺼번에 떨어져 나갔다. 아버지와 어머니 역시 이사 스트레스에 시달렸다. 두 분이 용기를 북돋아주고 사랑으로 뒷받침해 주었음에도 불구하고 나로서는 가족들에게 폐를 끼치고 있다는 강박관념을 떨쳐버릴 수가 없었다.

누군가 인생의 밝은 면을 보지 못하도록 블라인드를 내려놓은 것 같은 느낌이었다. 쓸모 있는 존재가 되는 길이 눈에 띄지 않았다. 창조주의 실패작, 어쩌다 태어난 괴물, 하나님이 버린 자식이라는 자괴감이 들었다. 아버지와 어머니는 나의 부정적인 태도를 보며 성경 말씀을 읽어 주고 교회에 데려가는 등 갖은 노력을 기울이며 설득했다. 그래도 고통과 분노의 벽을 뛰어넘을 수가 없었다.

드문드문 눈앞이 밝아지는 순간들도 있었다. 주일 학교에서 친구들과 함께 "어린이를 사랑하네, 세계 모든 어린이. 빨간 애나 노란

애 까만 애나 하얀 애 모두모두 사랑하네, 예수님!"이라고 찬양할 때면 허약하나마 기쁨의 불씨가 피어오르곤 했다.

무조건 사랑하고 도와주려는 이들에게 둘러싸인 채 마음을 다해 이 찬송을 부르면 속이 가라앉고 편안해졌다. 하지만 조금이라도 피곤하거나 속이 상하면 다시 어두운 생각들이 슬금슬금 기어들었다. 휠체어를 탄 채 놀이터 옆에 앉아서 상념에 잠겼다. '주님이 세상 모든 아이들을 사랑하듯 날 아끼신다면, 어째서 나한테만 팔다리를 주지 않으셨지?'

하루는 싱크대 한쪽 끝에 걸터앉아 어머니가 저녁밥 짓는 걸 지켜보고 있는데 갑자기 아래로 확 뛰어내리고 싶은 욕구가 치솟았다. 평소에는 편안하고 느긋한 기분이었는데 그날은 아주 달랐다. 마음만 먹으면 못할 것도 없겠다 싶어서 아래를 내려다보았다. 더럭 겁이 났다. 두려움이 낙심의 물결을

> 소망은 일종의 촉매제와 같아서 상상도 못했던 기회를 만들어 내기도 한다.
> Life Without Limits

밀어냈고 난 뜻을 접었다. 절망감, 그리고 인생이 계속 어려운 쪽으로만 흘러갈 것 같은 기분과 제법 긴 시간 동안 씨름했다. 분주하게 움직이는 어머니를 물끄러미 바라보며 이렇게 꼼짝 못한 채 살고 싶지도 않았고 사랑하는 부모님께 짐이 되기도 싫다는 생각을 끝없이 되풀이했다.

사람들은 누구나 영원히 지속되는 관계와 안정된 직장, 편안하게 살아갈 거처를 고민한다. 이처럼 앞을 내다보고 계획을 세우는 것은 지극히 정상적이고 건전한 일이다. 인생을 설계하고 비전을 펼쳐 가

는 과정의 일부이기 때문이다. 그런데 부정적인 사고가 미래를 바라보는 눈을 가리고 마음을 흐려놓기 시작하면 문제가 생긴다.

나는 기도하면서 언제나 동행해 주시는 하나님의 말씀을 되새겼다. 주님은 결코 나를 떠나지 않으시며 잊어버리지 않으신다. 최악의 사태가 닥쳐도 모든 것이 협력하여 선을 이루게 하신다. 나는 하나님의 약속을 단단히 붙들었다. 겉으로 드러난 상황이 아무리 암담해도 상관없었다. 하나님은 선하신 분이기에 어려운 일이 일어나도록 허락하셨다면 그만한 이유가 있음에 틀림없다. 깊은 뜻을 이해할수는 없을지라도 그분의 선하고 의로우신 성품에 의지하는 건 얼마든지 가능하다.

감사하게도 인간에게는 태도를 수정할 능력이 있다. 마음을 휘젓고 다니는 부정적인 감정을 철저하게 구별해서 스위치를 꺼 버릴 수있다는 뜻이다. 바람직하지 못한 정서를 파악하고 그 근원을 찾아낸뒤에는 문제가 아니라 해법에 초점을 맞추라.

돌이켜보면 그때는 너무 어렸던 것 같다. 그래서 사랑해 주는 이들에게 에워싸여 있으면서도 손을 내밀어 도움을 청하거나 내면 깊숙이 감춰둔 감정을 꺼내 보이지 않았다. 넉넉한 자원을 가지고 있었지만 결정적으로 사용하지 않은 실수를 한 것이다.

암담한 기분에 사로잡혔다면 혼자서 해결하려고 버둥거리지 말라. 나 역시도 혼자가 아니었다. 그걸 이제야 깨달은 것이 유감이지만, 부디 여러분들은 나처럼 치명적인 오류를 범하지 않길 바란다.

▼따듯하고 다정한 목소리

어느 날 오후, 학교에서 돌아온 나는 입욕을 하게 욕조에 물을 좀 받아 달라고 부탁했다. 그리고 욕실을 나서는 어머니에게 문을 좀 닫아 달라고 말했다. 그러곤 물속으로 들어갔다. 아무 소리도 들리지 않았다. 수없이 많은 장면이 머리를 스쳐갔다. 오래 계획해 왔던 일을 실행에 옮길 작정이었다.

'하나님이 이 고통을 거둬 주시지 않는다면, 그리고 바라보고 살아야 할 목적이 없다면, 앞으로 만나게 될 것이 따돌림과 외로움뿐이라면, 누구에게나 부담이 되고 밝은 미래를 기대할 수 없다면, …지금 끝내는 편이 낫겠어.'

앞에서 얘기한 것처럼, 난 일찌감치 수영을 배우면서 누워서 물에 뜨는 법을 익혔다. 이제 몸을 뒤집으려면 허파에 얼마나 공기를 채워야 하는지 실험해 보았다. '숨을 참아야 뒤집어질까? 깊이 들이마셔야 하나? 아니면 절반만 채워야 하는 걸까?'

마침내 몸이 뒤집히면서 얼굴이 물에 잠겼다. 본능적으로 숨을 멈췄다. 잠시 후 '이런 짓을 하면 못써!'라며 내 안의 내가 말했다. 하지만 어두운 생각들은 고집을 부렸다. '이 끔찍한 처지에서 벗어나고 싶잖아? 이렇게 사라져 버리면 그만이야.'

조금만 더 참으면 폐 안의 공기는 다 사라지고 말 것이다. '열, 아홉, 여덟, 일곱, 여섯, 다섯, 넷, 셋….'

숫자를 세고 있는데, 문득 내 무덤 앞에서 울고 있는 아버지 어머니의 모습이 떠올랐다. 일곱 살짜리 남동생 에어린도 있었다. 다들 눈물을 쏟으며 더 잘해 주었으면 죽지 않았을 거라고, 모든 것이 자기들 탓이라며 괴로워했다. 가족들이 평생 내 죽음으로 자책감을 가지고 살게 만드는 것은 견딜 수가 없었다.

'맞아, 난 나만 생각했어!'

얼른 몸을 뒤집고 숨을 깊이 들이마셨다. 해서는 안 될 짓이었다. 가족들에게 상실감과 죄책감의 짐을 지우는 것은 못할 일이었다. 그러나 견딜 수 없을 만큼 괴로운 것도 사실이었다. 그날 밤 한 방에 누운 남동생에게 속삭이듯 말했다. "형은 스물한 살쯤 자살할 작정이야."

고등학교와 대학을 졸업할 때까지는 그럭저럭 참아낼 듯했지만 그 이후는 장담할 수가 없었다. 남들처럼 직장을 잡거나 결혼을 해서 정상적인 삶을 살지 못할 것 같았다. 어떤 여자가 나와 결혼하려고 하겠는가? 스물한 살이 내 인생의 종착역처럼 보였다. 물론 당시로서는 먼 훗날의 얘기였다.

"아빠한테 형이 그러더라고 얘기할 거야." 동생이 대꾸했다.

누구한테도 이르지 말라고 다짐한 뒤에 눈을 감고 잠들었다. 얼마나 잤을까? 누군가 내 침대 귀퉁이에 걸터앉는 느낌이 들어 눈을 떴다. 아버지였다.

"죽으려고 한다니, 그게 무슨 소리냐?"

따뜻하고 다정한 목소리였다. 아버지는 앞으로 얼마나 좋은 일들이 기다리고 있는지 아느냐고 했다. 이야기를 하는 내내 손가락으로 내 머리칼을 빗질해 주었다. 평소에도 아버지가 그렇게 쓰다듬어 주는 것을 무척 좋아했다.

"우리가 있는데 뭘 그렇게 걱정하니?" 아버지가 다독였다. "걱정

마라. 모든 일이 다 잘 풀릴 테니. 항상 네 곁을 지키겠다고 약속하마. 넌 잘될 거야."

사랑스러운 손길과 근심어린 눈길은 그 자체만으로도 어린아이의 흔들리는 마음과 어지러운 생각을 진정시키는 힘이 있는 법이다. 내게는 다 괜찮을 거라는 확인을 받는 것으로 충분했다. 그날 밤, 나는 마음 놓고 기댈 든든한 기둥을 얻었다. 아이에게 아빠의 확인만큼 확실한 게 또 있을까? 아버지는 너그럽게 자식을 사랑하고 지지하며 그 마음을 자유롭게 표현하는 분이었다. 여전히 앞날은 불투명했지만 아버지가 다 잘될 거라고 했으니 당연히 그러리라고 믿었다.

대화를 나눈 뒤부터는 잠을 잘 잤다. 갠 날과 흐린 날이 교차하기

> 하늘의 별 따기 같은 목표가 포기의 이유가 될 수는 없다. 패배는 시도하지 않는 자들의 몫이다.
>
> Life Without Limits

는 마찬가지였지만, 소망을 굳게 붙들었다. 그 뒤로도 잠시, 또는 제법 긴 기간 동안 의심과 두려움이 엄습할 때가 있었다. 그러나 다행스럽게도 바닥까지 떨어졌던 이 경험 덕에 넉넉히 이길 수 있었다. 지금까지도 여느 사람들처럼 주저앉고 싶을 때가 있지만 자살을 떠올리지는 않는다. 그날 밤과 그 이후의 삶을 돌아볼 때마다 끝없는 절망에서 건져 주신 하나님께 감사드릴 뿐이다.

▶소망을 단단히 붙들라

나는 30개 국 이상을 돌아다니며 그들을 대상으로 강연을 하고,

DVD, 수백만 건의 유튜브 동영상을 통해서 이루 헤아릴 수 없이 많은 이들에게 소망의 메시지를 전하는 축복을 누렸다. 열 살 때 목숨을 끊었더라면 이 짜릿한 기쁨을 맛볼 수 없었을 것이다. 어리석은 짓을 저지르지 않은 게 얼마나 다행인지 모른다. 하마터면 12만 명의 인도인들과, 투우장을 가득 채웠던 1만 8천 명의 콜롬비아 사람들과, 폭풍우가 몰아치는 가운데도 자리를 지켰던 9천 명의 우크라이나인들에게 내 삶과 거기서 얻은 교훈을 나눌 특별한 기회를 송두리째 날려 버릴 뻔하지 않았는가!

사방이 캄캄하기만 했던 그날 밤, 난 내 목숨을 건드리지 못했다. 정작 내 생명을 취하신 분은 하나님이었다. 주님은 내 인생을 가져다가 열 살짜리 꼬마가 이해할 수 있는 제한된 비전보다 월등하게 큰 의미와 목적, 기쁨을 가득 담아 주셨다.

욕조 물에 고개를 박은 채 버텼더라면 일시적으로 고통을 잠재울 수 있었겠지만 그만큼 큰 대가를 치러야 했을 것이다. 절망에 빠져 삶을 마감한 아이는 하와이 해변에서 거대한 바다거북과 헤엄치고, 캘리포니아 바닷가에서 파도를 타고, 콜롬비아에서 스쿠버다이빙을 즐기며 신나게 사는 남자가 될 수 없었을 것이다. 더 나아가서 수많은 이들의 삶을 어루만져 주지도 못했을 것이다.

닉 부이치치라는 인간은 지극히 작고 사소한 예에 불과하다. 마더 테레사나 마하트마 간디, 또는 마르틴 루터 킹 주니어처럼 진실한 삶을 살았던 영웅들을 자세히 살펴보라. 한결같이 감옥에 갇히고, 얻어맞고, 살해 위협에 시달리는 어려운 세월을 보내면서도 언젠가 꿈이 이뤄지리라는 것을 믿었던 인물이라는 사실을 알게 될 것이다.

누구에게나 부정적인 생각과 침울한 상황이 찾아올 수 있다. 그때마다 선택권이 우리 손에 있음을 기억하라. 도움이 필요하면 서슴지 말고 요청하라. 혼자뿐이라고 생각지 말라. 더 나은 날들을 그려볼 수도 있고 그 꿈을 실현하기 위해 구체적인 행동에 나서는 길을 선택할 수도 있다.

온갖 어려움을 겪으며 앞날을 내다볼 수 없었던 나의 소년 시절과 지금 내가 누리고 있는 삶을 찬찬히 곱씹어 보라. 행복한 나날을 보내며 멋진 일들을 이루는 미래가 기다릴지 누가 아는가?

나는 포기하지 않았다.

구경꾼은 점점 더 늘어났다.
수없이 많은 카메라들이 돌아가고 있었다.
'발가락 두 개로 파도를 타는 장애인' 따위의
제목이 달린 유튜브 동영상의 주인공이 되려는
'야심'이 있던 건 아니다.

어린 시절에 주구장창 스케이트보드에
매달려 본 덕분에 그 비슷한 메커니즘에는
아주 익숙한 편이었다.

마침내 일곱 번째 시도에서
큰 파도를 타고 내려오면서
보드에서 일어서는 데 성공했다.
얼마나 짜릿했는지는 얘기하지 않겠다.
다만 거대한 물결 꼭대기에 서서
마치 초등학생처럼 비명을 질렀다.

인생은 믿음의 승부다

Life without Limits

성경은 믿음을 '바라는 것들의 실상'이며 '보이지 않는 것들의 증거'라고 정의한다.

인간은 믿음 없이 살 수 없다. 다시 말해 입증할 수 없는 무언가를 신뢰하지 않고는 생활이 불가능하다. 그리고 여기에는 일상생활의 일부를 이루고 있는 다양한 유형의 믿음이 존재한다. 한 예로 대부분 산소가 생존에 필수적이라는 과학의 설명을 어김없는 사실로 받아들인다. 그 누구도 산소를 보거나, 만지거나, 느끼지 못했지만 산소의 존재를 믿는 것이다.

그리스도인으로서 나는 하나님을 믿는 믿음에 의지하여 살아간다. 만지지도 못하고 볼 수도 없지만, 마음에 하나님을 품고 내 장래를 그분의 손에 맡긴다. 내일 무슨 일이 생길지 알 수 없지만 하나님을 믿기 때문에 기쁨으로 오늘을 산다.

얼마 전 케이티라는 여성이 이메일을 보내왔는데 최근에 건강이 나빠져서 직장을 그만뒀다고 했다. 그녀는 대퇴골 한쪽이 없는 상태로 태어난 탓에 갓난아이 적에 다리를 잘라내는 수술을 받았다. 그후로도 스무 차례 넘게 수술을 받아야 했으므로 정상적인 생활이 불가능했다. 벌써 서른 살이고 가정도 꾸렸지만 지금도 "왜 하필 나한테?"라는 원망과 씨름할 때가 많다고 했다. 그러던 차에 내 비디오를 보았고 때로는 이유를 알 수 없는 일이 생기기도 한다는 사실을 새삼 깨달았다. 케이티는 이렇게 적었다.

"진심으로 감사합니다. 이제는 댁처럼 나도 하나님의 택함을 받은 존재임을 굳게 믿습니다. 언젠가 직접 만나서 두 팔로 꼭 끌어안아주고 싶네요. 그리고 내 눈을 열어서 빛을 보게 해주어 고맙다는 말을 전하고 싶습니다."

케이티는 보이지 않는 하나님을 믿기로 작정하면서 힘과 소망을 얻었다. 그것이 바로 믿음이 역사하는 원리다. 가슴으로 믿는 일에 관해 일일이 증거를 제시하지는 못하지만, 나 역시 절망을 껴안고 생활하기보다는 신앙에 기대어 사는 쪽이 진리에 훨씬 가깝다는 사실만큼은 온 마음을 다해 믿는다.

▌내 조그만 닭발

해마다 수천 명에 이르는 초등학생들에게 내 이야기를 들려주면서, 어린 청중들이 보이지 않는 존재를 신뢰한다는 이 말의 개념을 정확하게 알고 있는지 자주 점검하는 편이다.

나는 꼬맹이들이 나를 편안하게 바라볼 때까지 우스갯소리를 늘어놓는다. 일단 팔다리가 없는 모습에 익숙해지면 아이들은 내 조그만 왼발에 쏙 빠진다. 발을 번쩍 들어 보이고 흔들어 주며 "내 조그만 닭발!"이라고 소개하면 여기저기서 웃음이 터진다. 정말 그렇게 생겼기 때문이다.

내 발을 제대로 관찰하고 멋진 별명을 붙여 준 건 여섯 살 어린 여동생 미셸이다. 아버지와 어머니는 세 아이를 데리고 자주 장거리 여행을 다녔다. 미셸과 남동생 에어런, 그리고 나는 장작 다발처럼 뒷좌석에 나란히 끼어 앉곤 했다. 대다수 가장들이 그렇듯, 아버지도 일단 출발한 뒤에는 웬만해선 차를 세우려 하지 않았다. 한참을 달려도 밥 먹을 기미가 보이지 않으면 우리는 배가 고프다는 신호를 조금씩 흘려보냈다.

뱃가죽이 등에 달라붙을 지경에 이르러도 반응이 없을 때는 정신이 나간 듯 서로 깨무는 시늉을 했다. 어느 날 미셸은 내 왼발을 깨물며 소리쳤다. "여기 닭발이 있네. 야, 맛있겠다!" 온 식구가 배꼽을 잡고 웃었다. 그러고 나서 새카맣게 잊어버리고 있었는데 몇 년 전 여동생이 데리고 온 강아지 때문에 옛 기억이 되살아났다. 녀석은 언제고 내가 자리에 앉기만 하면 쪼르르 달려와서 내 발을 깨물었다. 쫓아내도 소용이 없었다. 몇 번이고 되돌아와서 덤벼들었다. 미셸이 그 꼴을 보고 웃음을 터트렸다.

"쟤 좀 봐! 강아지 눈에도 오빠 발이 닭발처럼 보이나 봐!"

얼마나 웃기던지! 그때부터 초등학생들에게 강의할 때는 그 얘기를 들려준다. 그리고 왼발을 소개하고 난 다음에는 내 발이 하나뿐이라고 생각하는지 꼭 물어본다. 술렁거림이 일어난다. 다들 어리둥절한 표정이다. 어린 친구들의 눈에는 하나만 보이겠지만 내 발은 분명히 둘이다.

아이들은 보이는 대로 믿는다. 그래서 대부분 "하나!"라고 대답한다. 그러면 보통 옷으로 가리고 다니는 조금 더 작은 오른발을 보란 듯이 내밀며 소개한다. "동생입니다!" 번쩍 쳐들고 흔들기라도 할라치면 꼬마들은 화들짝 놀란다. 뒤로 자빠지며 비명을 지르기도 한다.

그러고 나면 여태까지 했던 이야기를 들려준다. 인생길을 걷는 데는 여러 갈래의 길이 있는데 눈에 보이는 것이 아니라 마음으로 상상하는 것들을 좇아 삶의 비전을 펼쳐 나가는 것이 흔들리지 않고 전진하는 비결이라고 말이다. 그런 마음가짐이 바로 믿음이다.

▌비전을 품는 데는 한계가 없다

2009년, 남미 콜롬비아로 강연 여행을 떠났던 적이 있다. 열흘 동안 아홉 개 도시를 돌며 메시지를 전하는 여정이었다. 한정된 시간에 광범위한 지역을 돌아다녀야 했으므로 집회 관계자들은 경비행기를 임대해서 도시 간 이동 수단으로 사용했다.

정원은 조종사 둘을 포함해서 모두 여덟 명이었다. 희한하게도 파일럿의 이름이 둘 다 미구엘이었다. 그리고 두 사람 모두 영어가 능숙하지 않았다. 그날도 한 도시에서 다른 도시로 이동하던 중이었는데 비행기에 장착된 컴퓨터 장치에서 갑자기 긴박한 경고 방송이 흘러나왔다. "상승! 상승!" 영어로 나오는 터라 누구나 알아들을 수 있었다.

경고음은 급강하하는 비행기의 궤적을 따라가며 끊임없이 이어졌다. 고도가 낮아질수록 목소리도 다급해졌다. "6백 피트!" "5백 피트!" "4백 피트!" 사이사이에 조종사에게 경고하는 메시지가 끼어들었다. "상승! 상승!"

객실을 통틀어 긴장하는 건 나뿐인 듯했다. 나는 코디네이터에게 속삭였다.

"컴퓨터에서 나오는 영어 경고 메시지를 스페인어로 번역해서 미구엘 기장과 미구엘 부기장에게 알려줘야 하는 거 아니에요?"

"비행기가 하강하고 있는 걸 조종사들이 정말 모를까 봐서요?"

코디네이터가 물었다.

나로서는 알 수 없는 노릇이었지만, 아무도 문제의식을 못 느끼는 것 같아서 짐짓 괜찮은 척, 사태를 지켜보기로 했다. 천만다행히 비행기는 안전하게 착륙했다. 기체가 완전히 멈춘 뒤에 통역하는 사람들이 조금 전에 벌어졌던 위태로운 상황에 관해 말을 꺼내자 두 조종사는 큰 소리로 웃음을 터트렸다. 이윽고 부기장 미구엘이 통역을 통해 말했다.

"우리도 컴퓨터에서 나오는 소리를 들었어요. 하지만 착륙할 때는 늘 무시해 버리죠. 닉, 앞으로는 조종사들을 좀 더 믿는 게 좋겠어요!"

맞다. 비록 잠시였지만, 비행기를 조종하는 미구엘을 신뢰하지 못했다. 하지만 그런 상황에서도 줄곧 하나님이 나와 내 삶을 지키신다는 사실만큼은 조금도 의심치 않았다. 옷장에 신발 한 켤레를 고이 간직하고 있는 것만 봐도 내가 하나님을 얼마나 신뢰하는지 알수 있을 것이다. 내게는 언젠가 그 신을 신고 당당히 걸을 수 있는 날이 오리라는 확신이 있다. 물론 그런 일이 생길 수도 있고 일어나지 않을 수도 있다. 가능성은 언제나

> 부족한 부분에 초점을 맞추면 성공적인 삶을 살 수 없다. 꿈꾸는 바를 붙잡고 길을 열어 가라.
>
> Life Without Limits

열려 있다. 더 나은 미래를 그릴 수 있다면 그것을 믿을 수도 있어야 한다. 밝은 내일을 신뢰할 수 있다면 그 목표를 달성할 수도 있다. 비전을 품는 데는 한계가 없다.

열 살 전후로 좌절의 시기를 헤쳐 나오는 동안, 신체적으로는 아무런 어려움이 없었다. 팔다리가 없었지만 오늘날처럼 보람차고 만족스러운 삶을 가꿔가는 데 필요한 조건은 모두 다 갖추고 있었다. 모자라는 건 단 하나뿐이었다. 바로 믿음이었다. 그때는 오직 눈에 보이는 것들만 믿고 의지했다. 자연히 가능성보다는 한계에 주목할 수밖에 없었다.

인간이라면 누구나 한계를 가지고 있다. 나는 죽었다 깨나도 프로농구 스타가 될 수 없을 것이다. 하지만 상관없다. 수많은 이들을 격려해서 저마다 자기 인생의 스타가 되도록 돕는 것만으로도 대만족이다. 부족한 부분에 초점을 맞추면 절대로 성공적인 삶을 살 수 없다. 그러지 말고 무엇이든 꿈꾸는 대로 이뤄진다고 믿고 길을 열어 가라. 차질이 생기거나 비극적인 상황에 부닥친다 해도 모든 일에는 선한 뜻이 숨어 있음을 믿으라. 비극적인 사건이 커다란 기쁨으로

변할 수도 있다.

▌휩쓸리거나 올라서거나

2008년, 강연 차 하와이에 갔다가 세계적인 파도타기 선수인 베다니 해밀턴을 만났다. 서핑을 좋아하는 이들이라면 2003년 타이거 상어의 공격을 받고 왼팔을 잃은 여성 서퍼를 기억할 것이다. 불행한 사건이 벌어졌을 당시 그녀는 고작 열세 살에 불과했다. 베다니는 상어의 공격을 받기 전부터 이미 유명 인사였지만, 그 참혹한 일을 겪고도 다시 파도타기 선수로 돌아가서 하나님을 찬양하며 그분의 은총에 감사하는 생활을 해서 국제적인 명성을 얻었다. 지금은 나처럼 세계 곳곳을 돌아다니며 사람들에게 힘을 불어넣고 믿음을 나누는 사역을 하고 있다. 베다니가 말했다.

"내 목표는 하나님을 믿는 신앙에 관해 이야기하고, 그분이 우리 각자를 사랑하신다는 사실을 알리며, 그 무시무시한 상황에서 어떻게 날 보호하셨는지 설명하는 겁니다. 만약 하나님이 지켜주시지 않았더라면 저는 지금쯤 이 세상 사람이 아니었을 겁니다. 혈액의 70퍼센트를 잃어버릴 만큼 출혈이 심했으니까요."

이 멋진 아가씨가 죽음의 문턱까지 갔다 왔다는 이야기는 금시초문이었다. 베다니는 병원으로 달려가는 45분 동안 끊임없이 기도했다. 구급대원은 계속해서 힘이 될 만한 성경 말씀을 귓가에 속삭이듯 들려주었다. "여호와 그가 네 앞에서 가시며 너와 함께하사 너를 떠나지 아니하시며 버리지 아니하시리니 너는 두려워하지 말라 놀라지 말라"(신 31:8).

상황은 암담한 쪽으로 흘러갔다. 병원에 도착하자마자 수술 준비를 서둘렀지만 때마침 비어 있는 수술실이 없었다. 환자의 의식은 시시각각 흐려지고 있었다. 바로 그때, 막 시작하려던 무릎 수술을 미루고 담당 의사를 베다니에게 보내준 이가 나타났다. 바로 베다니의 아버지였다.

기막힌 타이밍이 아닌가? 의사는 이미 준비를 완벽하게 갖춘 상태였으므로 환자만 아버지에서 딸로 바꾼 뒤에 곧장 수술에 들어갔다. 결과는 아주 성공적이어서 목숨을 건질 수 있었다.

건강한 운동선수인데다가 아주 긍정적인 마음을 가진 덕에 베다니는 담당의사의 기대를 훌쩍 앞질러 자리를 털고 일어났다. 상어의 공격을 받은 지 고작 세 주 만에 이 용감한 아가씨는 다시 서핑을 시작했다.

하나님의 선하신 뜻을 믿기에, 베다니는 팔 한 쪽을 잃은 것도 자신을 향한 거룩한 계획의 일부라는 결론을 내렸다. 자기연민에 빠지는 대신 인정하고 받아들였으며 꿋꿋이 전진했다. 처음 출전한 국제대회에서 내로라하는 서퍼들과 겨루어 3등을 차지했다. 한 팔이 없음을 감안하면 대단한 성적이었다. 그녀는 그날의 사고가 여러 면에서 축복이었다고 고백한다. 시합에 나가 선전할 때마다 저절로 "인생에는 한계가 없다"는 메시지를 전하게 되는 까닭이다.

"하나님은 나를 써 달라는 기도에 확실하게 응답하셨습니다. 내 사연을 들은 이들은 하나님과 더 가까워지거나, 주님을 믿기 시작하거나, 새로운 소망을 품게 되거나, 어려운 환경을 딛고 일어설 기운을 얻습니다. 그런 소식이 들리면 하나님을 찬양합니다. 그런 역사를 일으킨 건 내가 아니라 주님이기 때문입니다. 내가 하나님의 선한 계획의 일부가 되었다는 생각을 하면 너무 기뻐서 가슴이 터질 것 같습니다."

그녀는 끔찍한 일이 생긴다 해도 거기서 선한 열매를 거둘 수 있음을 굳게 믿었다.

▌물결을 타고 흐름을 즐기라

인생이 널을 뛰듯 요동치고 계획하던 길이 자꾸 뒤틀리면 얼른 이 대단한 아가씨의 믿음을 기억하라. 그런 일은 언제라도 벌어질 수 있다. 살다보면 이따금씩 생각지도 못했던 파도에 휩쓸리게 마련이다. 상어한테 물리지는 않아도 이런저런 어려움에 치여 쓰러지고 주저앉고 만다. 그때마다 자연계를 주름잡는 포악한 포식자의 공격에도 살아남았을 뿐만 아니라 그 아픔을 딛고 일어서서 굉장한 삶을 살았던 투지만만한 이 젊은이를 생각하라.

그녀의 얘기를 듣다보니 용기가 불끈 솟아서 평소에 해보고 싶었던 특별한 일을 실행에 옮길 수 있도록 도와 달라고 부탁했다. 파도타기를 배워 보겠다고 나선 것이다. 베다니는 두말 않고 일어서더니 하와이 와이키키 바닷가로 날 데려갔다. 너무나 흔쾌히 응해 주어서 도리어 당황스러울 지경이었다.

하와이의 왕과 왕비가 처음으로 파도에 올라탔던 역사적인 해변에서 서핑을 배운다고 생각하니 심장이 쿵쾅거렸다. 한편으로는 불안하고 신경이 쓰였다. 내가 탈 보드에 왁스칠을 하면서 베다니는 토니 모니즈와 랜스 후캐노를 소개했다. 파도타기 스타들인데 함께 물에 들어갈 거라고 했다. 서핑을 배우기에 그만큼 훌륭한 교사는 다시 없을 것이다. 두 친구는 먼저 잔디밭에 보드를 놓고 그 위에서 균형을 잡는 법부터 가르쳤다.

오랫동안 서퍼가 되는 꿈을 꾸었고 수영으로 단련된 몸이라 물에 대한 두려움은 없었지만 확신이 서지 않았다. 제아무리 노련한 전문가가 도와준다지만 과연 보드를 타고 파도 꼭대기에 올라탈 수 있을지 의심스러웠다. 첫 번째 시도에서는 강사와 함께 서서 360도 회전을 해보았다. 다음 번에는 잠시 내 보드를 타고 서핑을 하다가 베다니 쪽으로 건너갔다.

강사들은 한참 뒤에야 혼자 타도 괜찮겠다는 결론을 내렸다. 일단 파도를 따라잡은 뒤에 보드에 무사히 올라탈 수 있도록 수건 몇 장을 둘둘 말아서 앞쪽에다 테이프로 단단히 고정시켰다. 일종의 지지대였다. 일단 파도를 타기 시작하고 일정한 속도가 붙자 수건뭉치에 어깨를 대고 힘차게 밀어서 몸을 일으켜 세울 계획이었다. 의지가 있고 파도가 받쳐 주면 방법은 얼마든지 찾을 수 있었다.

마침 와이키키에서 파도타기 대회가 열리는 날이어서 바닷가에 모여든 수많은 관중들이 그 장면을 지켜보았다. 나로서는 한결 신경이 쓰였다. 서핑깨나 한다는 친구들의 잔소리가 쉴 새 없이 쏟아졌다.

"정말 할 거야?"

"이봐, 팔다리도 없이 어떻게 균형을 잡는다는 거야?"

"수영은 할 줄 알아? 최소한 상어보다는 빨리 헤엄칠 수 있겠지?"

일단 바닷물 속에 몸을 담그자 한결 마음이 편해졌다. 하지만 몸이 가벼운 탓에 어디로 쓸려갈지 알 수 없었다. 자칫 하면 오스트레일리아 해안까지 떠내려가서 아버지 집 뒷마당에서 샤워를 하게 될지도 모를 일이었다.

구름 한 점 없이 화창한 날이었다. 베다니가 물속까지 들어와서 격려해 주었지만, 시작부터 실수연발이었다. 파도에 몸을 싣고 일어서려고 할 때마다 보드에서 굴러 떨어졌다. 여섯 번 시도했는데 여섯 번 모두 물을 먹었다.

그래도 포기하지 않았다. 구경꾼은 점점 더 늘어났다. 수없이 많은 카메라들이 돌아가고 있었다. '발가락 두 개로 파도를 타는 장애인' 따위의 제목이 달린 유튜브 동영상의 주인공이 되려는 '야심'이 있었던 건 아니다. 어린 시절에 주구장창 스케이트보드에 매달려 본 덕분에 그 비슷한 메커니즘에는 아주 익숙한 편이었다. 마침내 일곱 번째 시도에서 큰 파도를 타고 내려오면서 보드에서 일어서는 데 성공했다. 얼마나 짜릿했는지는 얘기하지 않겠다. 다만 거대한 물결 꼭대기에 서서 마치 초등학생처럼 비명을 질렀다는 말만 해두겠다.

두 시간 동안 파도를 타고 또 탔다. 한 스무 번쯤은 서핑을 즐겼던 것 같다. 마침 바닷가에는 대회를 취재하러 온 사진기자들이 대기하고 있었다. 덕분에 파도타기 전문지 〈서퍼(Surfer)〉의 표지모델이 되는 행운을 누렸다. 갓 서핑을 배운 초보로서는 유례가 없는 일이었다.

"무엇이든 가능하다"는 이 말을 마음에 새기라. 엄청난 어려움에 휩쓸려 당장이라도 쓰러질 것 같을 때 무엇이든 가능하다는 것을 기억하고 신뢰하라. 당장은 출구가 보이지 않고 온 세상이 겹겹이 나를 둘러싸고 포위망을 좁혀 오는 느낌이 들 수도 있다. 하지만 믿음을 잃지 말라. 상황이 달라지고, 해결책이 나타나고, 예상치 못했던 도움을 받게 될 수 있다. 불가능은 없다.

팔뿐만 아니라 다리조차 없는 몸으로 파도타기를 배웠다면 건강한 이들이야 더 말해 무엇 하겠는가? 뜻이 있다면 무엇이든, 그야말로 모든 것이 가능하다.

▌마음 밭에 씨 뿌리기

농부가 뿌린 씨앗이 이런저런 땅에 떨어져 자라나서 열매를 맺는다는 '씨 뿌리는 농부의 비유'는 그리스도인들에게 아주 익숙한 이야기다. 길가에 떨어진 씨앗은 새가 날아와 먹어 버렸고 바위틈에 떨어진 씨앗은 뿌리를 내리지 못했다. 가시떨기 사이에 떨어진 씨앗은 덤불이 가로막아서 제대로 자랄 수가 없었다. 오직 좋은 땅에 떨어진 씨앗만이 잘 커서 열매를 맺고 처음과는 비교가 안 될 만큼 많은 씨앗을 생산할 수 있었다.

우리도 말씀이라는 씨앗을 마음 밭이라는 '좋은 땅'에 심을 필요가 있다. 우리를 사랑하는 사람들은 언제나 우리 마음에 씨앗을 심어 준다. 그리고 하나님이 우리를 세상에 유익을 끼치는 존재로 부르셨음을 거듭 일깨워 준다. 누구나 그렇듯, 나 역시 항상 확신을 가지고 사는 건 아니다. 때로는 마음이 흔들거린다. 그래도 가까운 이들은 나를 포기하지 않는다. 언젠가는 좋은 땅에 뿌리 내릴 줄 믿고 꾸준히 씨앗을 뿌리는 것이다. 어린 시절, 학교에 갈 때마다 가족들이 내게 심곤 하던 씨앗이 아직도 생생하게 기억난다.

"잘 다녀와, 니콜라스! 최선을 다하면 나머지는 하나님이 책임지실 거야!"

물론, '그럼, 그렇고말고. 유머감각이 대단한 하나님이 책임지시겠지. 오늘도 아이들의 장난감 노릇을 하는 게 고작이겠지'라고 생각했던 날도 있었다. 휠체어를 탄 채 학교 운동장에 들어서면 아니나 다를까 짓궂은 녀석들이 다가와서 바람 빠진 타이어처럼 생겼다느니, 바람에 닫히지 않게 문을 지탱하는 도구로 쓰기에 안성맞춤이라느니 하면서 놀려댔다. 나는 속으로 투덜거렸다. '퍽도 책임져 주시는군!'

그렇게 낙심천만인 날에는 가족들이 문간에서 들려줬던 격려의 말들이 땅에 떨어져 나뒹굴었다. 자양분이라곤 단 한 방울도 없어서 뿌리를 내리고 자랄 수 없었다. 그런 토양에서 나고 자라야 한다는 것이 한없이 아프고 괴로웠다.

좌절한 영혼에 소망을 불어넣는 것으로 유명한 작가 노먼 빈센트 필은 이렇게 말했다. "가능성을 좇는 추종자가 돼라. 삶이 제아무리 암담해 보인다 해도, 눈을 들어 가능성을 보라. 눈을 떼지 않는 한, 가능성은 사라지지 않는다."

이 모임에 가입해 보지 않겠는가? 자신의 가능성을 믿지 않으면 세상을 자신 있게 살아갈 수 없다. 반면 소망을 품고 미래를 바라보면 움직일 힘이 생긴다. 그 믿음은 불가피하게 생기는 힘겨운 상황들, 좌절과 절망이 득실거리는 골짜기를 지나 뚜벅뚜벅 전진할 수 있게 해준다.

그러고 보면 나는 아주 어려서부터 가능성을 좇았던 사람 중에 하나였던 것 같다. 첫 번째 책을 쓰고 삽화를 그린 것이 예닐곱 살 때였는데 제목은 「날개 없는 유니콘」이었다. 제목만 봐도 내용이 빤하다고? 맞다. 하지만 나는 아직도 내 삶에서 뽑아낸 그 이야기를 읽으면서 믿음의 메시지를 듣는다.

누구나 '행복하게 오래오래 잘' 살기를 원한다. 물론 실망스러운 일들을 모두 피해 갈 수는 없지만 종착역은 분명히 '해피엔딩'이다.

인내는 쓰지만 그 열매는 달다

2008년, 열다섯 개 나라를 도는 선교 여행을 계획했다. '사지 없는 삶'(Life Without Limbs) 팀 멤버들이 계획을 세우고 예산을 산출했다. 경비는 모금을 통해서 충당하기로 했다. 그런데 막상 뚜껑을 열어보니 모금액이 턱없이 부족했다. 소요되는 예산의 30퍼센트에도 못 미치는 수준이었다. 전문가도, 경험도 없이 덤벼든 결과였다. 그래도 콜롬비아, 우크라이나, 세르비아를 거쳐 루마니아까지 당초 계획했던 대로 밀고 나가자고 주장했다. 가까운 이들은 비용 부족으로 여행을 마치지 못하고 중도에 포기하게 될까 염려했다.

캘리포니아 주에서 성공한 비즈니스맨이자 우리 모임의 이사인 바타 삼촌이 실무적인 차원에서 결정을 내렸다. 처음에 계획했던 경유지 가운데 주요한 도시 두 군데를 제외하기로 한 것이다. 자금난 때문만은 아니었다.

"뭄바이를 중심으로 한 인도와 인도네시아의 정세가 불안해서 그 인근을 여행하는 게 위험할 수도 있다는 보도가 계속 나오고 있구나. 예산도 넉넉한 편이 아니므로 그 두 지역을 방문하는 건 다음 기회로 미루는 게 현명할 것 같다."

대단히 지혜로운 분이었으므로 이러니저러니 토를 달지는 않았다. 그냥 삼촌을 믿겠다고만 했다. 그리고 강연을 하러 곧장 플로리다 주로 날아갔다. 자원봉사자만 450명에 이르는 커다란 집회였다. 사람들을 격려하고 기운을 내게 하려는 취지로 마련된 모임이었는데 오히려 청중들이 내게 열정을 심어 주었다. 캘리포니아에 있는 집으로 돌아오는 내내 플로리다에서 받았던 따뜻한 환대를 떠올리며 감격했다. 한편으로는 지금 계획하고 있는 선교 여행 기간 동안 줄곧 그처럼 열렬한 환영을 받게 되리라는 예감이 들었다.

하나님의 인도하심을 구하고 또 구했다. 자금이 부족하고 치안이 불안하다 하더라도 꼭 인도와 인도네시아에 가야겠다는 생각이 갈수록 강렬해졌다. 주리고 목마른 영혼들을 섬기는 데 최선을 다하면 나머지는 주님이 다 알아서 하실 것이라는 믿음이 왔다.

삼촌과 식사하면서 대화를 나누는 동안 마음이 점점 뜨거워졌다. 절대로 포기할 수 없는 사역이라는 느낌을 주체할 수가 없었다. 바타 삼촌은 힘닿는 데까지 더 많은 이들에게 메시지를 전하고 싶어 하는 내 의지를 이해해 주었다.

"주님이 어떻게 인도하시는지 한 주만 더 기다려보자."

참을성 많은 삼촌이 말했다.

난관에 부닥쳐도 포기하지 말라. 도망치지도 말라. 상황을 정확하게 헤아리고, 해결책을 찾아보고, 무슨 일이든 결국은 협력해서 선을 이루게 된다는 말씀을 굳게 믿으라. 씨앗을 심은 뒤에는 폭풍우를 견뎌가며 추수 때까지 끈질기게 기다려야 한다. 장애물을 만나더라도 어리석은 짓을 하지 않도록 조심하라. 무작정 덤벼들지 말라. 한

> 삶이 아무리 암담해 보인다 해도, 눈을 들어 가능성을 보라. 눈을 떼지 않는 한, 가능성은 사라지지 않는다.
>
> Life Without Limits

번 실패했다고 뜻을 꺾지 말라. 모든 시련에는 뜻이 있음을 믿고 최상의 해결책을 찾으라.

선교 여행에 필요한 자금은 여전히 채워지지 않았지만 서두르지 않았다. 없는 돈을 미리 당겨쓰지도 않았다. 그저 기도하며 해결 방법을 모색했다. 아직까지는 문이 닫혀 있지만 언젠가 또 다른 기회가 열릴 거라고 판단했다. 찾고 또 찾으면 길이 보이게 마련이다. 이 중요한 원리를 절대로 잊지 말라. 현실에 맞추어 목표를 다소 수정해야 할지도 모른다. 하지만 숨이 붙어 있는 한 가능성은 사라지지 않는다.

바타 삼촌과 저녁식사를 하고 며칠이 지났을 때 놀라운 일들이 벌어지기 시작했다. 플로리다 집회에서 메시지를 들었다는 브라이언 하트라는 이가 전화를 걸어서 재단에 적지 않은 돈을 기부하겠다고 했다. 다음에는 인도네시아 집회 관계자가 연락을 해왔다. 홍콩에 스타디움 두 군데를 빌려놨다면서 거기서 강연을 해주면 인도네

시아에서 집회를 개최하는 데 필요한 비용은 충분히 마련될 수 있을 것이라고 장담했다. 그로부터 이틀 뒤에는 캘리포니아 주의 어느 자선단체에서 여행 경비를 대고도 남을 만큼 큰돈을 지원하겠다고 알려왔다. 불과 며칠 사이에 경비 문제가 완전히 해결되었다. 방문하려고 하는 지역의 치안 상태는 여전히 불안했지만 그 역시 하나님께 맡기면 그만이었다.

필요한 비용이 마련되었으므로 우리는 일정을 다시 조절해야 했다. 결국 처음 계획보다 일주일 빨리 방문하는 쪽으로 정리되었다. 그리고 그 일정 변경이 팀 가족들과 내 목숨을 구했다. 행사를 마치고 뭄바이를 떠난 지 고작 이틀 뒤에 우리가 방문했던 지역 세 곳이 테러리스트들의 공격을 받았다. 타지 호텔과 공항, 뭄바이 남부 기차역에서 폭발이 일어나서 180명이 사망하고 300여 명이 부상을 입었다. 원래 스케줄대로라면 사건이 발생한 시각에 그 자리에 있었을 것이다.

남들은 운이 좋았다고 할지 몰라도 나는 하나님의 보이지 않는 섭리가 작용했다고 믿는다. 성공 가능성이 아주 적어 보일지라도 한결같이 믿음을 지키고 꾸준히 전진하는 게 중요한 까닭이 여기에 있다.

▶온전한 그림

어린 시절에는 삶을 바라보는 시각이 제한적이고 지나치리만치 자기중심적이어서 나보다 더 어려운 처지에 있는 사람들이 존재하리라고는 꿈에도 생각지 않았다.

열세 살 무렵, 신문에서 끔찍한 교통사고를 당한 오스트레일리아 남성에 관한 기사를 읽었다. 부상이 몹시 심해서 움직일 수도, 말을 할 수도 없으며 평생 침대에 누워 지내야 한다고 했다. 너무도 처참해서 그 상황을 떠올리는 것마저도 두려웠다. 하지만 그 기사 덕에 나는 나의 좁은 시야를 조금씩 넓힐 수 있게 되었다.

팔다리가 없어서 갖가지 어려움을 겪는 건 사실이지만, 내게는 아직도 감사해야 할 일과 무궁무진한 가능성이 있지 않은가! 나는 날마다 조금씩 내 가능성에 눈을 떠갔다.

열다섯 살 때, 요한복음에서 태어날 때부터 앞을 보지 못하는 이의 이야기를 처음 읽었다. 제자들은 예수님께 물었다. "선생님, 이 사람이 눈먼 사람으로 태어난 것이 이 사람의 죄 때문입니까? 아니면 부모의 죄 때문입니까?"

스스로 묻고 또 물었던 것과 똑같은 질문이었다. "하나님, 아버지와 어머니가 무슨 잘못을 저질렀습니까? 제가 무슨 나쁜 짓을 했나요? 도대체 무엇 때문에 난 팔다리가 없이 태어난 걸까요?"

예수님은 대답하셨다. "이 사람이 죄를 지은 것도 아니요, 그의 부모가 죄를 지은 것도 아니다. 하나님께서 하시는 일들을 그에게서 드러내시려는 것이다."

사춘기를 지나는 동안 이 비유는 가혹한 현실에 좌절하던 내 마음을 온통 뒤흔들어 놓았다. 갑자기 새로운 가능성이 활짝 열렸다. 나는 가까운 이들에게 짐이 되는 존재가 아니었다. 모자라거나 부족한 인간도 아니었다. 벌을 받고 있는 죄인도 아니었다. 하나님이 하시려는 일을 드러내려고 정교하게 설계해서 지으신 피조물이었다.

성경 말씀을 읽는 동안 나는 단 한 번도 맛본 적 없는 엄청난 평안이 밀물처럼 밀려왔다. 여태 팔다리 없이 태어난 까닭을 파헤쳐 왔지만 그 해답은 오직 하나님만 알고 계신다는 사실을 받아들일 필요가 있었다. 나로서는 주님이 보여 주시는 가능성을 순전히 믿어야 한다.

이 말씀은 내게 큰 기쁨과 힘을 주었다. 팔다리가 없는 이유를 알 수 없지만 그것이 곧 창조주가 날 버리셨다는 뜻이 아님을 난생처음 확실하게 깨닫게 되었다. 예수님은 거룩한 목적을 이루기 위해 앞을 보지 못하던 이를 고쳐 주셨다. 난 지금도 장애를 안고 있다. 하지만 때가 이르면 나를 통해 성취하기로 예비해 두신 주님의 뜻을 드러내실 것이다.

간절히 구하는데도 금방 해결되지 않는 문제가 종종 있다는 것을 기억해 두라. 이럴 때는 믿음을 지키며 꾸준히 제 갈길을 가야 한다. 내게는 인생의 가능성을 신뢰하는 법을 배우는 과정이 필요했다. 나 같은 사람이 마침내 믿음을 품게 되었다면 누구라도 그럴 수 있을 것이다.

생각해 보라. 어렸을 때는 내가 팔다리가 없다는 사실이 여러 나라, 다양한 민족, 수많은 청중들에게 소망의 메시지를 전달하는 데 도움이 될 줄은 전혀 몰랐다. 말할 수 없이 힘들었고 깊이 좌절했던 때였으니 즐거운 느낌이 들 리가 없었다. 만약 나와 비슷한 상황을 겪고 있다면 억지로 즐거운 척 할 것 없다. 하지만 목표를 이루며 만족스럽게 살게 될 더 나은 날들이 기다리고 있음을 잊지 말고 그 가능성을 신뢰하라.

▼꿈이 태동하는 순간

소명을 굳게 믿는 것이 얼마나 강력한 능력을 발휘하는지 처음으로 절실하게 느낀 것은 고등학생 수련회에서 한 강연을 들으면서부터였다. 레기 댑스라는 미국인 강사였는데 수많은 역경과 난관을 헤쳐 나온 인물이었다. 좁은 강당에는 1천 4백여 명이 넘는 학생들이 들어차 있었다. 공기는 후텁지근하고 불쾌했으며 음향 장치도 엉망이어서 갑자기 삑 소리가 나거나 아예 꺼져 버리기도 했다.

하지만 그는 잠시도 가만히 있지 못하는 철부지들을 단숨에 휘어잡고 자신의 이야기를 들려주었다. 레기는 루이지애나 주에서 한 매춘부의 아들로 태어났다. 아직 십대 소녀에 불과했던 그의 어머니는 낙

태로 '시시하고 귀찮은' 문제를 말끔히 해결하려고 했지만 다행히도 마음을 바꿔 아기를 낳기로 결심했다. 두 모자는 가족도 없고 당장 살 집도 없어서 문 닫은 양계장 한 구석을 치우고 거기서 살았다.

어느 날 밤, 두려움과 외로움에 떨며 잔뜩 웅송그린 채 잠을 청하던 소녀는 도움이 필요하면 언제라도 전화하라던 어느 마음씨 고운 아주머니를 떠올렸다. 그녀는 댑스라고 하는 전직 교사였다. 부인은 테네시 주부터 루이지애나 주까지 그 먼 거리를 마다하지 않고 달려

와서 산모를 남편과 여섯 아이가 기다리고 있는 집으로 데려갔다. 댑스 부인과 남편은 레기를 입양하고 가족으로 삼았다.

부부는 새로 얻은 아들에게 확고한 가치관을 심어 주었다. 가장 중요한 가르침은 어떤 상황과 환경에 부닥치든지 긍정적인 방향을 선택하라는 것이었다. 레기는 삶의 가능성을 신뢰했으므로 대부분 올바른 결정을 내렸다고 했다. 그릇된 길을 골라잡을 생각은 조금도 없었다고 했다. 선하고 좋은 것들이 잔뜩 기다리고 있다고 굳게 믿었기 때문이다. 특히 힘을 주어 강조했던 한 마디가 내 마음에 들어와 박혔다.

"과거는 어쩔 수 없습니다. 그러나 미래는 바꿀 수 있습니다!"

나는 그 말을 가슴에 새겼다. 나뿐 아니라 듣는 이들 모두가 깊은 감동을 받은 강연이었다. 한편으로는 대중들을 상대로 강연을 하면서 사는 것도 보람 있겠다는 생각이 그때 처음 들었다. 쉴 새 없이 꼼지락거리고 떠들어대는 수많은 학생들을 단 몇 분 만에 집중시키고 긍정적인 영향을 끼치면서도 겸손한 자세를 잃지 않는 그의 모습에 나는 완전히 매료되었다. 불러 주는 곳이면 어디든지 가리지 않고 온 세상을 돌아다니며 사람들에게 소망을 심어 주다니, 얼마나 멋진 일인가!

그날 학교에서 돌아오면서 생각했다. '언젠가 나도 레기 선생님처럼 훌륭한 이야기를 남들에게 들려줄 수 있다면 참 좋겠다.' 어려운 일이 생겼을 때 당장은 길이 보이지 않을 수도 있다는 사실을 인정하고 받아들이라. 하지만 눈에 띄지 않는다고 해서 길이 아예 없다는 뜻은 아니다. 믿음을 가지라. 앞으로 여러분의 삶에 어떤 사연이 펼쳐질지 모르지만 굉장히 멋지고 흥미진진한 이야기가 되리라는 것만큼은 백 퍼센트 확실하다.

Life Without Limits

생각이 현실이 되는 삶

소크라테스는 "세상을 움직이려면 먼저 자신을 움직여라"라고 했다. 물론 첫 발을 떼기는 무척 어렵다. 처음에는 자리에서 일어나는 것조차 버겁다. 하지만 일단 몸을 일으키면 움직이게 된다. 조금씩이라도 앞으로 나간다는 건 곧 과거에서 벗어나 미래로다가가는 길에 들어섰다는 뜻이다. 누군가를 떠나보내고 무언가에 실패했다면, 그 기념으로 다른 누군가를 돕고 또 다른 무언가를 세우라. 당신의 생각을 바꾸어 보라. 당신의 태도를 바꾸어 보라.

있는 모습 그대로 충분하다

> > > Limits without Life

동아시아 지역을 여행하던 중에 싱가포르에서 경영인과 기업가 3백여 명 앞에서 이야기할 기회가 있었다. 강연이 끝나고 청중들이 모두 빠져나가자 점잖은 신사 한 분이 다가왔다. 차림새로 미루어 봤을 때, 사업에 성공해서 자부심이 넘치는 다른 참석자들과 별 차이가 없어 보였다. 그런데 첫 마디가 놀라웠다.

"부이치치 씨, 날 좀 도와주세요."

알고 보니 은행을 세 개나 소유한 저명한 기업인이었다. 하지만 재산이 아무리 많아도 모든 갈등과 고민들이 돈만으로 해결되지는 않는 법이다. 그는 내게 도움을 청하며 자신의 이야기를 했다.

"눈에 넣어도 아프지 않을 만큼 어여쁜 딸이 있습니다. 그런데 어찌 된 셈인지 거울을 볼 때마다 너무 못생겼다며 괴로워합니다. 자기가 얼마나 아름다운지 깨닫지 못하는 딸애를 보면 마음이 찢어지는 것 같습니다. 어떻게 하면 자신의 진면목을 보도록 도와줄 수 있을까요?"

그의 심정을 이해하고도 남을 것 같았다. 자식이 괴로워하는 꼴을 지켜보는 것만큼 부모에게 견디기 힘든 고통이 어디 있겠는가? 그리고 무엇이 됐든 한 가지 사실을 근거로 자신을 미워하기 시작하면 오만 가지 쓸데없고 뒤틀린 이유들이 꼬리에 꼬리를 물고 마음을 파고들게 마련이다.

시편 기자는 "내가 주께 감사하옴은 나를 지으심이 심히 기묘하심이라 주께서 하시는 일이 기이함을 내 영혼이 잘 아나이다"(시 139:14)라고 고백했다. 하지만 많은 사람들이 있는 그대로의 자신을 사랑하기 힘들어 한다. 자신이 못생겼다거나, 키가 작다거나, 뚱뚱하다거나, 성격이 나쁘다는 따위의 감정의 짐을 지고 허덕이기 때문이다.

모르긴 해도 이 아버지도 딸에게 자신감과 자존감을 심어 주기 위해 사랑과 칭찬을 아낌없이 쏟아 부었을 것이다. 부모를 비롯해서 사랑을 품고 지켜봐 주는 이들은 침이 마르도록 격려하고 세워 주는 얘기를 들려주지만, 거기에는 같은 반 친구들이 던지는 한 마디나 상사나 동료가 내뱉는 거친 표현과 맞먹는 정도의 의미와 가치만 둘 뿐이다.

비교에 근거해서 내리는 평가의 잣대로 자신을 바라보게 되면 점점 심약해져서 열등감에 빠질 수밖에 없다. 그리고 결국 자신이 희생자라는 피해의식이 생긴다. 자신을 있는 그대로 받아들이지 않는 이상, 남들을 흔쾌히 받아들일 수 없으며 외로움과 고립감에 빠지게 된다.

하루는 십대들을 대상으로 강연을 하고 있었다. 내용은 인기를 얻으려는 욕구에 사로잡히면 학교에서 매력적이거나 건강하지 못한 친구들을 따돌리게 된다는 이야기였다. 요점을 분명히 하기 위해 단도직입적인 질문을 던졌다. "나와 친구가 되고 싶은 사람 있나요?"

다행히도 그곳에 있던 학생들 가운데 대부분이 손을 들었다. 나는 숨 쉴 틈도 주지 않고 다음 질문을 했다.

"그럼 친구를 사귈 때 생김새는 상관없다는 뜻이네요, 그렇죠?"

그리고 몇 분 간 곰곰이 생각해 보게 했다. 자신이 친구를 사귀기 위해 옷을 제대로 갖춰 입고, 잘 어울리는 스타일로 머리를 손질하고, 너무 뚱뚱하거나 말라깽이가 되지 않게 관리하고, 너무 검거나 희지 않게 피부를 태우는 등 얼마나 많은 시간과 노력을 투자하는지에 대해서 살펴보게 했다. 이윽고 학생들에게 이야기했다.

"청바지가 구식이거나, 피부가 깨끗하지 않거나, 날씬한 몸매가 아니라고 해서 한 반 친구를 따돌린다면, 어떻게 나처럼 팔다리가 없는 사람과 친구가 될 수 있겠어요?"

자신에게 야박하거나 스스로를 지나치게 억압하는 이들은 남들에게도 비판적이기 일쑤다. 하지만 자신을 하나님의 사랑을 받는 자녀로 인정하게 되면 평안과 만족이 넘치는 세계로 통하는 문이 활짝 열린다.

십대 청소년이나 젊은이들이 많은 스트레스 속에서 살아가는 것은 전 세계 어디나 마찬가지인 듯하다. 강연 요청을 받고 2010년에 한국과 중국을 방문한 적이 있다. 두 나라 모두 급격한 경제 성장을 하고 있는 터라 그만큼 노동 시간이 길었고 우울증과 자살 충동을 느끼는 비율도 상당히 높았다.

때마침 밴쿠버에서 동계올림픽이 한창 열리고 있었는데 한국의 피겨 여왕 김연아가 사상 첫 금메달을 조국에 안긴 직후여서 서울 거리는 자부심과 열기로 넘쳐나고 있었다. 마지막 연기를 펼치는 시간에는 주식시장의 거래량이 절반으로 떨어졌을 만큼 국민들의 관심도 높았다.

그동안 수많은 한국의 그리스도인들로부터 방문 요청을 받았다. 나

를 다룬 다큐멘터리가 방송을 탄 덕분이었다. 한국 교회의 발전상은 그저 놀라울 따름이었다. 집회를 주관한 온누리교회 관계자들은 선교 사역에 대한 한국인의 열정이 이만저만 뜨거운 게 아니라고 했다. 십 년, 길어야 이십 년 안에 한국 교회에서 파송한 선교사의 숫자가 북미 지역의 두 배에 이를 정도라니 나라의 크기를 감안하면 참으로 놀라운 수치가 아닐 수 없었다.

차를 타고 서울 시내를 지나면서 곳곳에 들어선 수많은 교회들을 보고 깜짝 놀랐다. 세계에서 열 손가락 안에 드는 대형 교회만 해도 세 곳이나 된다고 했다. 불과 백 년 전만 해도 그리스도인을 찾아보기 힘든 나라였는데 지금은 4천 8백만 인구 가운데 삼분의 일 정도가 스스로 기독교 신앙을 고백하게 된 것이다.

여의도순복음교회에서도 강의를 했는데 그곳은 매주 전국 21개 교회에 80만 명이 예배에 참석한다고 한다. 그래서인지 친구들 가

운데는 순수하게 교회만 돌아볼 작정으로 한국을 찾는 이들도 적지 않다.

기도 모임도 대단히 인상적이었다. 다들 큰 소리로 간구하고 종을 울려 정리한 뒤에 다음 제목으로 넘어가곤 했다. 이처럼 영적으로 빠르게 성장하고 있음에도 불구하고 긴장 상태에서 오랜 시간 일하다보니 스트레스 지수가 상당히 높았다.

치열한 경쟁이 벌어지기는 학교도 마찬가지여서 청소년들 역시 상당한 압박을 받고 있었다. 아직 어린 친구들까지 "일등만 살아남는다"는 부담감에 시달렸다. 상위권에 들지 못하면 스스로 낙오했거나 실패한 것으로 여겼다. 나는 설령 시험에서 좋은 성적을 거두지 못한다 하더라도 실패자가 되는 것은 아니라고 격려했다.

스스로를 사랑하고 인정하는 마음가짐은 자신에게만 집중하는 이기적인 사고방식과는 전혀 다르다. 내가 말하는 자기 사랑에는 사심이 없다. 받기보다 주려고 하고 부탁받기 전에 미리 베푼다. 최고의 자리에 오르지 못해도 자신을 생긴 그대로 사랑한다. 그리고 주변에 기쁨을 줄 수 있는 자신을 보면서 기뻐한다.

자기 자신조차 사랑하지 않는 사람을 누가 사랑해 주겠는가? 알다시피 우리는 하나님의 자녀이며 한 사람 한 사람이 모두 주님의 무조건적인 사랑과 자비, 용서의 대상이다. 따라서 반드시 자신의 불완전한 구석들을 이해하고, 실수를 용납하며 사랑해야 한다. 창조주 하나님이 그러셨기 때문이다.

남미를 여행하면서 콜롬비아의 마약중독자 재활센터에서 강연할 기회가 있었다. 청중들은 중독 증세에 시달리고 있거나 그런 경험을 가진 이들이었다. 너나없이 인간으로서의 자존감이 바닥에 떨어져서 약물에 빠진 채 삶이 망가지고 있었다. 그곳에서 나는 제아무리 오랫동안 마약에 취해 살았다 하더라도 하나님은 여전히 사랑을 베풀어 주신다는 메시지를 전했다. 통역의 입을 통해 하나님이 무조건적으로 사랑해 주신다는 사실을 확실히 설명하자 청중들의 얼굴이 밝아지기 시작했다. 하늘 아버지가 죄를 용서하고 사랑을 베풀어 주시지 않는다면, 무엇을 근거로 우리가 자신을 용서하고 사랑할 수 있겠는가?

싱가포르 은행가의 딸이 그랬던 것처럼, 길을 잃고 방황하는 이들은 대개 자신의 인생을 쓸모없는 쓰레기처럼 취급하고 있다. 하지만 누구나 하나님의 사랑을 받을 만한 가치가 있다. 그리고 주님이 용서하시고 자비를 베풀어 주셨으므로 우리 역시 자신을 용납하고 사랑해야 한다.

가장 큰 계명이 무엇이냐는 질문을 받았을 때 예수님은 "네 마음을 다하고 목숨을 다하고 뜻을 다하여 주 너의 하나님을 사랑하라 하셨으니 이것이 크고 첫째 되는 계명이요 둘째도 그와 같으니 네 이웃을 네 자신 같이 사랑하라"(마 22:37-39)라고 하셨다. 자신을 사랑한다는 말은 스스로를 잘 보살펴야 할 하나님의 선물로 받아들이며 그 은혜를 다른 이들과 나눈다는 의미다.

실패나 실수처럼 불완전한 면에 집착하기보다 내가 어떤 축복을 받았으며 어떻게 세상에 기여할 수 있는지에 초점을 맞추라. 달란트든, 지식이든, 지혜든, 창의성이든 관계없다. 힘든 노동을 하든지 영혼을 먹이는 일을 하든지 상관없다. 남의 눈을 의식하며 살 필요도 없다. 인간은 누구나 그 나름대로 완벽한 존재들이다.

▌내면의 빛

정신과 의사이자 저술가인 엘리자베스 퀴블러 로스는 인간을 스테인드글라스에 빗대어 설명했다. "태양이 바깥에 있으면 반짝이며 빛나지만 어둠이 깃들면 안에서 비추는 빛이 있어야만 참다운 아름다움이 드러난다."

그녀의 말처럼 우리가 팔다리 없이 살려면, 또는 우울증과 약물중독, 알코올중독, 또는 이런저런 심각한 어려움들을 딛고 살아남으려면 우리 자신의 내면에 불을 지펴야 한다. 자신이 소중한 존재이며 고유한 가치와 아름다움을 가졌음을 믿는 것이다. 우리는 모두 행복을 누릴 만한 가치가 있는 존재들이다.

같이 있기만 해도 푸근하고 기분이 편안해지는 친구가 있다. 마치 좋은 느낌을 내뿜는 시원한 분수처럼 보일 정도다. 그런 친구와 더불어 지내는 것은 즐거운 일이며 너나없이 함께 시간을 보내고 싶어 한다. 어째서 그럴까? 그 사람의 내면에서 빛이 흘러나오기 때문이다. 그런 친구들은 자신을 사랑하며 일이 뜻대로 풀리지 않거나 버거운 문제와 씨름할 때도 스스로를 향해 '아무 짝에도 쓸모없는 녀석'이라고 손가락질하는 대신 하나님의 은총을 입은 고귀한 사람으로 자신을 인정하고 용납한다. 누구나 그처럼 편안안 분위기를 풍기는 인물을 한둘쯤은 알고 있으리라 믿는다.

반면 쓰라린 상처를 품고 자기혐오에 빠져서 가까운 이들마저 몰아내는 정반대의 경우도 있다. 이들은 자신을 미워하여 스스로 파멸의 구렁텅이에 빠지기로 작정한다. 그리고 그 결과는 섬처럼 점점 고립되는 것이다. 그렇다면 이처럼 내면에서 빛을 내지 못하는 까닭은 무엇일까? 아마도 남들의 평가에 의해 자신의 가치를 확인하고, 자신감을 얻으며, 인정을 받으려 하기 때문일 것이다. 자신을 있는 그대로 받아들이지 않는 한, 그런 마음가짐은 백 퍼센트 좌절의 쓴 맛을 보게 된다. 내면의 상태야말로 인간으로서 스스로의 아름다움과 가치를 재는 유일한 잣대다.

> 내면의 상태야말로 인간으로서 스스로의 아름다움과 가치를 재는 유일한 잣대다.
>
> Life Without Limits

물론 현실은 말처럼 녹록하지 않다. 나 역시 이 문제를 붙들고 오랫동안 씨름해 왔다. 나는 그리스도인 부모 밑에서 성장하면서 하나님이 나를 사랑하시며 거룩한 섭리에 따라 완벽하게 지으셨다는 이야기를 귀에 못이 박이도록 들었다. 아버지와 어머니가 틈틈이 가르쳐 준 성경 말씀과 가족들의 눈물겨운 노력 덕분에 큰 힘을 얻었지만, 코흘리개 꼬맹이가 "괴물이다!"라고 소리치며 달아나기라도 하면 나는 그 즉시 절망의 골짜기로 곤두박질치곤 했다.

인생이 더없이 잔인할 때가 있다. 개중에는 사려 깊지 못하거나 심술궂은 사람들도 적지 않다. 그러므로 내면으로 눈을 돌리고 거기서 힘을 얻을 필요가 있다. 그래도 기운이 나지 않는다면 위를 바라보며 사랑과 능력의 궁극적인 근원이 되시는 하나님의 도우심을 요청해야 한다.

우리는 스스로를 하나님의 사랑을 되비추는 거울로, 그리고 저마다 독특한 방식으로 인류에 기여하도록 이 땅에 파송된 하나님의 일꾼으로서 사랑해야 한다.

극단적인 자기연민과 방종에 사로잡혀 피상적인 의미에 만족하는 청소년과 어른들이 얼마나 많은지 모른다. 여기에는 리얼리티 쇼와 영화, 인터넷 동영상, 비디오 따위가 제시하는 아름다움과 인기의 기준이 지대한 영향을 미치고 있다. 적어도 이런 매체에 푹 빠져 있는 동안에는 누구나 멋진 외모와 호화로운 생활, 끼리끼리 모여서 수다를 떠는 것보다 훨씬 고상한 목표가 인간의 삶에 존재한다는 사실을 새카맣게 잊어버린다.

세상이 전하는 거짓 메시지는 무언가를 이루고, 사랑과 인정을 받으며, 성공적인 인물로 비춰지기 위해서는 이러저러한 모습을 갖추어야 하고, 특정한 자동차를 타야 하며, 이만저만한 라이프스타일을 가져야 한다고 말한다. 심지어 섹스 비디오에 출연하는 것이 이름을 날리고, 돈을 벌고, 만족스러운 생활을 하는 지름길이라고 착각할 정도로 현대 문화는 위기를 맞고 있다.

물론 모든 사람이 성형수술과 지방흡입술, 명품 가방에 열광한다고 말할 수는 없다. 대다수의 사람들은 이웃을 자기 몸처럼 사랑하는 법을 배우며 자신의 삶을 즐거워한다. 그리고 상당수의 청소년들과 어른들이 휴가 기간 동안 제3세계 국가를 방문해서 집을 지어 주거나 가난한 이들을 돕고 있다.

하지만 자신이 좋은 물건을 탐내고, 겉으로 드러난 아름다움을 추구하며, 남의 평가에 따라 가치 기준이 흔들린다면, 이미 상당한 위기에 몰렸음을 눈치 채야 할 것이다.

크리스티라는 아가씨는 내 DVD를 시청한 뒤에 이런 편지를 보내 왔다.

*

작년에 보고 오늘 또 다시 보았습니다. 화면에 펼쳐지는 장면들과 이야기들을 따라가면서 내가 나를 사랑하지 않는 한, 아무도 나를 사랑해 주지 않는다는 사실을 새삼 깨달았습니다. 덕분에 지난 한 해 동안 내게도 많은 변화가 일어났어요. 제힘으로 일어서서 있는 그대로 자신을 사랑하며 스스로 원하는 방식으로 세상을 살아가는 것을 배우고 있습니다. … 어쨌든 이제는 자신을 바라보는 눈이 조금 달라졌습니다. 남자친구도 내가 많이 변했다는 걸 알고 닉 부이치치 씨에게 무척 고마워하고 있습니다. 과거에는 혹시라도 내가 어리석은 결정을 내리고 자살이라는 극단적인 선택을 할까봐 두려워하고 걱정했었거든요. 이제는 더 이상 예전처럼 살지 않습니다. 훨씬 행복해졌어요.

*

▶자신과 화해하라

내 메시지가 크리스티의 마음을 움직일 수 있었던 건 아마도 나 역시 그 자리에 있어 봤기 때문일 것이다. 일곱 살 어간에는 따돌림과 좌절감에 짓눌린 끔찍한 하루를 보내고 학교에서 돌아와 몇 시간씩 거울에 비친 내 모습을 들여다본 적도 있다. 다른 친구들이 여드름을 걱정하거나 머리칼을 매만지느라 정신이 없을 때, 나는 팔다리가 없다는 남다른 고민을 안고 씨름해야 했다. '난 그저 기괴하게 생긴 애물단지일 뿐'이라는 생각이 머리를 떠나지 않았다.

슬픔이 홍수처럼 밀려와 잠시 동안은 자기연민의 감정을 주체할 수 없었다. 하지만 곧 내면 깊숙한 곳에서 또 다른 목소리가 들렸다. "오케이. 어머니가 얘기한 것처럼, 신체의 일부가 없지만 그래도 넌 괜찮은 놈이야. 안 그래? 자, 어때. 이제 한 가지라도 마음에 드는 걸 찾아보자고. 단 한 가지만 있어도 그걸로 충분하잖아?"

그리고 조금 더 내 모습을 살핀 끝에 마침내 긍정적인 결론에 이르렀다.

"눈이 참 멋지군. 여자애들도 내 눈이 예쁘다고 했어. 다른 게 다 이상하다 해도 최소한 한 가지는 가졌잖아. 누가 뭐래도 그건 달라지지 않아. 눈이 변할 리가 없잖아? 그러니까 평생 아름다운 눈을 가지고 살 수 있는 거지."

상처를 입거나, 해코지를 당하거나, 따돌림을 당해서 몸과 마음이 다 가라앉을 때는 거울 앞에 서서 자신의 사랑스러운 구석을 찾아보라. 신체적인 특성에만 집착할 필요는 없다. 그것이 무엇이든, 생각할 때 기분이 좋아지는 요소라면 괜찮다. 잠시 그 특별한 장점을 곱씹어보고 거기에 감사하라. 그리고 인간의 진정한 아름다움과 가치는 하나님이 설계하신 모습을 좇아 사는 데서 비롯된다는 사실을 기억하라.

 십대 친구들과 대화하면서 놀라게 되는 사실은 자신이 또래들에 비해 모자라도 한참 모자란다고 괴로워하거나 아무도 사랑해 주지 않을 거라는 착각에 빠져 허우적거리는 아이들이 생각보다 많다는 것이다. 그들은 까칠한 시선으로 자신과 남을 비교하며 스스로를 평가절하한다. 내가 학생들에게 "생긴 그대로의 여러분을 사랑합니다. 내가 보기에 다들 너무 예쁘고 멋집니다"라는 말을 입에 달고 사는 이유가 거기에 있다.

 짤막한 이 말은 아이들의 심령에 적지 않은 파장을 일으킨다. 거지반 숨죽여 흐느끼거나 입을 막고 눈물을 삼킨다. 여자아이들은 책상에 엎드리고 사내아이들은 얼굴을 감싸 쥔다. 뜨거운 감정이 전염병처럼 온 방안에 퍼져나간다. 터져 나오는 울음을 참느라 어깨가 들썩이고 여학생들은 둘씩 셋씩 부둥켜안는다. 남학생들은 눈물을 보이지 않으려고 뛰쳐나간다.

 처음 이런 상황에 부딪혔을 때는 다소 당황스러웠다. '왜 저러지? 저처럼 강렬한 반응을 보이는 까닭이 뭘까?' 해답은 청중들 속에 있었다.

 그들의 마음을 그토록 사로잡을 수 있었던 건 대다수 현대인들이 잊고 사는 두 가지 강력한 힘의 원천, 즉 무조건적인 사랑과 자기용납에 관한 진실을 일깨워 주었기 때문이 아닐까 싶다.

 나는 날마다 엄청난 양의 이메일과 편지들을 받고 있으며 수많은 이들과 만나서 대화를 나눈다. 그 가운데는 자기를 사랑하는 능력을 잃어버린 탓에 자살을 꿈꿨던 이들이 적지 않다. 상처를 받으면 다시는 똑같은 아픔을 겪지 않으려고 단단히 벽을 둘러치지만, 마음 안쪽에까지 담을 쌓을 수는 없다. 오직 자기 안팎의 아름다움을 있는 그대로 받아들일 때 다른 이들이 다가와서 자신의 진면목을 알아줄 것이다.

▌자신을 사랑하라, 놀림감을 자처할 만큼

가족이나 가까운 친구들은 하루에 수백 번이라도 나에게 멋지다거나 사랑스럽다거나 어려운 날들은 금방 지나갈 거라고 이야기해 주었다. 그러나 누군가 무심코 던진 한 마디가 너무나 날카로워서 격려의 말들을 상쇄시켜 버렸던 경우도 적지 않다.

어린 시절, 운동장에서 만난 또래 친구들이 짓궂게 군 날이면 부모님은 내 상처를 어루만져 주느라 진땀을 흘려야 했다. 그런데 엇비슷한 나이의 친구 하나를 만나면서 극적인 변화가 일어났다. 같은 반 여자아이가 "넌 참 좋아 보여"라고 이야기해 주는 순간부터 최소한 한 달 동안은 구름 위를 걷는 기분이었다.

그로부터 얼마 뒤, 문득 정신을 차리고 보니 어느새 코에 여드름이 덕지덕지 돋아 난 열세 살짜리 사춘기 소년이 있었다. 도저히 눈 뜨고는 봐줄 수 없는 형상이었다. 얼마나 크던지 잘 익은 토마토 같았다.

"엄마, 여드름 때문에 미치겠어요."

"긁지 마, 닉나." 어머니가 대답했다.

속으로 생각했다. '긁는다고? 뭘 가지고 어떻게?'

세상에서 가장 못 생긴 남자가 된 느낌으로 학교에 갔다. 교실 유리창에 내 모습이 비칠 때마다 쥐구멍에라도 들어가 숨고 싶었다. 친구들은 왕 여드름이 신기하다는 듯 연신 흘낏거렸다. 어서 사라지라고 빌고 또 빌었지만 이틀이 지난 뒤에는 크기가 더 커져 있었다. 지상에서 가장 크고 빨간 여드름이 내 코에 붙어 있었다. 가만히 뒀다가는 조만간 내 몸무게보다 더 무거워질 판이었다.

괴상하게 생긴 괴물은 좀처럼 사라질 조짐을 보이지 않았다. 그렇게 무려 여덟 달이나 그 자리를 지켰다. 루돌프 사슴 코가 따로 없었다. 나는 견디다 못해서 어머니에게 피부과에 데려가 달라고 부탁했다. 의사에게 대수술을 받는 한이 있더라도 여드름을 짜내고 싶었다. 피부과 전문의는 커다란 확대경으로 내 얼굴을 자세히 살피더니 이렇게 말했다. "음, 여드름이 아니군."

'아님 말고요. 어쨌든 짜달라니까요!' 마음속으로 부르짖었다.

"이건 분비선이 부어오른 거야. 잘라 낼 수도 있고 태워 버릴 수도 있는데, 둘 다 상처가 남게 돼. 참고 기다리는 게 어떠냐?"

의사가 말했다.

나는 골이 난 목소리로 대꾸했다. "너무 커서 창피해 죽겠어요."

"그럼 평생 그만한 상처를 코에 달고 살래?" 의사가 되물었다.

그렇게 해서 '여드름 비슷하지만 여드름은 아닌' 골칫덩이는 코에 남았다. 한동안은 조바심치며 하나님을 조르기도 했지만 결국 팔다리 없이도 잘 살면서 코끝에 붙은 붉은 전구 따위로 속을 끓이는 건 어리석은 짓임을 깨달았다.

살다 보면 사소한 일을 너무 심각하게 받아들여서 쓸데없이 크게 만들 때가 있다. 그렇다. 여드름 정도야 문제 축에도 못 낀다. 조그만 사마귀나 잔주름 하나에 너무 민감하게 반응하다 보면 나중에 더 치명적인 문제에 부닥칠 때 그것을 이겨낼 힘을 비축할 수 없게 된다. 그러므로 마음을 단단히 먹고 고만고만한 좌절과 장애 따위는 그냥 웃어넘기라.

웃음은 엔도르핀이라는 호르몬을 분비시켜서 긴장을 풀어 주고, 면역 체계를 강화시켜 주며, 혈액의 흐름을 개선해서 뇌에 더 많은 산소가 공급되도록 도와준다. 이만하면 괜찮지 않은가? 연구에 따르면 웃음이 사람을 더 매력적으로 보이게까지 한다고 한다. 한 번 웃을 때마다 월급에 보너스까지 나온다니 얼마나 좋은가!

▶아름다움은 제 눈에 안경!

정말 배꼽 빠지는 일이 뭔지 아는가? 그것은 허영이다. 자신이 정말 멋지고 섹시해서 패션잡지 모델이라도 될 것 같다고 믿는 순간, 아름다움이 주관적이며 속사람에 비하면 겉모습쯤은 아무것도 아니라는 깨달음을 주는 사건을 맞닥뜨리는 법이기 때문이다.

얼마 전 앞을 보지 못하는 소녀와 이야기하면서 그런 사실을 다시 한 번 확인할 수 있었다. 녀석을 만난 건 한 달리기 대회에서였다. 가난하고 몸이 불편한 어린이들에게 의료 장비를 지원하기 위해 필요한 기금을 마련하려는 목적으로 열린 대회였다. 행사가 끝난 직후에 젊은 여성이 자그마한 여자아이를 데리고 찾아왔다. 아이의 엄마는 다섯 살 딸에게 나를 태어날 때부터 팔과 다리가 없는 아저씨라고 소개했다.

앞을 보지 못하는 이들은 더러 상대방의 말이 무엇을 의미하는지 직접 손으로 확인해 보고 싶어 한다. 물론 마다할 일이 아니다. 그래서 꼬마가 직접 '보면' 좋겠다고 했을 때도 서슴없이 그러라고 했다. 아이 엄마는 소녀의 손을 잡아서 내 어깨와 조그만 왼발에 올려 주었다. 반응이 재미있었다. 꼬맹이는 차분하게 뭉뚝한 어깻죽지와 묘하게 쪼

그라든 발을 더듬었다. 이윽고 손이 내 얼굴까지 이르자 아이가 갑자기 비명을 질렀다. 일그러진 아이의 표정이 귀여웠다.

"어라? 이렇게 잘생긴 아저씨를 겁내다니!" 웃으며 말을 걸자 소녀가 대답했다.

"무섭지는 않아요. 하지만 얼굴이 온통 털투성이에요. 아저씨는 늑대예요?"

소녀는 단 한 번도 수염을 만져 본 적이 없었다. 그래서 까칠한 면도 자국에 손이 닿자 깜짝 놀랐던 것이다. 꼬마는 제 엄마에게 그처럼 털이 많다니 정말 안 됐다고 했다. 녀석은 나름대로 멋진 남성상을 마음에 품고 있었고, 나는 수염 탓에 그 기준에 못 미친 게 틀림없었다. 속상했느냐고? 천만에 말씀이다. 도리어 즐겁고 감사했다. 아름다움이라는 게 결국 '제 눈에 안경'임을 깨달았기 때문이다.

▶나만의 아름다움

인간은 어리석기 짝이 없다. 인생의 절반은 무리에 섞이려고 발버둥치고 나머지 절반은 그 무리에서 한 발 물러 나와 숨으려고 안간힘을 쓴다. 나 역시 거기서 자유롭지 못하다. 그런 현상이 흔하디흔해서 마치 인간 본성의 일부처럼 느껴지는 걸 보면 다들 마찬가지가 아닌가 싶다. 스스로 하나님의 거룩한 형상을 따라 지어진 피조물이라는 것을 잊어버리고 자신을 그처럼 불편하게 여기는 까닭은 무엇인가?

학교에 다닐 때는 그맘때 아이들이 다 그렇듯, 어떻게 해서든지 무리에 끼려고 무진 애를 썼다. 아는지 모르겠지만 이른바 '튀고 싶어 하는' 아이들조차도 저와 비슷하게 입고, 말하고, 행동하는 친구들과 어울리려고 노력한다. 지난날을 돌아보라. 그러지 않았는가? 남들이 다 검은 옷을 입고, 검은 매니큐어를 칠하고, 검은 립스틱을 바르고, 검은 아이라이너를 쓰는데 과연 혼자서 다르게 꾸밀 수 있었을까 생각해 보라. 대단히 예외적인 경우가 아니라면 아웃사이더가 되기보다 자연스레 그 속에 편입되려고 노력했을 것이다.

한때 젊은이들 사이에서는 문신과 피어싱이 자신들의 개성을 반항적으로 드러내는 표현 양식이 되었다. 그러나 이제는 어린 아이들을 데리고 장을 보러 가는 중년 여성들에게도 흔히 볼 수 있는 장식이 되었다. 쇼핑몰에 가득한 아주머니들과 똑같은 유행과 경향을 좇는 것 말고도 개성을 돋보이게 하는 방법은 무수히 많다. 그렇지 않은가?

개인적으로는 다른 이들과 구별되는 것에 나만의 아름다움이 있다고 믿는다. 이 방법은 누구나 쉽게 따라할 수 있다. 나는 누구와도 다른 '나'며 독특한 존재다. 아무도 나를 보고 평범하다거나 남들과 똑같다고 말하지 않는다. 남들 틈에 묻히기는 어렵지만 그 사이에서 도드라지는 건 자신 있다.

나와 처음 만나는 사람들은 어른들뿐 아니라 아이들도 이상하다는 반응을 보이기 일쑤이므로 내게는 이런 마음가짐이 대단히 중요하다. 어린 친구들은 나를 다른 별에서 온 외계인이나 괴물쯤으로 생각한다. 십대 청소년들은 흉악하고 섬뜩한 범죄자에게 당했을지 모른다는 무시무시한 상상을 한다. 엉뚱한 쪽으로 비약하기는 어른들도 마찬가지여서 나를 마네킹이나 꼭두각시 인형으로 오해하기도 한다.

언젠가 캐나다에 있는 친척집에 갔다가 난생처음 할로윈 놀이에 끼어 봤다. 친척들은 내게 온몸을 가릴 만큼 크고 무시무시하게 생긴 커다란 할아버지 가면을 씌워 주고는 이집 저집으로 데리고 다녔다. 그런데 이상하게도 사람들의 반응이 신통치 않았다. 알고 보니 너무나 실감나는 내 모습이 문제였다. 어느 집에 이르러 맛있는 사탕을 받고는 아무 생각 없이 "고맙습니다"라고 외치자 아주머니는 화들짝 놀라며 뒤로 주저앉았다. "살아 있는 사람이었어? 난 인형을 넣고 다니는 줄 알았어!"

'하긴, 내가 인형처럼 곱상한 건 사실이지.' 속으로 생각했다.

장난기가 발동할 때는 독특하게 생긴 외모가 아주 쓸 만한 도구가 되어 준다. 나는 사촌이나 친구들이랑 쇼핑몰에 돌아다니는 걸 무척 좋아하는데 몇 년 전 오스트레일리아의 대형 매장에 들렀을 때다. 그날따라 속옷 가게가 유난히 눈에 들어왔다. 쇼윈도에는 오랜 전통을 가진 유명 브랜드의 상품이 조금 저렴한 가격에 진열되어 있었다.

팔다리는 없고 머리와 몸통만 있는 남자 마네킹이 아래위로 짝 달라붙는 속옷을 입고 있었다. 몸매가 나와 정말 비슷했다. 우연히 입고 있던 속옷도 같은 브랜드였다. 순간 사촌들과 나는 은밀한 눈빛을 주고받으며 쇼윈도 속에 들어가서 모델 노릇을 해보는 작전에 돌입했다. 사촌들이 문을 따고 나를 번쩍 들어 유리장 속에 넣어 주었다. 얼른 마네킹 옆에 자리를 잡았다.

그때부터 5분 동안, 미끼 노릇을 하며 쇼핑몰을 어슬렁거리는 고객들을 죄다 끌어 모았다. 손님이 다가와서 쇼윈도를 기웃거릴 때마다 얼굴을 씰룩거리거나, 미소를 지어 보이거나, 윙크를 하거나, 고개 숙여 인사를 했다. 다들 기겁을 하며 뒷걸음질을 쳤다. 바깥에서 숨 죽여가며 동태를 살피던 공범들은 그 꼴을 보고 왁자지껄 웃음을 터트렸다. 나중에 강연 요청이 끊어지더라도 걱정할 게 없을 것 같다. 마네킹 대신 백화점 쇼윈도에 한 자리를 차지할 수 있으니 말이다!

▌마음에 불을 밝히라

나는 장애인으로 살아오면서 낯설고 불편한 반응들을 즐기며 웃어넘기는 법을 배웠다. 하지만 더 좋은 방법이 있다. 자신의 괴로움에 갇히지 말고 오히려 어려운 처지에 있는 이들에게 도움의 손길을 내밀어 이웃의 고통을 덜어 주는 것이다.

노숙자 급식소에도 가보고 고아들을 돕기 위해 모금 운동도 해보고 지진의 피해를 입은 사람들을 지원하는 바자회도 준비해 보라.

자선 걷기 대회, 자전거 대회, 마라톤 대회 등을 조직해서 스폰서를 끌어 모을 수도 있을 것이다. 개인적으로는 내면에 불을 밝히기 위한 것으로 그만한 해결책이 없음을 깨닫게 되었다.

매듭이 풀리지 않으면 다른 이들의 엉킨 실타래를 풀어 주라. 다른 건 다 제쳐 두고라도, 주는 것이 받는 것보다 훨씬 나은 법이다. 그렇지 않은가? 남들에게 기꺼이 베풀어 주다보면 어느 땐가 자신이 너무도 소중하게 여겨질 것이다.

어떻게 아느냐고? 내 인생을 보라. 내가 여러분보다 훨씬 더 행복하고 만족스러운 삶을 누릴 만한 조건을 가진 것처럼 보이는가? 장담하건데 성형수술이 즐거운 인생을

> 매듭이 풀리지 않으면 다른 이들의 엉킨 실타래를 풀어 주라. 주는 것이 받는 것보다 나은 법이다.
>
> Life Without Limits

보장해 주지 않는다. 고급 승용차가 존경을 가져다주는 것도 아니다. 누구나 사람은 사랑과 인정을 받는 데 필요한 조건을 갖추고 태어난다. 핵심은 내면에 있는 소중한 자원을 최대한 드러내고 확장하는 데 있다. 늘 완벽한 사람은 세상 어디에도 없으니 좀 불완전해도 괜찮다. 살아생전에 완벽해지는 게 아니라 그러려고 애쓰는 것이 중요한 것이다. 지속적으로 노력하고, 꾸준히 성장하며, 계속해서 가진 걸 베풀다 보면 언젠가는 지난날을 돌아보며 "정말 최선을 다하며 살았어"라고 고백할 수 있을 것이다. 거울을 들여다보며 말하라. "이게 바로 나야. 자, 열심히 뛰어서 최고가 되어 보자고!"

인간은 너나없이 아름답다. 하나님이 거룩한 목적을 가지고 지으셨기 때문이다. 이제 남은 과제는 그 목적을 찾아내고, 소망으로 불

을 지피고, 독특한 생김새와 됨됨이를 최대한 활용하는 것뿐이다. 자신을 사랑하고 용납하는 마음가짐은 자기연민과 피해의식을 치료하는 확실한 처방이다. 마약이나 알코올, 무분별한 성행위 등을 통해 일시적인 위안을 얻으려고 하지 말라. 그런 것들은 결국 더 큰 고통을 가져다 줄 뿐이다. 스스로 하나님의 자녀요 거룩한 섭리의 일부라는 자부심을 갖는다면 지금과는 다른 인생을 마음껏 즐길 수 있을 것이다.

▟행복의 조건

누군가 나에게 내면의 행복을 찾는 비결을 묻는다면, 자기 자신이 아닌 바깥으로 눈을 돌리라고 말해 주고 싶다. 인간은 자신의 재능과 지식, 개성을 백 퍼센트 활용해서 다른 이들을 적극적으로 도와줄 때 삶의 기쁨과 행복을 느끼는 것 같다. 나 개인적으로는 대부분 받는 쪽이었지만 눈곱만큼이나마 베푸는 것으로 인생에 획기적인 변화가 일어났다. 이것은 절대로 과장이 아니다.

열여섯 살, 고등학교에 다닐 때다. 수업이 끝나고 나서도 나는 대략 한 시간쯤 기다려야 차를 얻어 타고 집에 돌아올 수 있었다. 대부분 친구들과 수다를 떨면서 시간을 보냈지만 더러는 아놀드 씨와 이야기를 나누기도 했다. 아놀드 아저씨는 학교에서 자질구레한 일들을 처리하는, 말하자면 수위 겸 건물 관리인이었다. 그는 내면에서 밝은 빛이 쏟아져 나오는 멋진 어른이었다. 늘 넉넉한 멜빵바지를 입고 다녔으며 언제 봐도 편안하고 온화했다.

아놀드 아저씨는 모르는 것이 없었다. 게다가 신앙심도 깊었으며 지혜로웠다. 가끔은 점심시간을 쪼개서 그리스도인 학생들과 대화하는 모임도 가졌다. 하루는 나한테도 그 모임에 참여해 보기를 권했다. 아직 신앙이 깊지 않다고 사양했지만 괜찮다며 적극적으로 초대했다. 결국 무슨 기대가 있어서라기보다 아저씨가 좋아서 모임에 나가기 시작했다.

모임이라고 해봐야 아이들이 돌아가면서 삶을 나누는 게 전부였다. 아놀드 아저씨는 나한테도 기회를 주려고 했지만 나는 늘 도리질을 치곤했다. 아저씨는 따뜻하게 설득했다. "불편해 할 것 없다, 닉. 다들 네 얘기를 듣고 싶어 해. 네가 어떤 친구인지, 무슨 생각을 하는지 더 깊이 알 수 있으면 좋겠다."

세 달 동안이나 아저씨의 요청을 물리쳤다. "전 할 말이 없어요."

하지만 아저씨의 끈질긴 노력 앞에 결국 백기를 들고 말았다. 다른 친구들이 서슴없이 자기 느낌과 경험을 털어 놓는 걸 보고 용기를 얻어서 다음 모임에서는 꼭 내 얘기를 하겠다고 약속했다. 일주일 내내 초조하고 불안해서 어쩔 줄을 몰랐다. 요점을 간추린 카드까지 준비했다.

친구들이 주의 깊게 들어 주리라는 기대 따위는 아예 없었다. 대충 이야기해 버리고 얼른 그 궁색한 상황을 모면하고 싶었다. 하지만 다른 한편에는 또래들에게 나 역시 똑같은 느낌과 상처, 두려움을 가지고 있다는 걸 보여 주려는 욕구가 생생하게 살아 있었다.

그날, 딱 십 분 동안 팔다리 없이 성장한다는 것이 무엇을 의미하고 어떤 느낌인지에 대해서 이야기했다. 슬프고 재미있는 사연이 모두 들어 있었다. 피해자나 희생자처럼 보이고 싶지 않아서 승리했던 사건들도 앞에 내세웠다. 그리고 하나님이 나를 잊으신 게 아닌지, 아주 드물게는 내 자신이 그분의 실패작은 아닌지 의심스러울 때가 있었노라고 고백했다. 주님의 특별한 계획이 있을 것이라는 생각이 들지만 아직 확실하게 자리 잡은 건 아니라고도 했다.

"내가 실수로 태어난 것이 아니라는 걸 더 확실히 믿는 법을 배우고 있습니다." 될 수 있는 대로 웃음을 머금으려고 노력하면서 나는 마지막 말을 맺었다.

솔직히 털어놓자면, 어쨌든 해냈다는 안도감에 거의 울음을 터트릴 뻔했다. 그런데 정신을 차리고 보니, 놀랍게도 방안에 있던 친구들 가운데 대다수가 울고 있었다.

"형편없었지요?" 아놀드 아저씨에게 물었다.

"아니다, 닉. 넌 대단했어." 아저씨가 대답했다.

처음에는 듣기 좋으라고 하는 소린 줄 알았다. 서로 짜고서 감동받은 척 연기하는 건지도 모른다는 생각까지 들었다.

그런데 며칠 뒤, 모임에 나왔던 한 친구가 다음 주에 자기 교회 학생회에 와서 이야기를 들려 달라고 했다. 또 다른 아이는 주일학교 모임에 와 달라고 부탁했다. 그로부터 두 해에 걸쳐 열두 군데가 넘는 교회, 학생회, 봉사단으로부터 삶을 나눠 달라는 요청을 받았다.

사실은 고등학교에 다니는 내내 일부러 그리스도인 모임을 피해 왔었다. 입만 열면 신앙 얘기를 하는 '꼬마 목사'로 낙인찍히는 게 싫었기 때문이다. 그래서 괜히 강한 척했고 가끔 욕설도 내뱉었다. 그래야 평범한 십대로 또래들 틈에 섞일 수 있을 것 같았다. 하지만 실제로는 나조차도 자신을 용납하고 인정하지 않았던 것이다.

하나님은 유머감각이 대단한 분임에 틀림없다. 외면하고 기피하던 모임에 가서 내 얘기를 털어놓게 하시더니 거기서 내 인생의 목적을 보여 주셨다. 완전하지 않음에도 불구하고 여전히 나누어 줄 만한 뭔가가 내게도 있었다.

이것은 나한테만 해당되는 이야기가 아니다. 우리는 모두 다 불완전한 인간들이지만 그 모습 그대로 하나님이 주신 아름다운 선물들을 나눠야 한다. 내면을 들여다보라. 세상을 환하게 할 불씨가 그곳에 들어 있다.

하나님께 영광을 돌리는 삶을 살라.
한 줌의 에너지도 남기지 말고
다 쏟아부으며 살라.

태도를 바꾸면 인생도 바뀐다

태도를 바꿔야 한다는 이야기를 하면 선동적인 포스터나 격려사 따위에 단골로 등장하는 주제 같아서 식상할지 모르겠다. 그러나 마음을 다잡고 태도를 수정하는 작업에는 우리의 예상보다 큰 힘이 숨어 있다. 여기에는 우울한 기분을 떨쳐 버리고, 거침없는 삶을 살게 하며, 잘못된 행동들을 제어할 참다운 힘이 내포되어 있다.

하버드대학에서 지그문트 프로이트, 칼 융, 헬렌 켈러, 올리버 웬델 홈스 주니어를 비롯해 많은 학생들을 가르친 심리학자이자 철학자인 윌리엄 제임스는 태도의 변화가 삶을 바꾼다는 깨달음을 당대의 가장 위대한 발견 가운데 하나로 꼽기도 했다.

의식을 하든 그렇지 않든, 사람들은 저마다 좋고 나쁨, 옳고 그름, 정당하고 부당함에 대한 나름의 신념이 있다. 그리고 이 믿음을 토대로 형성된 자신만의 관점이나 사고방식을 통해 세상을 바라본다. 무슨 결정을 하든지, 어떤 행동을 하든지 그 바탕에는 항상 자신을 움직이게 하는 어떤 태도가 깔려 있다. 그리고 인간에게는 무언가 삐거덕거리거나 일이 잘 돌아가지 않을 때 그 자세를 수정하고 바꿀 힘도 있다.

마음가짐은 텔레비전의 리모컨과 비슷하다. 보고 있던 프로그램이 어떤 이유에서든 마음에 들지 않으면 채널을 바꿀 수 있는 자유가 있는 것이다. 그와 마찬가지로 열심히 살았지만 원하는 결과를 얻지 못했다면, 앞을 막는 걸림돌이 무엇이든 상관없이, 태도를 조정할 필요가 있다.

최근에 린다라는 음악 교사가 보낸 편지를 받았다. 어릴 때 당한 사고 때문에 인생이 엉망진창이 될 뻔했는데 올바른 마음가짐을 가진 덕에 잘 극복할 수 있었다는 내용이었다. 그녀는 초등학교 과정을 채 절반도 마치지 못한 상태에서 큰 교통사고를 당했다고 했다. 삼 일이나 의식 불명 상태에 있었는데 간신히 정신을 차린 뒤에도 걷거나 말하거나 먹지를 못했다고 한다.

의사들은 뇌에 문제가 생겨서 정상적으로 말하거나 움직이는 기능을 완전히 잃어버린 것은 아닐지 염려했다. 하지만 다행히도 사고와 언어, 신체 능력이 조금씩 되돌아 왔다. 사고 후유증 가운데 의학적으로 해결되지 않은 문제는 오른쪽 눈에 난 상처 때문에 시야가 제한된다는 것뿐이라고 한다.

린다는 이후로도 끔찍한 통증에 시달리면서 여러 차례 반복되는 수술을 견뎌내야 했는데 시력은 아직까지도 완벽하게 회복하지 못한 상태다.

"두 눈이 서로 조화를 이루며 자연스레 움직이지 않으니까 아주 실망스러울 때가 있습니다. 하지만 내가 어디서 왔으며 어디로 갈지 더듬어 보면 하나님이 내 삶에서 이루실 선한 일의 증인이 되라고 날 구원하셨음을 새삼 깨닫게 됩니다. 눈은 나의 부족함을 일깨우는 하나님의 도구입니다. 나는 완전하지 않은 만큼 주님의 능력에 온전히 기대야 합니다. 하나님은 연약한 내 눈을 통해서 당신의 권능을 보여 주기로 결정하셨습니다. 나는 약하지만 그분은 강하십니다."

린다는 불완전한 시야를 '내 삶을 위해 예비해 두신 완전한 섭리'의 일부로 인정하고 받아들이기로 작정했다. 편지는 계속된다.

"하나님은 삶을 향한 나의 마음가짐을 바꾸셨습니다. 어떤 상황에서도 늘 준비된 자세를 가져야 한다는 걸 깨달았습니다. 그래서 항상 하나님을 위해 살려고 노력합니다. 범사에 긍정적인 시각을 가지고 하나님과 이웃들을 위해 내가 가진 것을 주려고 합니다. 주위에 있는 이들도 진심으로 보살피려고 하고요."

린다는 한쪽 눈이 제대로 보이지 않는 데 집착하는 대신 생각하고, 말하고, 걷고, 전반적으로 정상적인 생활을 할 수 있는 걸 감사하게 여기는 쪽을 선택했다. 우리에게도 린다와 같은 결정을 내릴 능력이 있다.

성인의 반열에 올라야 그럴 수 있는 것이 아니다. 비극적인 사건이나 개인적인 위기를 맞았을 때 먼저 두려움과 분노, 슬픔을 느끼게 되는 것은 지극히 정상적이며 건강하기까지 한 일이다. 하지만 일정한 시점이 지나고 나면 스스로에게 물어야 한다. "앞으로도 평생 이처럼 비참한 감정의 지배를 받으며 살고 싶은가? 아니면 불행한 사태를 딛고 서서 꿈을 밀고 나갈 것인가?"

쉬울 것이라고 생각하는가? 천만에 말씀이다. 하지만 수많은 이들이 이미 긍정적인 마음가짐으로 한계를 극복하는 모습을 온몸으로 보여 주고 있다. 어려운 일이 닥치는 건 어쩔 수 없지만 거기에 대처하는 방식을 선택하는 것은 전적으로 우리의 몫이다. 이것은 오랜 세월에 걸쳐 검증된 만고의 진리다.

> 무슨 결정이나 행동을 하든지 그 바탕에는 항상 자신을 움직이게 하는 어떤 태도가 깔려 있다.
>
> Life Without Limits

살다 보면 거대한 장애물들이 불쑥불쑥 나타나서 우리의 앞길을 막곤 한다. 워낙 돌발적이어서 미리 손써 볼 여지조차 없다. 태풍이 덮쳐서 가진 재산을 모두 휩쓸어 가고 만취한 운전자가 중앙선을 넘어 와 내 차를 들이받기도 하며 난데없이 해고 통지서가 날아오기도 한다. 어느 날은 함께 있던 배우자가 갑자기 이렇게 말한다. "이제 그만 헤어지고 싶어요."

이런 일이 닥치면 먼저 마음껏 슬퍼하고 괴로워하라. 하지만 언젠가는 자리를 털고 일어나서 이제 어떻게 할 것인지 자신에게 묻고 답하라. 한동안 끙끙거리고 분통을 터트리고 눈물을 쏟은 뒤에는 이전까지의 삶의 태도를 바로잡아야 한다.

낙관적인 태도는 기운을 북돋아서 감정을 통제하도록 도와준다. 반면 비관적인 시각은 의지를 약하게 하고 음울한 감정이 행동을 지배하게 만든다. 낙천적인 세계관을 가지면 최악의 상황에서도 최선을 다할 수 있다. 환경을 바꿀 수 없다면 그 환경을 바라보는 시각을 수정하는 것이 현명한 일이다. 이른바 '발상의 전환'을 하는 것이다. 처음에는 의식적인 노력이 필요하겠지만 일단 몸에 배면 그 다음부터는 거의 반사적으로 긍정적인 반응이 나온다.

전문 강사로 나선 지 얼마 안 되었을 때는 비행기가 결항이 되거나 연결편이 순조롭게 이어지지 않으면 짜증과 실망을 주체하지 못해 애를 먹었다. 하지만 결국 여행이 잦을수록 더 자주 비슷한 문제가 생길 수밖에 없다는 사실을 받아들여야 했다. 스케줄이 뒤엉키는 상황에서도 마음을 다잡는 능력을 기를 필요가 있었다.

지금은 공항이나 비행기 안에서 서너 시간씩 기다리거나 갑자기 계획을 바꿔야 하는 사태가 벌어지면 그 부정적인 사건을 최대한 긍정적으로 해석하고 스트레스와 좌절감, 분노를 피하려고 노력한다.

물론 여정이 꼬이는 쪽보다는 물 흐르듯 잘 진행되는 것이 더 좋다. 하지만 이렇게 마음가짐을 수정해 놓지 않으면 부정적인 상황에 집착할 수밖에 없다. 대부분 환경의 지배를 받게 되면 성급한 결정을 하게 되고 잘못된 판단의 소용돌이에 휩쓸려 후회할 행동을 하게 될 위험성이 높다. 너무 일찍 포기하는 바람에 마지막 순간에 고개를 내미는 기회를 놓쳐 버리기도 한다.

염세적이고 부정적인 사고방식은 우리에게 다시는 일어설 수 없을 것이라고 속삭인다. 암울한 생각이 끓어오르면 비관적인 소리들을 몰아내고 거기에 긍정적이며 기운을 북돋아 주는 말들을 채워 넣으라. 내면의 목소리를 점검할 수 있도록 긍정적인 사고와 부정적인 사고의 대표적인 본보기를 몇 가지 소개한다.

부정적인 마음가짐	긍정적인 마음가짐
절대로 이 고비를 못 넘길 거야.	넉넉히 이기고도 남아.
더는 못 견디겠어.	조금만 더 지나면 좋은 날이 기다리고 있어.
이렇게 힘든 건 난생처음이야.	좋을 때도 있고 나쁠 때도 있는 거야.
다시는 직장을 못 잡을 것 같아.	하늘이 무너져도 솟아날 구멍이 있겠지.

▶상황을 바꾸는 마음가짐

올해 마흔 살에 들어선 척이라는 친구는 스무 살 때 앓았던 암이 재발해서 작년부터 투병중이다. 이번에는 종양이 중요한 장기들 한복판에 들어앉아서 방사선 치료가 불가능했다. 형편이 이만저만 어려운 게 아니었지만 척은 남편으로서, 여러 아이의 아버지로서, 소중한 이들의 친구로서 분명한 목적이 있었다. 그는 소망과 믿음을 가졌으며 자신을 있는 그대로 사랑했으며 죽지 않을 것이란 마음을 가졌다. 그래서 비록 몸 안에는 병이 있었지만 삶의 자세나 사고방식에서는 그런 냄새가 조금도 나지 않았다. 그는 조금도 흔들림 없이 낙관적이고 긍정적인 태도를 유지했으며 밝은 미래에 초점을 맞추었다.

당시로서는 아무도 척을 행운아라고 생각하지 않았다. 하지만 얼마 지나지 않아서 방사선 치료가 불가능했던 것이 오히려 다행이었음이 드러났다. 때마침 척이 다니는 세인트루이스 병원의 담당의사는 방사선 치료를 할 수 없는 암 환자에게 사용할 약물을 시험하는 프로그램에 참여하고 있었다. 척의 종양은 전통적인 방식을 적용하는 것이 불가능했으므로 실험적인 치료법을 쓰기에 안성맞춤이었다. 담당의사는 척의 긍정적인 마음가짐을 보고 신약을 투여해도 좋겠다는 확신을 가지게 되었다. 그리고 그 예상은 정확히 들어맞았다.

정맥에 연결된 튜브로 항암제를 투입하는 동안에도 척은 자리에 눕지 않았다. 러닝머신 위를 달리고 아령을 들어 올리는 등 운동을 계속했다. 에너지 넘치는 척을 보고 암 병동 직원들은 정말 그가 암 환자인지 미심쩍어하며 이야기하곤 했다.

"얼굴이나 행동이 전혀 환자 같지 않아서요."

신약을 투여한지 몇 주가 지난 뒤에 척은 진찰을 받았다. 담당의사는 놀랍고도 중요한 변화가 생겼다고 했다.

"종양의 흔적을 찾을 수가 없어요. 다 사라졌습니다."

의사는 종양을 이겨낸 것이 실험중인 항암제 덕인지, 척의 태도 때문이지, 기적인지, 아니면 그 세 가지가 복합적으로 작용한 결과인지 자신 있게 설명하지 못했다. 다만 척이 암을 이기고 두 발로 병원을 걸어 나와서 건강하게 살고 있다는 결론만 말해 두겠다.

▼난관을 돌파하는 네 가지 태도

척과 린다는 둘 다 몹시 어려운 여건 가운데 그것을 딛고 일어서는 쪽으로 마음을 정했다. 린다는 비통해하기보다 감사하는 길로 들어

섰고 척은 포기하기보다 행동하는 쪽을 택했다. 선택의 여지는 많지만 개인적으로는 다음 네 가지 태도가 가장 큰 영향력을 준다고 생각한다.

감사하는 태도

이것은 린다가 교통사고로 입은 상처를 치유하면서 품었던 마음가짐이다. 그녀는 잃어버린 것들을 아쉬워하며 슬퍼하기보다 건강을 회복하고 삶을 되찾은 데 대해 감사했다.

나는 감사의 힘을 확실히 믿는다. 강연을 하면서 종종 나의 왼발 이야기를 자주 꺼내는데 몸통에서 삐죽 튀어나온 발은 청중들의 눈에도 쉽게 띈다. 주로 우스갯소리의 단골메뉴로 써먹고 있지만 사실은 그 작은 발에 얼마나 감사하는지 모른다. 조이스틱을 움직여서 휠체어를 작동시키고, 제법 빠른 속도로 컴퓨터 자판을 두드리고, 키보드와 전자 드럼을 두드려 음악을 연주하고, 휴대폰의 기능들을 남김없이 사용할 수 있는 것도 모두 그 작은 발 덕분이다.

감사하는 마음은 열정을 나누고 꿈을 뒷받침해 줄 후원자들을 모아 주기도 한다. 그들은 우리에게 영감을 불어넣고, 삶을 변화시킬 힘을 주는 사람들이다. 어렸을 때, 어머니가 즐겨 읽어 주던 책 가운데 「내가 사랑하는 하나님」이라는 책이 있었다. 처음 그 내용을 알게 된 건 여섯 살 즈음이었는데 그때까지만 해도 세상에서 팔다리 없이 태어난 사람이 나뿐인 줄 알았다. 그래서 나와 비슷한 역경을 헤쳐 나가는 롤 모델이 있으리라고는 생각조차 할 수 없었다. 그런데 이 책의 줄거리를 따라가노라면 늘 기운이 나고 감사하는 마음이 들었다. 바로 조니 에릭슨 타다 여사가 쓴 책이기 때문이다.

호수에서 다이빙을 하다가 목이 부러지는 중상을 입었을 당시, 조니는 열일곱 살이었다. 누구보다 건강해서 수영과 승마 경기에 선수로 출전하곤 했으며 몇 주 뒤면 대학생활을 시작할 예정이었다. 그러나 1967년에 일어난 사고로 목 아랫부분을 전혀 움직일 수 없는 신세가 됐다. 처음에는 아무것도 할 수 없다는 절망감이 너무 커서 스스로 목숨을 끊고 싶은 마음이 굴뚝같았다. 하지만 결국 자신이 "하나님의 거대한 계획 가운데 일부"라는 사실을 깨닫게 되었다.

어머니는 내가 그 책을 좋아하는 것을 보고는 조니의 노래가 담긴 CD를 구해 주었다. 난생처음 '모두 바퀴를 탄 인생', '완전한 사람은 없다'는 노래들을 휠체어를 탄 채 들으며 감동을 받았던 기억이 난다. 지금까지도 가끔 흥얼거린다. 그러니 처음으로 조니의 초대를 받았을 때 얼마나 감격하고 흥분했겠는가?

2003년, 캘리포니아 주에 있는 어느 교회에서 메시지를 전하기 위해 미국을 찾았을 때 웬 젊은 여성이 조니 여사와 함께 일한다면서 아구라힐스에 있는 자선 재단 '조니와 친구들' 본부에 한번 들러 달라고 초청했다.

조니 여사가 응접실에 들어서는 순간, 꿈에 그리던 스타를 만났다는 기쁨에 숨이 멎는 것 같았다. 노인은 날 안아 주기 위해 내 쪽으로 몸을 기댔다. 정말 멋진 만남이었다. 오랫동안 사지가 마비된 상태로 살았던 탓에 근력이 떨어져서 기댔던 몸을 일으켜 휠체어로 돌아가는 것조차 힘겨워 보였다. 내 편에서 몸을 부드럽게 밀어내서 일어나는 걸 도왔다.

"오, 힘이 장사네요." 여사가 말했다.

얼마나 기분이 좋던지! 어린 내게 힘과 믿음, 소망을 주었던 위대한 여성이 나더러 힘이 세다고 칭찬하다니!

조니 여사도 처음에는 나처럼 장애 때문에 갈등이 심했다고 고백했다. 높다란 다리에서 휠체어를 굴려 바닥으로 떨어져 버릴까도 생각했지만 목숨이 붙은 채 뇌만 상해서 더 비참한 처지에 빠질까 봐 두려웠다고 한다. 결국 그녀는 하나님을 찾을 수밖에 없었다.

"죽지 못하게 하셨다면 어떻게 살아야 할지도 알려 주십시오."

사고를 당한 직후, 문병을 왔던 친구가 성경 말씀 한 구절을 적어 두고 갔는데 "범사에 감사하라 이것이 그리스도 예수 안에서 너희를 향하신 하나님의 뜻이니라"(살전 5:18)라는 말씀이었다고 한다. 아직 신앙이 깊지 않던 시절이었고 팔다리가 마비된 데 대해 분노와 좌절감이 가시지 않은 상태라 그 메시지가 마음에 들어올 리 없었다.

> 어려운 일이 닥칠 때 거기에 대처하는 방식을 선택하는 것은 전적으로 우리의 몫이다.
>
> Life Without Limits

"누굴 놀리는 거야? 조금도 감사하지 않아."

친구는 마비에 대해 고마워할 필요는 없다고 했다. 믿음으로 미래를 향해 발을 내딛고 장차 베풀어 주실 은총에 감사하면 그뿐이라는 것이다.

그런 개념을 받아들이는 것이 조니에게 쉽지는 않았다. 당시에는 자신이 마치 운명의 희생양이 된 것만 같았기 때문이다. '끔찍한 다이빙 사고의 피해자'라는 생각을 떨쳐 버릴 수 없었고 팔다리를 생각할 때마다 세상이 온통 미웠다. 아무나 붙들고 책임을 묻고 싶을 정도로 닥치는 대로 비난하고 추궁했다. 심지어 아버지 어머니까지도 원망했다. 왜 이 땅에 자신을 낳아서 이렇게 옴짝달싹 못하는 신세로 만들었느냐는 것이었다.

하지만 조니는 차츰 피해의식이 손쉬운 도피처였음을 깨닫게 되었다. 그런 식이라면 누구나 다 이런저런 불행의 피해자가 될 수 있다. 어떤 이들은 가난한 집안에 태어났다는 이유로, 또 다른 쪽에서는 부모가 이혼했다든지, 건강이 나쁘다든지, 직장이 시원치 않다든지, 너무 말랐다든지, 원하는 만큼 키가 크거나 예쁘지 않다는 이유로 피해자를 자처한다. 불편한 상황이 벌어질 때마다 박탈감을 느끼고 분노에 사로잡혀 남을 탓하면서 자신의 불편을 해소해 줄 것을 요구하는 것이다.

이처럼 자기중심적인 사고를 고집하면 피해의식 전문가가 되고 만다. 하지만 연민의 잔치는 더할 나위 없이 지루하고, 비생산적이며, 보람이 없는 짓이다. "불쌍하고, 불쌍하고, 또 불쌍한 나"라는 얘기만 꼬리에 꼬리를 물고 이어질 뿐이다. 머리카락을 쥐어뜯으며 뛰쳐나가기 전에는 멈추지 않는 후렴과 같다.

변화를 원한다면 피해자 노릇을 때려치워야 한다. 거기에는 미래가 없기 때문이다. 조니 여사는 고난이 인간을 갈림길에 세운다고 말한다. 편안하지만 절망으로 통하는 내리막길을 걸을지, 아니면 고마워하는 마음을 가지고 다소 고단하지만 소망으로 이어지는 언덕길을 오를지 선택해야 한다는 것이다. 처음에는 감사하기가 힘들겠지만 피해의식에 빠지지 않기로 작정하고 하루하루 실천하다보면 어느 틈엔가 새 힘이 솟아나기 시작할 것이다. 상황을 아무리 뜯어봐도 고마워할 만한 구석이 보이지 않는다면, 장차 다가올 행복한 날들에 초점을 맞추고 미리 감사하는 것도 하나의 방법이다.

조니 여사는 말했다. "성경책 갈피갈피를 타고 자멸을 피하는 길이 이어지고 있음을 알았어요. 성경을 읽다보면 얼마 가지 않아 '하나님이 주시는 능력으로 하루하루 살아가노라면 그 누구보다 뛰어난 정복자가 될 것'이라는 평범한 진리가 눈에 들어오죠."

조니 여사는 피해자 놀이는 사지마비보다 더 깊은 구덩이로 우리를 끌어내리지만, 은혜에 감사하는 마음은 삶을 높이 끌어올리는 축복이 된다는 사실을 깨달았다. 그런 마음가짐은 우리 둘뿐만 아니라 모든 이들의 삶을 바꿔놓는다. 우리는 치명적인 장애를 가졌음에도 불구하고 분노하고 원망하는 대신 행복하고 만족스러운 삶을 일궈냈다.

감사하는 마음가짐은 조니 여사의 삶을 변화시켰고 이어서 영감이 넘치는 책과 DVD를 통해서 나와 수많은 이들의 인생을 바꿔놓았다. 비영리단체인 '조니와 친구들'은 '세상을 움직이는 바퀴'라는 프로젝트를 운용하면서 지금까지 세계 102개국의 수많은 장애인들에게 수천 개의 목발과 지팡이, 보행기는 물론이고 6만여 대에 이르는 휠체어를 무상으로 나눠 주고 있다.

조니 여사는 팔다리를 쓰지 못하고 나는 팔다리가 아예 없다. 그러나 우리는 저마다 삶의 목적을 찾았고 그것을 향해 꾸준히 나아가고 있다. 우리는 둘 다 절망을 딛고 소망을 끌어안았으며 은혜로 변화된 세계관에 따라 스스로 불완전한 인간임을 받아들였다. 그리고 감사를 토대로 긍정적인 마음을 품었으며 그 뜻을 행동으로 옮겨서 우리 자신과 다른 이들의 삶을 변화시켰다.

감사하는 마음을 가져야 한다는 것은 말뿐인 구호가 아니라 반드시 기억하고 실천해야 할 진리다. 피해의식이나 쓰라린 아픔, 또는 절망에 눌리지 않고 도리어 감사하는 쪽을 선택한다면 그 어떤 어려움과도 맞설 수 있을 것이다.

행동하는 태도

나와 비슷한 장애를 가진 타비타라는 여성은 내게 보낸 편지에서 이렇게 말했다. "늘 하나님의 은혜를 실감합니다. 값없이 받았으므로 아낌없이 세상에 돌려주고 싶습니다." 이처럼 행동하는 태도를 가졌던 타비타와 그 가족들은 '선물 보따리'를 만들어서 심각한 질환을 앓거나 장애를 가진 어린이들 및 쉼터의 노숙자들에게 전달하는 일을 시작했다고 한다.

때로는 자신과 이웃의 삶을 더 나은 모습으로 끌어올리려는 움직임이 다람쥐 쳇바퀴 도는 듯한 생활, 또는 앞을 가로막는 어려움에서 탈출하는 가장 좋은 방법이 되기도 한다.

소크라테스는 "세상을 움직이려면 먼저 자신을 움직여라"라고 했다. 물론 첫 발을 떼기는 무척 어렵다. 처음에는 자리에서 일어나는 것조차 버겁다. 하지만 일단 몸을 일으키면 움직이게 된다. 조금씩이라도 앞으로 나간다는 건 곧 과거에서 벗어나 미래로 다가가는 길에 들어섰다는 뜻이다. 누군가를 떠나보내고 무언가에 실패했다면, 그 기념으로 다른 누군가를 돕고 또 다른 무언가를 세우라.

사랑하는 이를 잃는 경험은 무엇과도 비교할 수 없는 안타까운 일이다. 가족이나 친구가 세상을 떠나는 사건은 우리에게 깊은 슬픔을 주고 삶에 심각한 타격을 입힌다. 그 슬픔 앞에는 장사가 없다. 하지만 더러 과감한 행동으로 선한 일을 이루는 이들이 있다.

만취한 운전자가 모는 차에 열세 살 된 딸을 잃은 신디 라이트너는 슬픔에 빠져 허우적거리는 대신 분노와 괴로움을 추진력으로 삼아 '음주운전에 반대하는 어머니들의 모임'(MADD)을 만들고 적극적인 계몽과 교육 활동을 펴서 수많은 생명을 죽음에서 건져냈다.

인생을 통틀어 가장 참담한 사건이라도 선한 일을 하는 기회가 될 수 있다. 댈러스에서 소개받은 카슨 레슬리 역시 그 범주에 속하는 대표적인 인물이다. 열여섯, 많지 않은 나이에 그는 벌써 두 해째 암과 싸우는 중이라고 했다. 언젠가 뉴욕 양키즈에서 유격수로 활약하기를 꿈꾸던, 그리고 환한 미소가 아름답던 이 어린 야구선수는 열네 살 때 뇌종양 진단을 받았다. 암세포가 척추에까지 파고든 상태였다. 수술과 방사선 치료, 화학 치료를 받았지만 암세포는 조금 수그러드는듯하다 금방 되살아나곤 했다.

투병 생활을 하면서도 카슨은 최선을 다해서 살았다. 그는 가장 좋아하는 성경 말씀으로 여호수아 1장 9절을 꼽았는데 암 진단을 받은 직후에 누군가가 알려 주었다고 한다. "내가 네게 명령한 것이 아니냐 강하고 담대하라 두려워하지 말며 놀라지 말라 네가 어디로 가든

> 피해의식은 사지마비보다 더 깊은 구덩이로 끌어내리지만, 감사하는 마음은 삶을 끌어올리는 축복이 된다.
>
> Life Without Limits

지 네 하나님 여호와가 너와 함께하느니라."

그러고는 이 구절이 암에 대한 것이 아니라 생명에 관한 말씀이라고 했다. "얼마나 더 살지 모르겠지만, 비석에 이 말씀을 새겨 주면 좋겠어요. 무덤을 찾아오는 이들이 이 구절을 읽으면서 내가 어떻게 인생의 어려운 싸움들을 헤쳐 나왔는지 돌아볼 수 있도록 말이죠. 그리고 내가 그랬던 것처럼 이 말씀을 통해 똑같은 위로를 누리게 되길 바랍니다."

카슨은 암에 걸린 십대 청소년들과 어린이들을 대변하기 위해 「나를 데려가 주세요」(Carry Me)라는 책을 썼다. 아프고 고통스러운 가운데서도 이 땅에서 보내는 마지막 날들을 비슷한 처지에 있는 이들을 격려하고 돕는 데 다 쏟아 부은 것이다. 그리고 책이 막 서점에 나오기 시작하던 2010년 1월에 그는 세상을 떠났다. 이 멋진 소년은 이제 세상에 없지만 그 뜻은 카슨 레슬리 재단으로 남아 소아암 연구를 지원하고 있다.

나는 이 책의 마지막 한 줄을 읽을 때마다 깊은 감동을 받곤 한다. "아무도 자기 인생이 어떻게 흘러갈지 미리 알 수 없다. … 그러나 용기를 주시는 분이 하나님이라는 것을 알고 나면 힘을 내기가 한결 쉬워진다."

카슨을 알게 된 건 댈러스에서 비즈니스를 하는 빌 노블 씨 덕분이었다. 그는 카슨과 내게 "하나님은 흙으로 된 육신에 우리 인간을 가두지 않으신다"는 이야기를 자주 되풀이하곤 했다. "살리는 것은 영이니 육은 무익하니라 내가 너희에게 이른 말은 영이요 생명이라"(요 6:63)는 말씀 그대로라는 것이다.

공감하는 태도

도저히 행동할 엄두가 나지 않는다 해도 아직 선택의 여지가 남아 있다. 마음에서 시작되는 길이 열려 있다는 뜻이다. 내가 이 공감의 진수를 배운 건 집안끼리 잘 알고 지내는 친구의 어린 딸을 통해서였다. 2009년 오스트레일리아에 갔을 때 친구 내외가 갓 세 살 된 딸아이를 데리고 파티에 참석했다. 나로서는 첫 대면이었다. 꼬맹이는 그맘때 아이들답게 요모조모 나를 살피면서 좀처럼 가까이 다가오려 하지 않았다. 잔치가 끝나고 돌아갈 차비를 할 때쯤, 어여쁜 꼬마에게 아저씨를 한 번만 안아 달라고 했다.

녀석은 수줍게 웃으며 조심스레 걸어왔다. 적당한 자리에 멈춰서더니 마치 팔다리가 없는 상대와 연대감을 과시하기라도 하려는 듯 내 눈을 빤히 들여다보면서 슬그머니 뒷짐을 졌다. 그리고 조금씩 가까이 다가와서 내 어깨에 머리를 걸치고는 목을 교차시켰다. 내가 다른 이들과 포옹하는 방식 그대로였다.

방안에 있던 이들은 나를 배려하는 꼬마의 모습을 보고는 다들 깜짝 놀랐다. 수없이 많이 안아 주고 안겨 봤지만 솔직히 그날의 경험만큼은 죽는 날까지 잊지 못할 것 같다. 친구의 딸아이는 다른 이들의 감정에 깊이 공감하는 놀라운 은사를 가진 게 분명했다.

공감은 대단한 재능이며 선물이다. 베푸는 쪽만 아니라 받는 편에서도 치유의 역사가 일어나기 때문이다. 그러므로 기회가 닿는 대로 이 재능을 사용하고 나누는 것이 좋다.

게이브 머핏은 그런 사실을 누구보다 정확하게 꿰뚫어 보았던 친구다. 2009년, 워싱턴 주 리치랜드에서 열린 '힘을 모아 주께 영광'이라는 재정 모금을 위한 만찬에서 처음 그를 보았다. 게이브는 기껏해야 10센티미터 남짓인 기형적인 팔다리를 가지고 태어났다. 엄지손가락과 발가락에는 뼈가 없었으며 청각장애도 있었다. 그럼에도 불구하고 그는 야구에서 농구, 하키는 물론이고 번지점프에 이르기까지 못하는 운동이 없었다. 갖가지 악기도 능숙하게 다뤘으며 그중에서도 드럼 연주는 압권이었다. 가족과 친구들의 도움을 받아가며 레이니어 산(캐스케이드 산맥의 최고봉, 4392미터-역주)에 오르기도 했다.

그는 뛰어난 공감 능력에다 불굴의 의지마저 갖춘 멋진 친구였다. 제 한 몸 주체하기도 힘든 처지였지만 고등학교에 다니던 시절부터 용기, 리더십, 탁월한 능력, 태도, 존중 등 다섯 가지 정신(영문 머리글자를 따서 'CLEAR'라고 부른다)을 강조하면서 강연 활동을 시작했다. 나중에는 가족들과 힘을 모아 장애인들을 위한 비영리재단, 호프 (HOPE, www.GabesHope.org)를 세웠다. 게이브의 놀라운 공감 능력을 토대로 설립된 이 단체는 어려운 처지에 있는 이들에게 위로와 격려뿐만 아니라 장학금과 생활 보조금까지 지원한다.

그는 자신이 직면하고 있는 도전에만 집착하지 않고 다른 이들에게 손을 내밀었다. 장애라는 난관을 남들의 마음을 어루만지는 사역으로 승화시켜서 자신의 삶은 물론이고 수없이 많은 이들의 인생을 풍요롭게 했다.

나는 뿌리 깊은 가난과 엄청난 고통이 지배하고 있는 지역을 여행할 때마다 그곳 주민들의 대응 방식을 보며 크게 감탄하곤 한다. 그들은 남자나 여자, 어린아이를 막론하고 다른 사람들을 불쌍히 여기는 마음을 가지고 있다.

얼마 전에 다녀온 캄보디아에서도 그랬다. 무더위에 습도마저 높아서 오랫동안 집회를 인도하고 났을 때 나는 거의 쓰러질 것만 같았다. 체면불구하고 호텔로 달려가 드러눕고 싶은 심정이었다. 한바탕 시원한 물에 샤워를 하고 에어컨 바람을 쐬면서 하루 이틀쯤 푹 잘 수 있다면 더 바랄 게 없었다. 그런데 주최 측 인사가 웬 꼬마를 가리키며 말했다.

"부이치치 씨, 돌아가기 전에 저 아이한테 한 말씀 해주시겠어요? 선생님을 만나려고 여태까지 바깥에서 기다렸다는군요."

나보다 조금 작아 보이는 아이가 흙바닥에 홀로 앉아 있었다. 파리들이 달라붙어서 마치 검은 그림자가 드리운 것 같았다. 머리에는 상처가 나 있었고 살갗은 터져서 벌어진 채로 벌겋게 부은 상태였다. 몸에선 쓰레기 썩는 냄새가 났고 두 눈은 당장이라도 쏟아져 내릴 것처럼 툭 튀어나와 있었다. 하지만 그 눈망울에는 나를 향한 동정이 가득 배어 있었다. 꼬마는 내 휠체어로 다가오더니 아픔을 어루만져 주려는 듯 내 뺨에 머리를 기댔

> 연민의 잔치는 더할 나위 없이 지루하고, 비생산적이며, 보람이 없는 짓이다.
>
> Life Without Limits

다. 내가 얼마나 힘들지 그려 보고 깊은 공감을 표현했던 것이다. 알고 보니 아빠엄마를 잃고 몹시 힘들게 사는 아이였다. 얼마나 감격스러웠던지 쏟아지는 눈물을 주체할 수가 없다.

캄보디아 쪽 관계자에게 아이에게 뭐든지 도움을 주었으면 좋겠다고 했더니 먹고 자고 보호 받을 만한 시설을 찾아보겠다고 약속했다.

그 꼬마가 어떤 역경을 헤쳐 나왔으며 얼마나 힘든 삶을 살고 있

는지는 잘 모르지만 대단히 고상한 마음을 가졌다는 것만큼은 분명하다. 스스로 무거운 짐을 짊어지고 있음에도 불구하고 남의 처지를 돌아보고 불쌍히 여긴다는 건 보통 능력이 아니다. 상대방의 입장을 헤아리고 따뜻하게 바라보는 아이의 시선이 그저 놀라울 따름이다.

용서하는 태도

삶의 자세를 한 차원 더 높이 끌어올리기 위해 가다듬어야 할 네 번째 요소는 용서하는 태도다. 용서는 무엇보다 소중한 덕목이면서도 좀처럼 몸에 붙이기 어려운 습관이다. 앞서 얘기한 것처럼, 어린 시절 나는 팔다리 없이 세상에 내보내는 '실수를 저지른' 하나님을 용서할 수가 없었다. 머리끝까지 화가 났고 건드리기만 하면 언제라도 폭발할 것 같은 상태로 하루하루를 보냈다. 내 사전에 용서란 단어는 없었다.

이것이 어디 나만의 이야기겠는가? 누구나 한번쯤은 분노와 원망에 사로잡혀 본 적이 있을 것이다. 하지만 아무도 평생 그 감정에 얽매어 살고 싶지는 않을 것이다. 그렇게 마음을 끓여 봐야 자신만 상처를 입을 뿐이기 때문이다.

분노란 원래 오래 지속되도록 설계된 감정이 아니다. 의사들의 연구에 따르면, 분노나 원망의 감정이 지나치게 오랜 시간 이어지면 신체와 정신에 무리를 주어서 면역 체계가 약해지고 생체 조직이 망가진다고 한다.

그리고 해묵은 상처를 붙들고 놔주지 않으면 그 아픔을 준 이에게 주도권을 내어 주는 꼴이 되어 그 사람의 지배를 받을 수밖에 없게 된다. 그러나 용서를 베풀면 삶을 옥죄고 있던 밧줄이 단번에 끊어져 버린다. 피해를 입힌 쪽에서는 올가미를 잡아 챌 능력을 완전히 잃어버리는 것이고 용서한 이쪽에서 상황을 좌우할 수 있게 되는 것이다.

상대방을 생각할 것 없이 오직 자기 자신을 위해 기꺼이 용서하라. 일단 용서하는 마음을 품으면 과거의 짐들을 훌훌 털어 버릴 수 있게 되며 앞에 있는 꿈을 좇을 수 있게 된다.

용서에는 자신을 치유하는 것 이상의 능력이 있다. 넬슨 만델라가 27년이나 자신을 감옥에 가둬 두었던 이들을 용서했을 때, 그 마음가짐에서 비롯된 힘이 온 나라를 변화시킨 것을 기억하라. 그 파장은 전 세계에까지 미쳤다.

최근 러시아에서도 용서의 능력이 아낌없이 드러난 사례가 있었다. 지난날 소비에트 연방에 속했다가 독립한 우크라이나를 방문했을 때 만난 어느 목회자에게서 들

> 자신의 슬픔과 분노, 상처를 통해서 남들의 고통을 더 잘 이해하고 덜어 줄 수 있는 힘을 기르라.
>
> Life Without Limits

은 이야기다. 그는 가족들과 함께 폭력이 만연한 지역에 정착해서 교회를 세울 계획이었다. 그런데 소문이 퍼지자 폭력배들이 들고 일어나서 온 가족들을 몰살하겠다고 협박했다. 기도하는 것 말고는 뾰족한 대책이 없었다. "하나님은 주님의 교회를 정착시키려면 값비싼 대가를 치르게 되겠지만 놀라운 열매를 거두게 될 것이라고 말씀하셨어요."

온갖 위협에도 불구하고 그 목회자는 교회를 세웠다. 그런데 문을

연 지 불과 몇 주 만에 아들아이가 거리에서 살해되는 불상사가 터졌다. 그는 슬픔을 간신히 추슬러가며 하나님께 기도했다. 앞길을 인도해 주시고 교회와 늘 함께하심을 보여 달라고 간구했다. 아들이 세상을 떠난 지 석 달쯤 지났을 무렵, 시내를 지나는데 웬 남자가 길을 가로막았다. 인상이 얼마나 험악하던지 보기만 해도 소름이 끼칠 정도였다.

"댁의 아들을 죽인 사람을 보고 싶지 않소?"

몸집 큰 청년이 물었다.

"괜찮소." 목회자가 대답했다.

"정말이요? 혹시 그 자가 용서를 청하면 어떻게 할 작정이죠?"

"어떻게 하고 말고도 없소. 벌써 용서했으니까."

순간, 젊은이가 털썩 무릎을 꿇었다. "제가 아드님을 쐈습니다. 나 같은 놈도 교회에 다닐 수 있을까요?"

몇 주 만에 러시아 폭력단 출신들이 교회를 가득 채웠다. 시내에 폭력이 사라진 건 두말할 필요도 없었다. 이것이 용서의 힘이다. 용서하는 태도는 잠재되어 있던 온갖 놀라운 에너지들을 남김없이 끌어낸다.

이렇듯 남을 용서하는 것만큼이나 자신을 용납하는 것도 중요하다. 하나님은 은혜를 구하는 자들에게 용서를 베푸신다. 그럼에도 불구하고 과거에 저지른 실수나 잘못된 판단, 뒤틀린 욕망 따위를 스스로가 용서하지 못하는 경우도 많다.

누구나 다 마찬가지겠지만 나 역시 수많은 실수를 저지르면서 살아 왔다. 가까운 이들에게 못되게 굴고 사람들을 부당하게 정죄했다. 하지만 과거는 과거일 뿐이다. 앞으로 중요한 건 마음을 돌이키고, 부족함을 인정하며, 그로 인해 상처를 받은 이들에게 사과하고, 행동을 고치는 것이다. 그리고 자신을 용서하고 앞을 향해 꾸준히 전진하면 된다.

성경은 우리가 뿌린 대로 거둔다고 가르친다. 쓰라린 감정과 분노, 자기연민, 용서하지 못하는 마음에 사로잡혀 있다면 장차 어떤 열매를 거둘 것 같은가? 살면서 어떤 기쁨을 맛볼 수 있으리라고 보는가? 그러므로 그처럼 암담하고 비관적인 생각일랑 걷어 버리고 낙관적인 자세로 감사하고, 행동하고, 공감하고, 용서하는 마음을 가지자.

개인적으로는 태도를 바꾸는 것이 얼마나 큰 힘을 내는지 똑똑히 체험했다. 그것은 내 인생을 변화시켰고 상상도 못했던 수준으로 나의 삶을 끌어올려 주었다. 이 글을 읽는 모든 이들에게 똑같은 일이 일어나길 바란다.

시간을 내서 삶을 즐기고
사랑하는 이들과 어울려 행복한 시간을 보내라.
밝게 웃고, 사랑을 쏟고, 엉뚱한 일을 벌이면
다른 이들과도 재미를 공유할 수 있다.

세상을 향해 장난기를 발휘하라.
가끔은 마음껏 웃고 느긋하게 쉬는 것이
먼 길을 가는 데 도움이 된다.

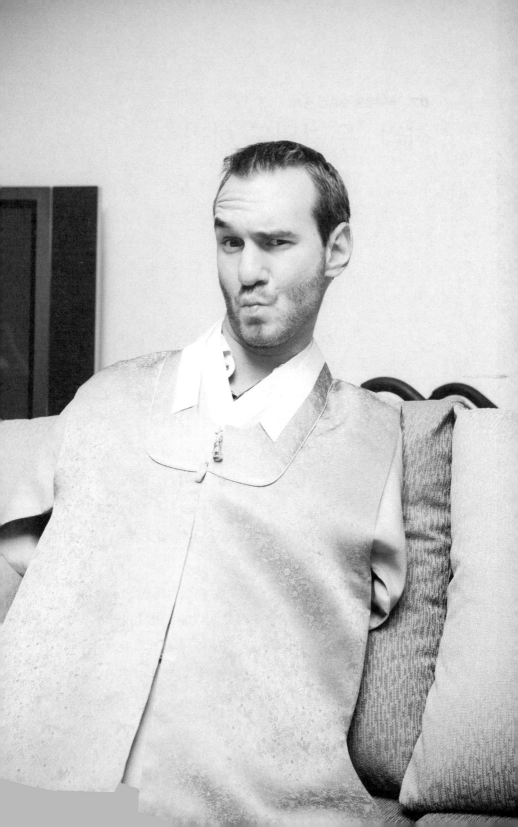

하라, 두려워도 하라

내 평생을 통틀어 처음이자 마지막으로 격하게 싸웠던 상대는 또래들 사이에서 이른바 '짱'으로 통하던 처키란 아이였다. 그것이 진짜 이름은 아니었지만, 밝은 오렌지 색 머리칼과 주근깨, 그리고 커다란 귀가 공포영화 〈처키〉의 주인공과 닮았다고 해서 모두들 그렇게 불렀다. 솔직히 말해서 내가 진심으로 두려워했던 인물도 처키였다. 그래서 처키가 날 때려눕히겠다고 덤벼들었을 때는 공포감이 엄습했다.

이처럼 대부분의 사람들은 실제로든 상상으로든 온갖 두려움을 느끼고 처리하며 살게 마련이다. 넬슨 만델라는 진정한 용사는 두려움을 느끼지만 곧 극복하는 사람이라고 했다. 곰곰이 되짚어 보면 두려움만한 선물도 없다. 불이나 실패, 무서운 짐승 따위를 겁내는 가장 원초적인 공포심이야말로 인간에게 내장된 중요한 생존 수단이다. 그렇다고 겁이 너무 많은 것도 좋은 일은 아니다. 실패하거나, 실망하거나, 거절당할지 모른다는 두려움에 오금이 저리기 시작하면 십중팔구 과감히 맞서기보다 무릎을 꿇고 지레 삶을 제한해 버리기 때문이다.

그러므로 두려움이나 공포를 화재경보기쯤으로 여기라. 더럭 겁이 나면 신경을 곤두세우고 주변을 살피며 정말 위험요소가 있는지, 아니면 잘못 작동한 것인지 파악하라. 문제가 될 만한 점이 없다면 마음에서 털어 버리고 일상으로 돌아가면 그만이다.

골목대장 처키와의 대결은 내게 두려움을 극복하는 법을 가르쳐 주었다. 누군가와 맞붙어 싸웠던 건 어린 시절을 통틀어 그때가 유일했다. 나는 학교에 다니는 동안 모든 아이들과, 심지어 제법 거친 친구들과도 잘 지냈다. 하지만 처키는 달랐다. 마치 어슬렁거리고 돌아다니며 괴롭힐 상대를 찾는 시한폭탄 같은 존재였다.

말이야 바른 말이지, 날 보고 겁을 먹을 아이는 단 한 명도 없었다. 겨우 일 학년짜리 코흘리개인 데다가, 몸무게도 10킬로그램 남짓에 휠체어가 없으면 움직이지도 못하지 않은가. 반면 처키는 나이도 곱절이나 많았고 몸집도 나에 비하면 거인에 가까웠다.

"넌 죽었다 깨나도 나한테 못 덤빌 걸?" 어느 날, 아침 수업이 끝나자마자 녀석이 말했다. 친구들이 둘러싸고 있어서 짐짓 태연한 척했지만, 속으론 부지런히 계산기를 두들겼다. '난 휠체어에 앉은 신세고 저 녀석은 나보다 두 배나 크네. 음, 이거 분위기가 좋지 않군.'

"한번 해보자는 거야?"

내가 내놓을 수 있는 가장 평범한 반응이었다.

하지만 독실한 기독교 가정에서 성장한 까닭에 익숙한 일은 아니었다. 폭력은 절대로 궁극적인 답이 될 수 없다고 배웠기 때문이다. 그렇다고 겁쟁이가 될 수도 없었다. 어려서는 동생들이나 사촌들과 레슬링을 하면서 놀곤 했다. 남동생은 아직도 기술이 대단했다고 혀를 내두른다. 키와 체구가 나보다 커지기 전까지는 얼마든지 바닥에 쓰러뜨려 뺨으로 팔을 제압할 수 있었기 때문이다. 동생은 가끔 그때를 돌아보며 얘기한다.

"얼굴로 짓누르는 힘이 얼마나 강한지 뼈가 부러질 것 같았어. 내가 형보다 몸집이 훨씬 커진 뒤에야 이마를 밀어서 다가오지 못하게 할 수 있었지."

처키와 맞설 때도 그것이 문제였다. 싸움 자체가 두렵지는 않았지만 어떻게 녀석을 때려 눕혀야 할지 도통 감이 잡히지 않았다. 텔레비전이나 영화에 등장하는 인물들은 대부분 주먹을 날리거나 걷어차며 싸운다. 하지만 팔다리 없이 싸움에 나선다는 건 장기에서 차포를 다 떼고 덤비는 꼴이었다. 상대가 그런 점을 감안해서 봐줄 것 같지도 않았다.

"말로만 떠들지 말고 덤벼봐!" 녀석이 깐죽거렸다.

"좋아, 점심시간에 운동장에서 한판 붙어!"

나는 지지 않고 대꾸했다.

"알았어. 치사하게 도망치지는 않겠지?" 처키가 말했다.

잔디와 흙이 깔린 운동장 중앙에 달걀 모양으로 콘크리트를 깔아놓은 부분이 있었다. 거기서 싸운다는 건 곧 학교의 한복판, 메인 스테이지에서 승부를 가린다는 뜻이었다. 거기서 벌어지는 사건은 그대로 묻히는 법이 없었다. 맥없이 쓰러졌다간 다시는 고개를 들고 다니지 못할 게 분명했다.

오전 수업을 받는 내내 점심시간에 학교 '짱'과 맞붙기로 한 것만 생각했다. 벌써부터 처키와 내가 싸운다는 소문이 학교 전체에 쫙 퍼져 있었다. 다들 어떻게 상대를 누르려고 하는지 궁금해 했다. 하지만 나라고 해서 무슨 묘수가 있겠는가? 처키의 주먹 한 방에 나가 떨어져서 정신을 잃는 장면이 계속 어른거렸다. 다행히 선생님의 눈에 띄어서 시작하기도 전에 싸움이 끝나기를 기도했다. 하지만 그런 행운은 찾아오지 않았다.

드디어 공포의 시간이 다가왔다. 점심시간을 알리는 종소리가 요란하게 울렸다. 내 편을 드는 친구들이 말없이 휠체어를 밀고 운동장으로 들어섰다. 전교생의 절반은 모인 것 같았다. 아예 도시락을 들고 나온 아이들도 있었고 내기를 하는 모습도 눈에 띄었다. 짐작했겠지만, 내 쪽에 거는 아이들은 거의 없었다.

"자, 이제 붙어볼까?" 처키가 말했다.

잠자코 고개를 끄덕이기는 했지만 어디서부터 실마리를 풀어가야 할지 알 수 없었다.

"일단 휠체어에서 내려." 녀석이 말했다. "너만 전동 휠체어를 타고 싸우는 건 불공평해."

치고 빠지는 걸 두려워하는 게 분명했다. 덕분에 협상의 여지가 생겼다. 싸움은 내 취향이 아니지만 협상이라면 누구한테도 빠지지 않을 자신이 있었다.

"좋아, 내리겠어. 하지만 너도 무릎을 꿇어야 돼."

상대가 제안을 받아들였다. 다부진 체격을 가진 상대는 그 자리에서 무릎을 꿇었고 나는 튕기듯 휠체어에서 뛰어내렸다. 불꽃이 튀는 결정적인 순간이 왔다.

처키와 정면으로 맞서서 원을 그리며 돌기 시작하자 아이들이 몰려들어 주위를 에워쌌다. 그때까지도 난 상대가 싸움을 포기할지도 모른다고 생각했다. 팔다리가 없는 꼬마를 두들겨 패려고 무릎까지 꿇을 주먹패가 어디 있겠는가? 같은 반 여자애들은 울음을 터트렸다.

"닉, 그만 둬. 심하게 다칠지도 몰라."

그 소리가 도리어 자극이 됐다. 계집애들한테까지 동정을 받고 싶지는 않았다. 몸 안에 숨어 있던 마초 기질이 튀어나와 금방이라도 고꾸라트릴 것 같은 기세로 다가섰다. 순간 녀석은 두 배나 강한 힘으로 내 가슴을 밀쳐냈다. 난 뒤로 벌렁 넘어지며 귓불부터 땅에 떨어졌다. 마치 감자자루가 쓰러지듯 콘크리트 바닥에 자빠진 것이다. 여태껏 단 한 번도 그렇게 쓰러져 본 적이 없었기에 자존심이 상했다. 하지만 어색한 느낌이 훨씬 컸다. 친구들이 우르르 달려들어 충격에서 헤어나지 못하고 있는 나를 에워쌌다.

녀석은 정말 나를 해치려 들었다. 난 몸을 홱 뒤집은 다음 이마를 땅에 대고 힘을 주었다. 그러곤 휠체어에 어깨를 대고 몸을 일으켰다. 이마에 굳은살이 박이고 목이 뻣뻣해지도록 훈련해서 익힌 기술이었다. 다음에 벌어질 상황은 불을 보듯 뻔했다. 녀석은 한 치의 망설임도 없이 주먹질을 할 참이었다. 맞서 싸우든지 당장 도망치든지 선택해야 했다. 그렇다고 비겁하게 꽁무니를 내뺄 수는 없었다.

난 다시 덤벼들었다. 이번에는 좀 더 빨리 다가섰다. 세 번을 깡충거린 끝에 상대방의 코앞에 우뚝 섰다. 하지만 다음에 어떻게 할지 생각할 틈도 없이 상대는 억센 팔을 쭉 내밀어 날 땅바닥에 메다꽂았다. 딱 한 방, 가슴을 맞았을 뿐인데 나는 바닥에 널브러져 버렸다. 심지어 바닥에 튕기기까지 했다. 눈앞이 노래지며 의식이 가물거렸다. 여학생

> 두려움은 그저 느낌일 뿐 현실이 아니다. 선택은 우리의 몫이다. 외면하고 가던 길을 계속 가면 된다.
>
> Life Without Limits

들의 날카로운 비명소리가 아니었더라면 영영 정신을 차리지 못했을지도 모른다. 그쯤에서 교사들이 흑기사처럼 나타나 주기를 기도했다. 하지만 평소엔 그렇게 자주 눈에 띄던 교감선생님마저 감감무소식이었다.

마침내 시야가 또렷해졌다. 처키의 모습이 보였다. 그 '똥강아지 같은 뚱뚱이' 자식은 승리에 취해 덩실덩실 춤까지 추고 있었다.

'더는 못 참아. 놈을 때려눕히고 말겠어!'

또 한 번 몸을 뒤집고, 이마를 땅에 댄 다음 몸을 일으키며 온 힘을 한데 모았다. 아드레날린이 솟구쳤다. 그러고는 전속력으로 처키를 향해 뛰어갔다. 녀석으로선 내게 그런 힘이 있으리라고 상상조차 못했을 것이다. 나는 왼발로 땅을 박차고 인간 미사일처럼 날아오른 다음 이마로 상대의 콧등을 강타했다. 녀석이 쿵 쓰러졌다. 그 위로 내 몸이 떨어져 뒹굴었다. 눈을 떠보니 놈이 쓰러져 코를 감싸 쥔 채 연신 비명을 질러댔다. 승리의 쾌감은 온데간데없고 죄책감이 엄습했다.

"미안해. 괜찮아?"

"여기 좀 봐, 처키가 피를 흘려!" 어느 여학생이 소리를 질렀다.

큰일 났다는 생각이 들었다. 아니나 다를까, 코를 감싸 쥔 땅딸막한 손가락 사이로 붉은 피가 새어 나오고 있었다. 손을 치우자 코피가 와락 쏟아지면서 얼굴과 셔츠가 선홍색으로 물들었다. 구경꾼들가운데 절반쯤은 환호성을 질렀고 처키 편이었던 나머지 절반은 몹시 당황스러워했다. 팔다리도 없는 시원찮은 친구한테 나가떨어졌으니 말이다.

처키는 손가락으로 코를 쥔 채 화장실로 허둥지둥 사라져 버렸다. 그 뒤로 다시는 처키를 볼 수 없었다. 아마도 창피해서 학교를 그만뒀던 것 같다.

어쨌든 스스로 자신을 지켜낸 것이 자랑스러우면서도 마음 한구석은 죄책감으로 편치 않았다. 학교를 마치고 집에 들어서자마자 아버지와 어머니에게 앞뒤 사정을 고백했다. 얼마나 심한 꾸지람을 들을지 두려웠다. 하지만 쓸데없는 걱정이었다. 두 분은 내 말을 곧이곧대로 받아들이지 않았다. 덩치가 더 크고, 나이도 많고, 싸움도 잘하는 아이를 때려눕히다니, 가당치도 않은 얘기라고 생각했다. 나로서도 굳이 설득할 마음은 없었다.

사람들에게 이런 이야기를 들려주면 다들 즐거워한다. 보기에 따라서는 흥미로운 구석이 있는 것도 사실이다. 하지만 개인적으로는어떤 이유로든 폭력을 정당화할 마음은 없다. 내가 처음이자 마지막으로 벌인 싸움을 이렇게 장황하게 이야기하는 것은 그것이 결정적인 순간에 두려움을 극복했던 나의 경험이기 때문이다. 특히 그 시절에는 자신을 방어할 힘이 있다는 사실을 알게 돼서 기분이 좋았다.

▶팔도, 다리도, 두려움도 없다

세상에는 팔다리가 없는 것보다 더 심각한 장애가 수두룩하다. 그 중에서도 특히 두려움은 우리의 몸과 마음을 허약하게 만들어 은혜와 만족을 누리지 못하게 한다.

두려움이 우리의 발목을 잡고 늘어지면 마음에 소원하는 목표와 이상을 이루지 못한다. 하지만 두려움은 그저 느낌일 뿐 현실이 아니다. 실제로 별 일이 아님에도 불구하고 지레 겁을 먹는 경우가 얼마나 많은가! 치과에 가거나, 면접을 보거나, 수술을 받거나, 시험을 치르거나 하는 것이 그런 경우다.

나는 두려움이 평범한 이들의 삶을 망가뜨리는 장면을 수없이 지켜봤다. 공포 영화를 보고 놀란다든지 한밤중에 들려오는 이상한 소리에 벌벌 떠는 유의 이야기가 아니다. 실패를 두려워하고, 실수할까 봐 전전긍긍하며, 헌신하기를 겁내고, 심지어 성공을 무서워하는 이들을 말하는 것이다. 적어도 두려움이 우리 마음의 문을 계속 두드리고 있는 것만큼은 어김없는 사실이다. 반갑지 않은 손님은 집안에 들이지 않으면 된다. 선택은 우리의 몫이다. 냉정히 외면하고 가던 길을 계속 가면 그만이다.

심리학자들은 공포를 학습되는 감정으로 본다. 어머니 뱃속에서부터 가지고 태어나는 공포는 오직 두 가지, 시끄러운 소리와 높은 데서 떨어지는 걸 무서워하는 두려움뿐이라는 것이다.

초등학교 일 학년 시절로 돌아가 보면, 처키에게 얻어맞는 게 비록 겁은 났지만 결국 그 두려움을 이겨냈다. 그때 나는 담대해질 때까지 기다리고만 있지는 않겠다고 결심했다. 그리고 용감하게 행동하면 결국 용감한 사람이 된다는 것을 깨달았다.

어른들조차도 현실과는 동떨어진 공포의 판타지를 가지고 있다. 두려움을 '사실처럼 보이는 거짓 증거'로 보는 까닭이 여기에 있다. 두려움에 너무 집착하다보니 그것이 현실이 된다는 얘기다.

몸집도 크고 사회적으로도 성공한 마이클 조던이 무언가를 두려워한다는 건 쉽게 상상이 가지 않을 것이다. 하지만 NBA 명예의 전당에 들어가게 된 것을 기념하는 자리에서 조던은 시시때때로 더 나은 선수가 되어야 한다는 초조감과 두려움에 사로잡히곤 했었노라고 고백했다. 그리고 이렇게 연설을 마무리 지었다. "쉰 살에도 코트를 누비는 모습을 보여드리고 싶습니다. 부디 웃지 말아 주십시오. 웃지 마세요. 절대로 '절대'라고 말하지 마십시오. 두려움이 그렇듯, 한계도 환상에 불과하기 때문입니다."

조던은 삶을 이끌어 주는 코치보다는 농구선수로서 더 탁월한 능력을 발휘했지만, 인생의 핵심을 정확히 꿰뚫어 보고 있었다. 조던의 조언을 따르라. 두려움은 현실이 아니며 우리가 무시하거나 이용해야 하는 경보기일 뿐이다. 그 느낌에 반응하는 방식은 얼마든지 조절할 수 있다.

개인적으로는 전문 강사로 나서기 시작하면서부터 이 원리를 터득해야 했다. 처음에는 대중 앞에 선다는 것이 너무나 두렵고 떨렸다.

사람들이 내 얘기에 어떤 반응을 보일지도 알 수 없었다. 아니, 들어 주기는 할런지 의심스러웠다. 다행스럽게도 첫 강연의 청중은 또래 학생들이었다. 이미 나를 잘 알았고 서로 편안한 사이였다. 차츰 교회와 각종 청소년 모임으로 범위가 넓어졌다. 아는 얼굴이라고는 드문드문 섞여 앉은 몇몇 친구들뿐일 때가 많았지만 무대에 서는 횟수가 늘어나면서 차츰 불안과 공포도 사라졌다.

지금도 전 세계 수천, 수만, 심지어 수십만에 이르는 사람들 앞에 설 때면 두려움이 느껴진다. 현지 문화와 정서에 전혀 어울리지 않는 우스갯소리를 해서 거부감을 일으키지는 않을까 걱정스럽다. 하지만 그런 두려움은 통역과 주최 측에 연설 내용을 미리 보여 줌으로써 조금씩 극복되고 있다. 아울러 두려움을 철저한 준비를 돕는 도구로 활용하는 법도 익혔다. 내용을 까먹거나 말이 엉켜 뒤죽박죽이 될까 봐 겁이 나면 그것을 자극제 삼아 원고를 집중적으로 다시 검토하고 연습을 되풀이한다.

그런 식으로 활용할 수만 있다면 두려움도 종종 유익할 수 있다. 예를 들어, 교통사고로 큰 부상을 입을 수도 있다는 공포감은 안전벨트를 잘 매는 동기가 될 수 있다. 감기나 독감에 걸리는 게 겁이 나서 손을 깨끗이 씻고 비타민을 챙겨 먹는다면 그것도 좋은 일이다. 반면 감기에 걸리지 않도록 조심하는 차원을 넘어 집에 앉아 문밖으로 나가지 않는 식의 극단적인 반응을 보인다면 그것은 두려움의 포로가 되는 것이다.

혹시, 혹시, 혹시

어린 나이에 부모의 이혼을 경험한 친구가 있다. 그 친구의 부모는 헤어지고 나서도 얼굴만 보면 서로 다퉜다. 이젠 다 커서 성인이 되었지만 친구는 결혼을 망설인다. 그리고 "두 분처럼 살고 싶지 않아"라는 말을 입에 달고 산다.

혹시라도 삐거덕거릴까 두려워서 지속적인 관계를 맺지 못하는 이들을 이해할 수 있는가? 결혼을 이혼으로 가는 첫 번째 정거장으로 생각하다니, 정말 병적인 두려움이다. "사랑을 잃더라도 사랑을 하는 것이 사랑을 경험하지 않는 것보다 낫다"는 테니슨의 시구를 생각하면 친구의 상황이 가슴 아플 뿐이다.

언젠가, 어디선가, 어쩌면, 아마 일어날지도 모르는 일을 무서워하면 지금의 즐겁고 만족스러운 삶을 누리기가 어려워질 수 있다. 벼락을 맞거나 말라리아에 걸리는 것이 겁나서 침대를 벗어나지 못한다면 얼마나 서글픈 일인가?

두려움에 젖어 사는 이들은 "한번 해보자"라고 얘기해야 할 대목에서 "혹시 …라면"이라고 중얼거리기 십상이다.

"혹시 실패하면 어쩌지?"

"혹시 부족하면 어쩌지?"

"혹시 비웃음을 사면 어쩌지?"

"혹시 거절당하면 어쩌지?"

"혹시 여태 쌓아 놓은 걸 지키지 못하면 어쩌지?"

그런 종류의 염려라면 내게도 일가견이 있다. 나 또한 자라면서 줄곧 굵직굵직한 두려움들을 처리해야 했다. 거절당할까 봐 무서웠고,

모자란다는 얘길 들을까 봐 겁났고, 남에게 빌붙어 살아가게 될까 봐 두려웠다. 그건 내가 꿈꾸는 삶이 아니었다. 보통은 패키지로 갖추고 태어나는 것들 가운데 상당 부분이 내게는 빠져 있었다. 하지만 아버지와 어머니는 늘 없는 것들이 아니라 가진 것들에, 그리고 과감하게 꿈을 좇을 때 이룰 수 있는 일들에 초점을 맞추라고 가르쳤다.

"닉, 큰 꿈을 꿔야 한다. 그리고 두려움이나 공포가 그 소망을 이루려는 노력에 찬물을 끼얹게 해선 안 돼. 어떤 삶을 살고 싶은지 목표를 정하고 꿋꿋이 전진하는 것이 중요해. 알았지?"

여태까지 전 세계 열아홉 나라를 돌며 다양한 청중들에게 강연을 했다. 스타디움, 공연장, 학교, 교회, 감옥에 모인 어마어마한 군중들에게 소망과 믿음의 메시지를 전했다. 아버지와 어머니의 지도와 격려가 없었더라면 절대로 해낼 수 없는 일이었다.

두려움이 자극제가 되기도 한다

어떤 스포츠 종목이든 웬만큼 노력해서는 마이클 조던처럼 두각을 나타낼 수 없다. 하지만 조던처럼 두려움을 자극제로 삼아 꿈을 좇아가는 것은 얼마든지 가능하다.

초등학교 일 학년 때 같이 공부했던 아이들 가운데 아주 똑똑한 여학생이 있었다. 로라 그레고리의 말이라면, 정확하게는 그 아이가 생각하는 거라면 뭐든지 다 믿을 수 있었다. 로라는 어떤 상황에서도 헷갈려 하는 법이 없었다. 어느 날 로라가 물었다.

"학교에서는 선생님이랑 학습 도우미가 널 보살펴 준다지만, 집에서는 누가 너를 맡아 주니?"

"음, 아버지와 어머니가 해주셔."

무슨 꿍꿍인지 모르겠다는 생각을 하며 대꾸했다.

"넌 그게 아무렇지도 않아?"

"부모님이 도와주시는 게? 달리 도리가 없잖아."

"내 말은 옷을 입고, 샤워를 하고, 화장실 가는 것까지 봐주시는 게 괜찮냐는 거야. 자존심 상하지 않냐고. 그렇게 사소한 일조차 네 힘으로 못하다니, 조금 이상하다고 생각하지 않아?"

기분을 상하게 하려고 하는 이야기가 아니었다. 로라는 진실을 좇는 어린 탐구자였고 누구에 대해서든 시시콜콜한 생각들까지 낱낱이 알고 싶어 했다. 친구의 질문은 나의 예민한 부분을 건드렸다. 한창 자랄 때 나를 사로잡았던 가장 큰 공포는 사랑하는 이들에게 짐이 될지도 모른다는 걱정이었다. 아버지와 어머니, 더 나아가 남동생과 여동생에게까지 지나치리만큼 깊이 의지하게 될 것이라는 두려움이 뇌리에서 떠나지 않았다. 언젠가는 부모님이 나를 두 동생에게 맡기고 돌아가실 것이라는 데까지 생각이 미치면 오밤중에도 자리에서 벌떡 일어나 덜덜 떨며 식은땀을 흘렸다. 대단히 현실적인 두려움이었다.

로라가 던졌던 직선적인 질문들은 그런 두려움을 자양분 삼아 긍정적인 대안을 모색하는 계기가 되었다. '의존'이라는 이슈는 예전부터 늘 의식의 가장자리를 맴돌고 있었지만, 그날 일을 계기로 그 문제를 심중에 담아 두고 적극적으로 해법을 찾아보기로 했다.

"최선을 다해서 독립적인 삶을 가꿔 가자." 사랑하는 가족들에게 짐이 될 수도 있다는 두려움에 자극을 받아서 만든 나의 소명 선언문이었다. 물론, 당시에는 그런 것이 있다는 것조차 몰랐지만 두려움은 큰 열정과 힘을 주어서 나 자신을 몰아붙이게 했다. '웬만한 일은 스스로 할 줄 알아야 해. 그러자면 어떻게 해야지?'

아버지와 어머니는 안아 옮긴다든지, 들어 올린다든지, 옷을 입히는 걸 비롯해서 필요한 일은 뭐든지 다 해주었다. 하지만 내 손으로 물한 잔 따라 마실 수 없고 누군가 변기 위에 앉혀 주어야 볼일을 볼 수

> 나는 담대해질 때까지 기다리고만 있지는 않겠다고 결심했다. 용감하게 행동하면 결국 용감한 사람이 된다는 것을 깨달았다.
>
> Life Without Limits

있다는 현실이 늘 마음에 걸렸다. 나이가 들수록 독립적으로 살고픈 마음이 더 강해졌다. 만사를 내 힘으로 해결하고 싶었다. 두려움 덕분에 그런 욕구를 실현하기 위한 구체적인 행동에 들어갈 마음을 먹게 된 것이다.

무엇보다 부모님이 세상을 떠난 뒤에 동생 에어런에게 부담을 주기 싫었다. 하루에도 열두 번씩 그런 생각을 하며 고민했다. 가엾은 남동생이야말로 누구보다 평범하고 정상적인 생활을 해야 할 사람이었다. 그렇지 않아도 에어런은 형을 돕는 일에 적극적으로 나서며 더 신경 써 줄 것이 없는지 항상 지켜보는 아이다. 어떤 점에서는 그아이가 비록 팔다리는 있지만 나보다 더 옴짝달싹 못하는 신세란 느낌이 들었다. 일 년 365일 형을 돌보는 것이 자기의 몫이라고 여겼기 때문이다.

가능한 한 모든 일을 스스로 처리하겠다는 결정은 나 자신을 지키기 위한 결단이었다. 로라는 내게 중요한 사실을 일깨워 준 것이다. 평생 그렇게 의존적으로 살 수는 없었다. 그것은 자존심 문제기도 했다. 언젠가는 내 가정을 꾸리게 될 텐데, 아내 등에 업혀서 움직이기는 싫었다. 아이를 낳고 좋은 아버지이자 훌륭한 가장이 되고 싶었다. 그러자면 휠체어에서 벗어나야 한다고 판단했다. 나는 부모님께 뭐든 스스로 해볼 길을 찾겠다고 선언했다. 당연히 두 분은 걱정부터 했다.

"얘야, 굳이 그럴 필요 없다. 우리가 잘 보살펴 줄게."

"두 분을 위해서도 그렇지만 저를 위해서도 독립하는 게 나아요. 함께 상의해 가며 좋은 방도를 찾아보면 좋겠어요."

우리는 힘을 모아 계획을 실행에 옮겼다. 가족들과 더불어 나만의 독특한 방법들을 찾아가는 과정은 〈로빈슨가의 모험〉이란 옛 영화의 내용을 떠올리게 한다. 폭풍우에 떠밀려 무인도에 갇히게 된 가족들은 똘똘 뭉쳐서 씻고, 요리하고, 살아가는 데 필요한 장치들을 개발해 낸다. 팔다리가 없는 내 입장도 로빈슨 일가와 크게 다르지 않았다. 무인도까지는 아니라도 최소한 골짜기 정도는 될 것 같았다.

간호사였던 어머니와 손재주가 좋은 아버지는 우선 혼자서 샤워하고 머리를 감을 길을 탐색했다. 어깨를 사용해서 조작하기 쉽도록 둥글게 생긴 샤워기 손잡이를 막대기 형으로 바꿨다. 어머니는 손을 사용하지 않고 조작할 수 있는 비누통을 구해 왔다. 발을 움직여서 용액을 짜내게 되어 있는데 주로 외과 의사들이 수술실에서 사용하는 도구였다. 그걸 약간 개조해서 발로 비누와 샴푸를 짜낼 수 있게 만들었다. 이어서 아버지는 플라스틱 거치대를 만들어서 벽에 붙이고 거기에 전동 칫솔을 꽂았다. 나는 이마로 전원을 켠 다음 앞뒤, 위아래로 움직여 가며 이를 닦았다.

옷을 입고 벗는 것도 직접 해보겠다고 나섰다. 어머니는 내가 옷을 쉽게 갈아입을 수 있도록 단추대신 벨크로(꺼끌꺼끌한 면과 부드러운 면이 딱 달라붙게 만든 여밈 장치-역주)를 달아 주었다. 셔츠의 단추를 채우는 건 참으로 넘기 힘든 벽이었다. 할 수 없이 밑단에 머리를 디밀고 꿈틀꿈틀 몸을 움직여 몸에 걸치는 방식을 선택했다.

우리 셋에게 큰 걱정거리와 두려움을 주었던 문제들이 이제는 독창적인 방법들을 모색하고 극복하는 즐거움을 동시에 가져다주는 과제가 되었다. 리모컨, 휴대폰, 컴퓨터 키보드, 자동개폐 장치들을 발로 작동할 줄 알게 되는 순간부터 그 하나하나가 축복이 되었다.

해법을 찾는 데 꼭 첨단 기술의 힘을 빌어야 하는 것은 아니었다. 코로 버튼을 눌러서 도난 방지 경보 장치를 가동시키는 법을 배웠다. 뺨과 목 사이에 골프채를 끼우고 형광등 스위치를 켜고 껐으며 창문을 여닫기도 했다. 화장실을 자유롭게 사용하는 획기적인 방법도 찾아냈다.

짧은 대화를 통해 중요한 것을 짚어 주었던 로라에게 고맙다는 인사를 전하고 싶다. 덕분에 훨씬 더 독립적인 생활을 할 수 있게 되었다. 남들은 신경조차 쓰지 않는, 그러나 나의 자신감을 흔들어 놓곤 하던 일상적인 과제들을 하나하나 극복해 가면서 나는 나를 너무 몰아붙이지 않으려고 조심했다. 그랬다가는 부정적인 감정들에서 긍정적인 에너지를 끄집어내기가 어렵다고 보았기 때문이다. 이것은 누구나 할 수 있는 일이다. 실패나 거절, 두려워하는 마음을 비롯해서 온갖 공포감이 빚어 내는 에너지를 꿈에 더 가까이 다가서는 긍정적인 동력으로 활용해 보라.

▛두려움에 맞서는 전략

삶을 무기력하게 만드는 공포감과 싸우는 데는 두려움으로 두려움에 맞서는 전략도 대단히 유용하다. 가장 큰 두려움을 떠올려 보라. 나의 경우 수많은 청중을 앞에 섰는데 강연할 내용이 전혀 떠오르지 않는 것이 가장 무섭다. 한 걸음 더 나가서 강연을 망치고 도망치듯 무대를 내려오는데 등 뒤로 야유와 비웃음이 쏟아지는 상황이 가장 최악의 공포다. 오케이! 이번에는 멋지게 강연을 마치고 우레와 같은 기립박수를 받는 장면을 그려보라.

이제 두 번째 시나리오를 따르기로 작정하고 그 상황을 마음에 담아 두라. 그리고 강연을 준비할 때마다 그 그림을 꺼내 보라. 나의 경우 이렇게 하는 것이 두려움을 물리치는 데 상당히 유익했다. 기억의 창고를 뒤져서 고난을 참고 극복했던 경험을 찾아내는 것도 두려움을 극복하는 데 좋은 전략이 될 수 있다. 그 예로 오프라 윈프리를 만나기 전 불안하고 초조한 감정이 밀려들었을 때 나는 용기를 북돋아주는 기억을 끄집어냈다.

'오프라를 만나는 게 그렇게 두려워? 지난 25년 동안 그야말로 맨 몸뚱이로 세계를 누빈 역전의 용사가 왜 그래? 오프라 여사님, 한번 해보자고요. 일단 한 번 안아 주시고 시작할까요?'

▼두려움에 발목을 잡히면

어린 시절에는 주사기를 든 의사가 제일 무서웠다. 타고났다고 해도 좋을 정도였다. 그래서 학교에서 홍역이나 풍진, 독감 예방주사라도 맞는 날이면 기를 쓰고 어머니 눈에 띄지 않는 곳에 숨으려고 했다. 의사들은 주사를 놓을 혈관을 찾지 못해 애를 먹곤 했는데, 그것이 나의 두려움을 한결 더 부채질했다.

> 공포감이 빚어내는 에너지를 꿈에 더 가까이 다가서는 긍정적인 동력으로 활용하라.
>
> Life Without Limits

다른 아이들은 팔이나 궁둥이에 주사를 맞았지만 '생략이 심한' 내 몸에는 바늘을 꽂을 데가 딱 한 군데뿐이었다. 나로서는 엉덩이가 늘 바닥에 닿을 수밖에 없으므로 이루 말할 수 없이 고통스러웠다. 가능한 한 위쪽에 주사를 놓아 주긴 했지만 일단 한 방 맞고 나면 적어도 하루는 꼼짝 못하고 누워 있어야 했다. 장애 탓에 어린 시절의 상당 부분을 의사의 바늘꽂이 노릇을 하며 보냈으므로 공포감이 깊어지는 건 지극히 자연스러운 현상이었다. 주사기나 바늘만 봐도 경기가 날 지경이었다.

한번은 내 병력을 전혀 모르거나 해부학적인 상식이 형편없는 게 분명한 간호사 둘이 다가오더니 휠체어 양편에 버티고 서서 내 어깨에다 바늘을 찔렀다. 근육이나 지방이 거의 없는 자리여서 고문이 따로 없었다. 너무나 괴롭고 아파서 제리라는 아이에게 전동 휠체어를 조종해서 집까지 데려다 달라고 했다. 어쩐지 정신을 잃을 것 같았다. 아니나 다를까, 선선히 부탁을 들어 준 친구가 조이스틱을 움직이는 순간 난 의식을 잃고 말았다. 당황한 제리는 과학 수업이 한 창인 교실에 휠체어를 밀어 넣은 다음 교사에게 도움을 청했다.

주사바늘 공포증을 잘 알고 있는 부모님은 나뿐만 아니라 동생들에게도 예방접종이 있다는 이야기를 전혀 하지 않는 편이다. 열두 살 때도 어머니는 간단한 신체검사를 받으러 간다는 말만 하시고는 우릴 데리고 험난한 나들이에 나섰다.

대기실에 앉아 있는데 첫 번째 실마리가 안테나에 포착됐다. 내 또래의 여자아이가 방 안으로 들어가는가 싶더니 곧이어 날카로운 비명소리가 새어나왔다.

"들었니?" 두 동생에게 물었다. "주사를 맞나봐!"

두려움이 몰려와 미칠 것 같았다. 나는 아우성을 치며 주사를 맞지 않겠다고, 너무 아프다고, 집에 가고 싶다고 소리쳤다. 두 동생도 형과 오빠의 본보기에 충실히 따랐다. 엉엉 울며 집에 가게 해 달라고 칭얼거리기 시작한 것이다. 물론 간호사 출신인 어머니는 인정사정 봐주지 않았다. 난폭한 저항과 처연한 하소연이 먹혀들지 않자, 이번에는 협상을 시도했다.

"마시는 약으로 주시면 안 돼요, 선생님?"

"유감스럽지만 안 되겠구나, 꼬마야." 타협은 실패로 돌아갔다.

차선책을 동원할 때가 됐다. 남동생에게 탈출할 수 있도록 도와 달라는 신호를 보냈다. 이미 철저한 계획을 세워두었으므로 성공을 낙관했다. 에어런은 주사기 따위를 올려놓는 작은 테이블을 쓰러트려서 의사의 주의를 분산시켰다. 잽싸게 휠체어에서 뛰어내린 나는 문을 향해 달렸다. 하지만 어머니가 뒷덜미를 낚아챘다. 꼬맹이 셋이

질러대는 고함이 쩌렁쩌렁 병원을 울렸다. 끔찍한 고문이라도 당하는 줄 알고 직원 둘이 달려왔다. 불행하게도 지원군들은 금방 적군으로 돌변했다. 양쪽에서 나를 붙들어 앉히고는 주사를 다 맞도록 놔주지 않았다. 나를 비롯해서 동생들, 어머니, 병원 직원들까지 그날을 어떻게 견뎌냈는지 모르겠다. 아무튼 나와 두 동생은 집에 돌아오는 내내 울음을 멈추지 않았다.

너무도 겁이 났던 탓에 나는 본래 치러야 할 일보다 훨씬 심한 곤욕을 치렀다. 두려움을 주체하지 못해서 곱절이나 더 큰 고통을 당했던 것이다. 아무튼 그날은 이틀이나 꼼짝을 못하고 누워 지냈다. 평소에는 하루면 끝날 일이었다.

두려움에 휘둘려 움직이지 못한다면 조만간 궁둥이에 끔찍한 아픔이 몰려올지도 모른다.

실패가 기회가 되는 삶

세상은 뿌린 만큼 거두게 되어 있다. 그 누구든 움직이지 않으면 수확을 거둘 수 없다. 앞으로 나가든지 휩쓸리든지 선택은 자신에게 있다. 삶의 기회, 또는 꿈으로 통하는 문은 언제든 열려 있다. 인생의 궁극적인 목표에 도달하는 길은 언제나 나타나게 마련이다. 그러므로 항상 준비를 갖추고 기다리라. 힘닿는 데까지 필요한 자질을 갖추라. 배워야 할 것을 열심히 공부하라. 아무도 문을 열어 주지 않는다면 이편에서 문을 부수고라도 소망하는 인생을 손에 넣으라.

Life Without Limits

다시 일어설 수 있다면
넘어져도 좋다

나는 자라면서 종종 높은 데서 떨어져 처박히는 일이 많았다. 툭하면 테이블이나 높은 의자, 침대, 층계, 비탈에서 구르곤 했다. 팔이 없으니 바닥을 짚어 충격을 줄일 수도 없었다. 코나 이마는 말할 것도 없고 뺨이 먼저 닿아 다치는 일도 많았다. 그렇게 넘어지고 쓰러지기를 수없이 되풀이했다. 그럼에도 불구하고 나는 잠시를 가만히 있지 못했다. 내 인생을 단적으로 설명하는 사자성어를 꼽으라면 아마 '칠전팔기'(七顚八起)일 것이다.

좌절을 딛고 일어서보지 않은 이들은 실패를 '인생의 막장'이라고 생각하기 쉽다. 하지만 인생은 통과와 실패를 결정하는 시험 무대가 아니라, 시도와 시행착오가 꼬리에 꼬리를 물고 이어지는 과정일 뿐이다.

성공적인 삶을 사는 이들은 크나큰 실수를 저지르고도 금방 일어선다. 그리고 거기서 비롯된 실수와 어려움을 도약과 배움의 발판으로 삼는다. 이른바 유명 인사들을 보면 하나 같이 실수가 많은 사람들이다. 그들은 하나같이 자신의 실패와 실수들이 성공을 이끄는 결정적인 요인이 되었다고 고백한다.

나 역시 바닥에 여러 번 처박히고도 포기하지 않았다. 오히려 문제점을 깨닫고 더 열심히 노력하며 창의적인 해법을 찾았다. 다섯 번 실패하면 다섯 배 더 열심히 하면 된다. 윈스턴 처칠은 그 본질을 이렇게 정의했다. "성공이란 실수에 기죽지 않고 다시 실수하기 위해 일어서는 능력이다."

실수했다고 해서 낙오자가 되는 것은 아니다. 실패를 이겨내지 못하는 사람은 자신의 실수를 자기 자신이라고 규정하는 사람이다. 삼진 한 번 당했다고 영원히 타석에서 물러나는 건 아니다. 경기에 참여해서 계속 방망이를 휘두르고 있는 한, 여전히 타자다.

나는 강연하는 도중에 일부러 바닥에 철퍼덕 엎어져서 얼마간 그 자세로 이야기를 계속할 때가 있다. 실패에 관한 내 철학을 설명하는 데 필요한 일종의 퍼포먼스다. 팔다리가 없으니까 제 힘으로 다시 일어설 수 없을 것이라고 생각하는 청중들도 적지 않다.

나는 바닥에서 일어서는 법을 스스로 익혔다. 부모님은 팔다리가 없는 내가 기대어 일어서도록 베개를 내주었지만 난 독자적으로 그 문제를 해결했다. 쿠션에 기대는 대신 벽이나 의자, 또는 소파로 기어가서 거기에 이마를 기대고 지렛대의 원리를 이용하여 조금씩 몸을 일으켰던 것이다. 쉽지는 않았다. 미심쩍으면 직접 해보라.

바닥에 배를 깔고 엎드려서 팔다리를 버팀목으로 쓰지 말고 무릎만으로 일어나 앉아 보라. 멀쩡한 몸에 깊이 감사하는 마음이 절로 들 것이다.

이런 퍼포먼스를 하다보면 더러 사소한 문제에 부닥치는 경우가 있다. 강연을 할 때는 보통 높은 연단이나 무대, 학교나 강당이라면 책상이나 회의용 탁자 위로 올라가는데, 한번은 어느 학교에서 메시지를 전하다가 바닥으로 곤두박질쳤다. 행사가 시작되기 전에 윤을 낸답시고 스프레이 왁스를 칠해 놓은 까닭이었다. 탁자 표면이 동계 올림픽 아이스링크만큼이나 미끄러웠다. 조심스럽게 한 군데를 잘 문질러서 거길 딛고 몸을 지탱해 보려 했지만 삐끗해서 큰 낭패를 보고 말았다. 몹시 당황스러웠다. 결국 나는 강의를 포기하고 도움을 청할 수밖에 없었다. "누가 좀 일으켜 주시겠어요?"

휴스턴에서 열린 모금 행사에서도 곤혹스러운 장면이 다시 연출됐다. 플로리다 주지사를 지낸 젭 부시 내외를 비롯한 각계각층의 인사들이 참석한 큰 모임이었다. 절대로 포기해서는 안 된다는 중요한 이야기를 하는 도중에 여느 때처럼 바닥으로 몸을 날렸다. 순식간에 집회장이 조용해졌다. 그것도 여느 때와 똑같았다. 나는 쓰러진 채로 계속 이야기를 했다.

"너나없이 가끔은 이렇게 쓰러지고 넘어집니다. 하지만 다시 일어날 수 있는 한, 넘어짐은 실패가 아닙니다. 절대로 꿈을 잃지 마십시오."

청중들은 깊이 빠져들었다. 그런데 다시 일어설 능력이 있음을 보여 주기 직전에 강당 뒤편에서 처음 보는 여성이 종종걸음을 치며 달려 나왔다.

"도와드릴게요."

"감사합니다만, 괜찮습니다." 낮은 목소리로 속삭였다. "이것도 강연의 일부거든요."

"그런 소리 마세요. 제가 일으켜 드리죠." 여인이 고집을 부렸다.

"아주머니, 제발요. 정말 괜찮다니까요. 전 지금 중요한 포인트를 보여 주고 있는 겁니다."

"그렇군요. 정 그러시다면…." 그제야 여인은 자리로 돌아갔다.

모르긴 하지만, 지켜보는 이들로서는 내가 몸을 일으키는 것만큼이나 그 아주머니가 제자리에 앉기를 목매어 기다렸을 것이다. 어떤 절차를 거쳐서 바닥에서 일어서는지 지켜보는 것만으로도 청중들은 가슴이 뭉클해진다. 다들 나만큼이나 힘겹게 세상을 살아가고 있는 까닭이다. 중요한 계획이 벽에 부딪

> 실패를 이겨내지 못하는 사람은 자신의 실수를 자기 자신이라고 규정하는 사람이다.
>
> Life Without Limits

히거나 고달픈 시기를 지나고 있는 이들은 그 장면에서 용기를 얻는다. 고난과 시련은 나뿐만 아니라 온 인류가 공통적으로 겪는 인생사의 일부다.

목적의식을 분명히 하고, 소망 어린 눈으로 삶의 가능성을 바라보며, 미래에 대한 믿음을 품고, 자신의 가치를 정확히 평가하며, 긍정적인 마음가짐을 잃지 않고, 두려움에 발목을 잡히지 않는다 하더라도 여전히 온갖 실패와 실망스러운 일들을 견뎌내야 한다. 하지만 우리는 실패를 종말이나 죽음과 동의어로 여겨서는 안 된다. 그런

씨름을 통해서 삶을 체험하고 있기 때문이다. 한바탕 게임이라고 생각해도 좋다. 도전은 인간을 더 강하고 훌륭하며 끈기 있는 존재로 만들어 준다.

인생의 돌파구가 된다는 점에서 실패가 일종의 선물이라고 해도 지나친 말이 아니다. 패배나 좌절에 어떤 유익이 있을까? 최소한 네 가지 소중한 가르침을 얻을 수 있다고 본다.

1. 실패는 위대한 스승이다.
2. 실패는 됨됨이를 바로 세워 준다.
3. 실패는 삶에 자극을 준다.
4. 실패는 성공에 감사하게 해준다.

위대한 스승, 실패

패배는 성공의 위대한 스승이다. 승리자는 예외 없이 패배의 시간을 거쳐 왔고 챔피언은 한결같이 험난한 훈련을 견뎌냈다. 로저 페더러는 역사상 가장 위대한 테니스 선수로 꼽히지만 그 역시 모든 게임과 세트, 매치를 따내지는 못한다. 후려친 공이 네트에 처박히기도 하고 서비스가 금 밖에 떨어지기도 한다. 한 경기당 적어도 수십 번은 원하는 곳으로 공을 보내지 못한다. 하지만 경기자가 실수를 범하는 족족 게임을 포기한다면 영원히 패배자의 자리에 남을 수밖에 없다. 페더러는 실수나 실점에서 가르침을 얻고 기술을 보완해 가며 꾸준히 코트를 누볐다. 그가 챔피언의 자리에 오른 요인이 바로 거기에 있다.

십중팔구 페더러는 공을 완벽하게 쳐 넘겨서 세트를 따내고 경기에서 이기려 할 것이다. 사실 누구나, 무슨 일을 하든 그래야 한다. 힘껏 뛰라. 열심히 연습하라. 기본기를 익히라. 실패할 수도 있음을 염두에 두고 항상 최선을 다하라. 성공으로 가는 길에는 언제나 실패의 웅덩이가 도사리고 있게 마련이다.

전문 강사가 되기로 한 지 얼마 안 돼서는 마땅히 이야기할 곳이 많지 않았다. 남동생은 가끔 그때 이야기를 하면서 놀려댄다. 학교와 단체들을 찾아다니면서 강의할 기회를 달라고 부탁했지만 다들 너무 젊다거나, 경험이 없다거나, 이상하게 생겼다는 이유로 고개를 저었다. 물론 실망스러웠다. 하지만 스스로 생각하기에도 좀 더 공부하면서 성공적인 강사의 자질들을 갖출 필요가 있었기에 불만은 없었다.

에어런은 고등학생 시절부터 나를 태우고 다니며 몇 명이라도 내 말을 들어 줄 청중이 있는지 시내를 두루 돌아다녔다. 처음에는 경험만 쌓을 수 있어도 좋다는 생각에 대가를 받지 않았다. 그럼에도 불구하고 청중들을 얻기가 하늘의 별 따기였다. 나중에는 브리즈번에 있는 모든 학교에 전화를 걸어서 자리만 마련해 주면 무료로 강연을 해주겠다고 제안했다. 첫술에 배부를 수는 없었다. 한 번 거절당하면 다음에는 더 열심히 매달려서 승낙을 받아냈다.

"형은 지치지도 않아?" 안쓰럽다는 듯 동생이 말했다. 하지만 포기할 수는 없었다. 정말 훌륭한 강사가 되고 싶었기 때문이다. 퇴짜를 맞을 때마다 마음은 쓰렸지만 곧 새로운 열정이 솟았다.

귀를 기울여 줄 청중을 확보한 뒤에도 넘어야 할 고비는 수두룩했다. 브리즈번에 있는 한 학교에서 강의할 때는 아예 죽을 쑤고 말았다. 도무지 집중이 되지 않아서 오도 가도 못하고 허둥거렸다. 셔츠가 젖을 정도로 진땀이 났다. 똑같은 말만 수없이 되풀이하다 쫓기듯 무대를 내려왔다. 쥐구멍에라도 기어들어가 숨고 싶었다. 얼마나 엉망진창이었던지 그 소문이 퍼지면 평생 연단에 설 일은 없을 듯했다. 어찌어찌 강연을 끝내고 학교를 떠나는데 등 뒤에서 왁자지껄 웃음소리가 들리는 것만 같았다. 체면이 말이 아니었다.

그날은 밤새도록 자기비판에 시달렸다. 그러나 그 참담한 실수 덕분에 꿈에 더 집중할 수 있었다. 나는 메시지의 내용과 전달 방식을 조금씩 갈고 다듬었다. 그리고 중대한 실수를 저질렀다 해도 거기서 좌절이 아닌 교훈을 얻기로 결심했다. 다음 기회에 더 잘하면 되지 않겠는가!

실패는 됨됨이를 바로 세우는 지렛대

인내는 성공을 향해 달려가는 여정에서 필수적인 덕목이다. 그리고 그것을 키워 주는 최고의 텃밭은 실패다. 나는 실패가 거듭될 때마다 거기에 짓눌리지 않고 더 강하고, 더 창의적으로 꿈을 좇기로 마음먹었다. 실수와 패배를 거듭하면서 배운 것은 내 스케줄이 하나님의 일정표와 딱 들어맞지 않을지라도 그분의 때가 있으며 우리는 그저 그 시점이 되기를 기다려야 한다는 것이다.

샘 라도예비치 삼촌이 시작한 신규 사업에 참여하면서 그 진리를 다시금 깊이 새기게 되었다. 삼촌은 2006년에 누워서 타는 자전거를 만드는 회사를 설립했는데 아직 완전히 자리를 잡지 못한 상태였다.

하지만 차질이 생길 때마다 궤도를 수정해 가며 목표를 향해 전진하고 있다. 이런저런 일들을 겪으면서 비즈니스라는 것이 최선을 다해도 잘 돌아가지 않을 수 있음을 깨달았다. 그리고 타이밍도 대단히 중요한 요소임을 알게 되었다. 삼촌과 내가 창업했을 무렵에는 경기가 침체 국면이었다. 그럴 때는 시간과 유행이 이편의 의도와 맞아떨어질 때까지 그저 참고 기다려야 한다.

> 인내를 키워 주는 최고의 텃밭은 실패다.
>
> Life Without Limits

때로는 세상이 따라오도록 기다려 주어야 하는 때도 있다. 토머스 에디슨은 전구를 상품으로 내놓기까지 무려 만 번의 실험을 거듭했다. 그는 스스로를 낙오자라고 생각하는 이들 가운데 대다수는 목표와 가장 근접한 지점에서 포기를 했던 사람들이라고 말했다. 수많은 실패를 겪으며 꾸준히 한 길을 걸어서 고지를 코앞에 두었는데, 또 한 번 기회를 기다리지 못해서 손을 들고 말았다는 것이다.

저기 보이는 길모퉁이를 돌면 꿈을 실현할 열쇠가 기다릴 수도 있다. 기운을 내라. 힘을 잃지 말고 계속 전진하라. 또 쓰러지고 실패하면 어떻게 하냐고? 에디슨이 대답하고 있지 않은가. "쓸데없다고 내다버린 시도들도 사실은 미래를 향한 소중한 발걸음들이다."

최선을 다하면 나머지는 하나님이 책임지실 것이다. 실패의 경험들은 됨됨이를 세워 가는 훌륭한 도구가 될 수 있다. 이 사실을 열린 마음으로 받아들이라.

2009년 캘리포니아 주에 있는 오크스 그리스도인 고등학교에서 강연할 기회가 있었다. 그 학교는 비록 규모는 작지만 유능한 미식

축구 선수들을 여럿 보유한 것으로 유명하다. 최근까지 주전 쿼터백을 맡았던 선수는 NFL 명예의 전당에 오른 유명한 쿼터백 조 몬태나의 아들이다. 그리고 그의 어시스트는 하키의 전설, 웨인 그레츠키의 아들이며 게다가 공을 받아 주는 스타급 선수는 유명한 영화배우 윌 스미스의 아들이다. 이들이 주축이 된 미식축구 팀은 여섯 대회에서 연달아 우승을 했다. 그곳에 갔다가 학교 설립자인 데이비드 프라이스를 만났다. 축구팀 멤버들의 저력이 어디서 비롯되었는지 짐작이 갔다.

데이비드는 영화배우와 영화사들을 주 고객으로 하는 로펌에서 변호사로 일했다. 얼마 뒤부터는 캘리포니아 주 곳곳에 골프장 몇 군데를 비롯해서 호텔과 리조트들을 여럿 소유한 사업가의 법률적인 문제들을 전담해서 처리했다. 관리 능력이 뛰어났던 데이비드는 골프장의 경영 상태가 엉망이라는 걸 파악했다. 비즈니스 경험이 전혀 없는 프로골퍼들이 운영을 맡고 있는 것이 문제였다. 어느 날, 데이비드는 모시고 있는 최고 경영자를 찾아가서 골프장을 팔라고 제안했다. 얘기가 끝나자 회장이 말했다.

"첫째, 댁은 나를 위해 일하고 있는데 굳이 당신에게 뭘 팔아야 할 이유가 있을까요? 둘째, 댁은 골프에 대해 아는 게 전혀 없잖소. 그리고 셋째로, 돈도 없을 텐데?"

상대방의 신뢰를 얻는 데 실패했지만 데이비드는 포기하지 않았다. 자신의 꿈을 믿고 끈덕지게 매달렸다. 그렇게 얻은 골프장은 훗날 350개가 넘는 코스를 소유하거나 임대하는 씨앗이 되었다. 얼마 후 골프 비즈니스가 사양길에 접어들자 그는 골프장을 정리하고 다른 분야에 뛰어들었다. 지금은 전국의 공항들을 사들여 임대하거나 관리하는 사업을 하고 있다. 실패의 경험을 통해 데이비드는 무얼 배웠을까? 어떠한 처지에서도 꿈을 잊지 않는 인내와 끈기였다.

우리 재단의 이사이기도 한 데이비드는 더 큰 난관을 견뎌낼수록 인격의 힘이 더 강해진다고 조언한다. "닉이 팔다리를 다 가지고 태어났더라면 지금처럼 성공을 거둘 수 없었을 거라고 봐요. 앞으로도 마찬가지고요. 엄청나게 불리한 조건을 긍정적인 요건으로 바꿔 놓았다는 걸 한눈에 보여 주지 못한다면, 아이들 가운데 몇 명이나 닉의 이야기에 귀를 기울이겠어요?"

> 저기 보이는 길모퉁이를 돌면 꿈을 실현할 열쇠가 기다리고 있다.
>
> Life Without Limits

난관과 도전에 맞닥뜨릴 때마다 이 이야기를 기억하라. 하늘이 무너져도 솟아날 구멍은 있게 마련이다. 나처럼 팔다리가 없어도 할 수 있는 일이 있다. 하나님이 우리를 세상에 보내셨을 때는 그만한 목적이 있다. 다른 사람들과 더불어 숨을 쉬고 있는 한, 아직 출구는 있다.

지금 와서 돌이켜보면 예전에 내가 고통하며 넘어졌던 경험들 하나하나가 다 감사하고 소중하다. 이제껏 맞부딪혔던 온갖 어려움들이 내게 참을성과 끈기를 길러 주었기 때문이다. 뿐만 아니라 실패는 겸손한 성품을 길러 주기도 한다. 고교 시절, 회계학 시험에 떨어진 적이 있다. 참으로 창피스러운 경험이었다. 다행히 담당 선생님이 용기를 북돋아 주며 개인 교습까지 해주었다. 그래서 다음 해에는 회계학과 재무 계획 두 과목에서 모두 우수한 성적을 거두었다.

학생 시절에 그렇게 겸손을 배웠다. 반드시 알아야 하지만 전혀 모르고 있었던 걸 깨달았으니 실패가 곧 보약이었던 셈이다.

잘 알려진 문필가 토머스 머튼은 이렇게 말했다. "겸손한 사람은 실패를 두려워하지 않는다. 실은 그 무엇도, 심지어 자신까지도 겁내지 않는다. 온전히 겸손하다는 건 곧 하나님 안에서 완전한 자신감을 갖는다는 뜻이기 때문이다. 하나님 앞에서는 어떤 권세도 의미가 없으며 그 무엇도 장애가 될 수 없다."

실패는 도약의 기회

헬스클럽 트레이너로 일하고 있는 내 친구는 운동하는 사람들에게 '들어 올리지 못할 만큼' 무거운 역기를 들게 한다. 괜히 기를 죽이려고 그러는 것이 아니다. 근육의 힘이 완전히 소진될 만큼 무거운 걸 들어야 다음에는 더 높은 한계에 도전해서 근력을 강화시킬 수 있다는 것이 그 친구의 논리다.

어떤 운동이든지, 혹은 무슨 일을 하든지 훈련이야말로 성공을 보장하는 중요한 열쇠 가운데 하나다. 개인적으로는 훈련을 '성공을 향한 실패'라고 정의하고 싶다. 휴대폰을 사용하기까지 내가 거쳐야 했던 과정을 보면 이해가 가고도 남을 것이다. 다들 스마트폰을 대단한 발명품이라고 말하지만 내게는 하나님이 주신 선물이라 해도 과언이 아니다. 가끔은 나를 염두에 두고 이 기계를 만든 것이 아닌가 하는 생각이 들 정도다. 팔다리가 없어도 발가락으로 이 조그만 기계를 톡톡 두들겨 통화를 하고, 이메일을 보내고, 문자 메시지를 전송하고, 음악을 듣고, 설교 내용을 녹음하거나 기록하고, 날씨와 세계적인 이슈를 알아볼 수 있으니 얼마나 편리한가!

하지만 아직 안성맞춤이라고 말하기는 어렵다. 유일하게 스크린을 건드릴 수 있는 신체 부위와 통화에 필요한 자리가 너무 멀리 떨어져 있기 때문이다. 평소에는 스피커 기능을 이용하면 되지만 가끔 공항이나 레스토랑에서 남들에게 알려지면 곤란한 통화를 해야 할 때가 문제였다.

일단 발가락으로 다이얼을 누른 다음 얼른 입 근처에 스마트폰이 오게 하는 길을 찾아내야 했다. 천신만고 끝에 개발해낸 방법은 '휴대폰 사용'의 새로운 경지를 열었다고 해야 할 만큼 신기에 가깝다. 아울러 성공하는 과정에서 실패가 어떤 역할을 하는지에 관해 값비싼 교훈을 얻었다. 조그만 발로 휴대폰을 가볍게 던져서 어깨 위에 올린 다음 뺨으로 눌러서 통화하는

> 목표를 이루는 과정이 힘들수록 감사하는 마음도 더 깊어지게 마련이다.
>
> Life Without Limits

기술을 능숙하게 구사하기까지 일주일 내내 연습에 몰두했다. 시행착오가 되풀이되는 동안 얼마나 많은 시도가 실패로 끝났는지 모른다. 전화기가 쉴 새 없이 날아와 두들겨댄 탓에 얼굴에는 시퍼렇게 멍이 들었다. 꼭 주먹으로 심하게 얻어터진 꼴이었다.

주위에 누가 있으면 연습을 멈췄다. 누가 보면 전화기로 자기를 학대하는 사디스트처럼 보일 게 분명했기 때문이다. 이 과정에서 부서진 전화기가 몇 대인지는 밝히고 싶지 않다. 조금 두들겨 맞고 기계 몇 번 바꾸는 것쯤은 얼마든지 감수할 수 있다. 그러나 포기만큼은 절대로 받아들일 수 없다.

휴대폰이 얼굴을 강타할 때마다 기술을 터득하려는 나의 의지도 뜨거워졌다. 엄청난 내공을 쌓자마자 운명의 장난처럼 귀에 꽂는 휴대폰이 개발되어 가까운 친구들의 지루함을 달래 주는 묘기로 전락하고 말았지만 한동안은 뭇 눈길을 사로잡는 환상적인 재주였다.

참담한 실수를 저질렀을 때 이를 동기 부여와 영감의 원천으로 여기라. 기준에 못 미치거나, 실패하거나, 실수하거나, 얼빠진 짓을 했더라도 창피해할 것 없다. 부끄러워 할 일이 있다면 실수를 도약의 기회로 활용하지 못하거나 더 열심히 뛰려는 각오를 다지지 못하는 것이다.

실패는 성공에 감사하는 공부

실패가 가져다주는 네 번째 선물은 성공에 감사할 줄 알게 한다는 점이다. 휴대폰으로 흠씬 두들겨 맞기를 일주일 동안 되풀이한 뒤에 마침내 어깨 위에 전화기를 가뿐히 올려놓게 되었을 때 엄청난 감격이 밀려왔다. 목표를 이루는 과정이 힘들수록 감사하는 마음도 더 깊어지게 마련이다. 힘들게 오른 산에서 내려다보는 경치가 한결 아름답게 느껴지는 것도 이런 이유에서다.

어린 시절, 내 마음을 사로잡았던 성경 인물을 꼽으라면 단연 요셉이었다. 아버지의 사랑을 받지만 꿈 자랑을 하다가 형들의 미움을 사서 낯선 땅의 노예로 팔려간 이 소년은 오래도록 험한 세월을 보내야 했다. 누명을 쓰고 감옥에 갇혔으며 믿었던 이들에게 거푸 배신을 당했다. 하지만 요셉은 포기하지 않았다. 쓰라린 아픔이나 실패한 경험에 짓눌리지도 않았다. 이집트의 통치자가 되어 이스라엘

백성을 구원하기까지 그는 무한정 참고 인내했다.

　요셉의 고난과 총리의 지위에 오르는 이야기에서 배울 점을 찾자면 열 손가락이 모자란다. 개인적으로는 고난이 없으면 성공도 없다는 교훈을 얻었다. 요셉이 시련을 겪는 대목을 읽으면서, 내가 받는 고난도 만만치는 않지만 더 가혹한 환경 속에서도 참고 인내하며 위대한 목표를 이뤄가는 이들이 있음을

> 실패와 실수 역시 인생의 선물이라는 점을 기억하고 최대한 활용할 방도를 찾으라.
>
> Life Without Limits

알았다. 하나님은 자녀들을 사랑하시지만 그렇다고 늘 쉬운 길만 허락하시는 건 아니라는 사실도 깨달았다. 아울러 허다한 시련과 배신을 이겨낸 뒤에 이집트의 바로 왕에 버금가는 위대한 인물이 되어 승리를 만끽하는 모습도 똑똑히 보았다.

　나는 하나님이 우리의 앞길에 온갖 걸림돌을 두는 이유가 더 크고 멋진 날을 예비하고 있기 때문이라고 믿는다. 실패를 통해 성장한다는 사실을 잘 아시기에 자녀들에게 갖가지 도전을 주시며 더 큰 승리를 맛보게 하는 것이다.

　고통, 불안, 상처, 외로움 등 어려서부터 헤쳐 나온 수많은 난관들을 되돌아볼 때마다 슬픈 생각이 아니라 낮아지고 감사하는 마음이 든다. 덕분에 나는 더 강해졌으며 한 걸음 더 나가서 다른 이들에게 도움의 손길을 내밀 준비를 갖출 수 있었다.

　스스로 고통을 당해 보지 않았더라면 아픔을 끌어안고 괴로워하는 이웃들을 이해하지 못했을 뿐만 아니라 섬기지도 못했을 것이다. 남들과 원만한 관계도 맺을 수 없었을 것이다. 내게는 장애 요인들을

수없이 돌파해 왔다는 사실이 한결 자신 있게 십대를 보내는 밑천이 되었다. 남다른 자신감은 결국 더 많은 친구들을 불러 모으는 다리 구실을 했다. 남녀를 가리지 않고 무수한 친구들이 언제나 내 곁에 있었다. 그런 관심이 얼마나 고마웠던지! 어디를 가든지 따뜻한 사랑의 빛을 쪼일 수 있었다.

교제의 범위가 넓어지면서 자연히 정치적인 관심도 높아졌다. 용기를 내서 학생회장 선거에 입후보했다. 퀸즐랜드를 통틀어 최대 규모를 자랑하는 맥그리거 주립 중고등학교의 1천 2백여 명 학생들을 대표하는 자리였다. 나는 개교 이래 처음으로 신체적인 장애를 가진 학생회장 후보로서 학교 역사상 가장 뛰어난 운동선수였던 매튜 맥케이를 상대로 선거전을 펼쳐야 했다. 한반 친구들의 전폭적인 지지를 받아 후보에 오르자 담임을 맡고 있던 헐리 선생님도 지원과 격려를 아끼지 않았다. 다양성을 보장하고 다채로운 문화를 존중하겠다는 공약을 내걸고 선거 운동을 펼쳤다. 당선이 되면 학교 체육대회 종목에 휠체어 달리기를 포함시키겠다고도 약속했다.

매튜에게는 미안하지만 압도적인 표차로 당선이 확정됐다. 지역신문 〈쿠리어 메일〉에는 '용감한 학생회장'이라는 제목으로 커다란 사진과 함께 선거 과정과 결과가 자세히 보도되었다. 어머니는 아직도 그 기사를 오려서 보관하고 있다. 기자는 내 말을 인용하며 "휠체어를 탄 친구들도 뭐든지 다 할 수 있어야 한다"고 적었다.

어려서부터 나는 "일단 한 번 해보자!"라는 정신으로 삶을 대했다. 인간인 이상 누구나 실패를 한다. 험한 길을 걷다 보면 비틀거리다 넘어질 수도 있다. 하지만 실패와 실수 역시 인생의 선물이라는 점을 기억하고 최대한 활용할 방도를 찾으라. 멈추지 말라. 뭐든지 일단 시도해 보라.

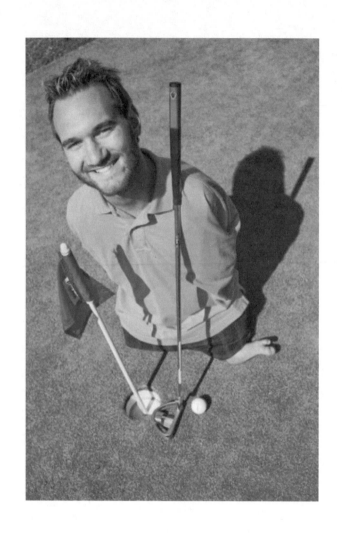

나는 내 삶에 한계가 없다고 믿는다.
나는 날마다 도전한다.

팔다리가 없지만
나는 뭐든지 다 할 수 있는
온전한 사람이다.

마음을 활짝 열고
변화를 환영하라

> > >

Life without limits

열두 살 때, 우리 가족은 오스트레일리아에서 미국으로 이민을 가게 되었다. 전혀 낯선 땅에서 새로 적응해야 한다는 사실에 나는 숨이 막힐 만큼 두려웠다. 새로 만나게 될 친구들에게 놀림을 받지 않으려고 비행기를 타고 가는 내내 두 동생과 같이 미국식 악센트도 연습했다.

워낙 특별하게 생긴 터라 외국에서 온 티를 내지 않으려고 발음이라도 바로잡고 싶었다. 미국인들이 오스트레일리아 식 악센트를 무척 좋아한다는 건 나중에야 알았다. 불과 몇 년 전에 〈크로커다일 던디〉라는 영화가 공전의 히트를 친 덕이었다. 친구들과 비슷하게 발음하려고 안간힘을 쓰다가 여학생들에게 잘 보일 기회를 다 놓친 셈이다.

이민은 난생처음 경험하는 일생일대의 변화다. 따

라서 제아무리 대단하다 해도 나고 자란 곳에서 멀리 떨어져 낯선 학교에 다니며 새 친구를 사귀는 일은 고단한 작업일 수밖에 없다. 나의 경우 색다른 상황에 적응하기도 만만치 않은데 '비범한' 외모까지 가졌으니 얼마나 고달팠겠는가? 학교 전체를 통틀어 교사의 도움을 받아가며 휠체어를 타고 등교하는 건 나 혼자뿐이었다. 여드름처럼 별 것 아닌 일로도 놀림을 받을까 봐 걱정할 나이에 그처럼 모난 데가 많았으니 얼마나 걱정이 많았을지 상상이 갈 것이다.

오스트레일리아 멜버른에 있는 첫 번째 학교에서도 온갖 싸움을 다 치르고 나서야 간신히 자리를 잡을 수 있었다. 브리즈번으로 이사하면서도 똑같은 과정을 다시 겪었다. 그때마다 웬만한 놀림쯤은 얼마든지 웃어넘길 만큼 대범하다는 확신을 같은 반 친구들에게 심어 주는 데 엄청난 에너지를 소모했다. 그런데 이제 그 끔찍한 일을 처음부터 다시 시작해야 할 처지가 된 것이다.

▶스스로 변하는 것이 지름길

제대로 의식을 못해서 그렇지 한 자리에서 다른 자리로 옮기는 일은 생각보다 많은 변화를 가져다준다. 거처를 바꾸거나 뜻하지 않게 안전지대 밖으로 쫓겨나게 되면 스트레스와 함께 회의에 시달리며, 심하면 우울증까지 생길 수 있다.

흥미롭게도 사람들은 변화무쌍한 삶을 원하면서도 실제로는 변화를 거부한다. 하지만 용기를 내어 새로운 곳으로 이주하고, 직업을 바꾸고, 다른 분야를 공부하고, 새로운 관계를 맺을 때 인생의 많은 유익을 얻게 되는 경우가 많다.

누구나 삶 속에서 부딪히게 되는 달갑지 않은, 또는 예상치 못한 변화들이 있다. 어쩌면 전혀 생각지 못했던 데서 급격한 환경의 변화를 겪을 수도 있다. 사랑하는 이가 세상을 떠날 수도 있고, 직장을 잃거나, 병에 걸리거나, 교통사고를 당할 수도 있다.

우리 가족이 오스트레일리아에서 미국으로 이민하기로 했을 때, 내 삶이 어떻게 달라질지 생각하고 또 생각했음에도 불구하고 짓눌리고 방향을 잃은 느낌이 들었다. "나답게 살 수 있는 고향으로 돌아가고 싶다!"는 외침이 하루에도 열두 번씩 치밀어 올랐다.

이제 와서 그때를 돌아보면 조금 우스꽝스럽기도 하다. 당시에는 떠나고 싶어서 안달을 하던 바로 그 캘리포니아 땅에 지금은 아예 둥지를 틀고 있기 때문이다. 여러분들도 자기 삶을 되돌아보며 나처럼 피식 웃을 수 있기를 바란다. 변화가 일어날 때 자신에게 한숨 돌리며 방향을 조절할 여유와 시간을 주라. 가끔 예기치 못했던 돌발적인 사태가 벌어질 수 있음을 감안하고 마음의 준비를 갖춰 두는 것도 도움이 된다. 마치 낯선 도시에 처음 갔을 때처럼 길을 찾고, 적응하고, 자신에게 맞는 자리를 찾아 들어갈 시간을 주라.

▶예측할 수 없는 인생

미국에 들어간 직후 나는 여러 가지 문화충격을 경험해야 했다. 사실은 전학 첫 날, 학생들이 모두 일어나서 국기에 대한 맹세를 암송하는 걸 보고 큰 충격을 받았다. 오스트레일리아에서는 단 한 번도 없던 일이다. 전혀 다른 패거리들 틈에 낀 기분이었다.

하루는 갑자기 비상벨이 요란하게 울리는가 싶더니 다들 책상 밑으로 들어가는 것이 아닌가! 외계인이라도 쳐들어온 줄 알았는데 알고 보니 지진에 대비한 대피 훈련이라고 했다.

물론 불쾌한 시선과 무례한 질문, 팔다리가 없는 인간에 얽힌 기괴한 얘기들은 기본이었다. 미국 중학생들은 나처럼 불편한 아이들이 화장실을 어떻게 쓰는지에 관해 특별한 관심을 보였다. 단지 '볼일 보는 법'을 묻는 집요한 질문 공세를 피하기 위해 지진이라도 일어나길 기도할 정도였다.

교실에서 교실로 끊임없이 이동해야 하는 상황에도 적응해야 했다. 오스트레일리아에서는 모든 수업이 한 교실에서 이뤄졌다. 겨울잠을 자는 곰처럼 하루 종일 움직이지 않아도 되었다. 반면 린데로캐니언 중학교에서는 징검다리를 건너듯 시간마다 교실을 옮겨야 했다. 이런 변화에 잘 적응하는 편은 아니어서 성적도 한참 뒤로 밀렸다. 돌아보면 스트레스가 이만저만이 아니었던 것 같다. 나 자신이 뭘 하고 있는지조차 알 수 없었다.

게다가 편히 쉴 집이 있는 것도 아니었다. 아버지가 자리를 잡기까지 당분간은 삼촌네에 얹혀살아야 했기 때문이다. 아버지와 어머니는 너무 바빠서 얼굴을 보기조차 힘들었다. 정신적, 정서적, 신체적으로 정말 끔찍한 시간이었다. 언제부터인가 나는 거북이처럼 내 세계에 틀어박히기 시작했다. 쉬는 시간이나 점심시간이 되면 나만의 장소를 찾아 들어갔고 아예 운동장 근처 덤불 뒤에 숨어버리기도 했다.

하나 같이 무겁고 부담스러운 변화들뿐이었다. 열심히 노력하면 뭐든지 이룰 수 있다는 자신감을 완전히 잃어버렸다. 오스트레일리아 친구들과는 잘 어울렸는데 미국에서는 이상한 악센트를 쓰고 이상한 꼴을 한 이상한 나라의 이방인일 따름이었다. 적어도 나는 그렇게 느꼈다. 음악실을 담당하던 맥 케이건 선생님은 음악실로 숨곤 하는 날 알아보고 나가서 다른 학생들과 섞여 놀라고 격려했다. 하지만 도무지 발걸음이 떨어지지 않았다.

삶의 중요한 변화를 겪는 시기에 진입하면 일반적으로 감각이 예민해진다. 사랑하는 이와 다투거나 헤어진 뒤에는 영화나 텔레비전 드라마의 한 장면 한 장면이 특별한 의미로 다가오듯이 말이다. 라디오에서 흘러나오는 유행가 가사가 자신의 마음을 대변하는 것 같기도 하다. 감정이나 감각이 그처럼 민감해지는 것은 스트레스를 받거나 익숙하지 않은 환경에 몰린 인간이 스스로 살아남기 위해 작동시키는 방어 수단인지도 모른다. 다급한 상황을 알리는 소중한 경계 경보인 셈이다.

오스트레일리아가 그립고 앞날이 두려울 때마다 나는 먼 산을 바라보거나 수평선 아래로 지는 해를 구경하면서 마음을 달래고 평온을 되찾곤 했다.

이 세상에 영원한 것은 없다는 사실은 삼척동자도 다 아는 진리다. 그럼에도 불구하고 외부의 요인이나 제3자가 안전지대에서 억지로 끌어내려 한다면 누구라도 두려움과 불안감을 느끼게 마련이다. 때로는 가정폭력에 시달리거나, 전망이 없는 직장에 다니거나, 위태롭거나 어려운 환경에 있는 이들조차도 새로운 길에 들어서는 것을 망설이기도 한다. 미지의 세계보다는 속속들이 알고 있는 현실이 더 안전해 보이기 때문이다.

최근에 물리치료사 겸 헬스클럽 코치로 일하는 조지를 만났다. 나는 그에게 "등이 너무 아파서 운동을 해야겠다고 생각하면서도, 강연하랴 회사 운영하랴 너무 바빠서 엄두를 내지 못하겠다"고 하소연했다. 조지의 반응은 예상했던 대로였다.

"이보세요, 죽을 때까지 통증이 점점 더 심해지는 꼴을 보고 싶으면 그렇게 사세요. 난 말리지 않을 테니까."

사뭇 비아냥거리는 말투였다. 박치기를 한 번 해주려다 참았다. 자극을 주려는 속내를 잘 아는 까닭이다. 조지는 속히 라이프스타일을 바꾸지 않으면 값비싼 대가를 치르게 될 거라며 적절한 대책을 세울 것을 재촉했다.

> 변화가 일어날 때 자신에게 한 숨 돌리며 방향을 조절할 여유와 시간을 주라.
>
> Life Without Limits

"내키지 않으면 그대로 살아도 돼. 하지만 고장 난 등을 고칠 수 있는 건 자네 자신뿐이야. 잘 알아 두라고."

나처럼 나쁜 생활 방식을 바꾸지 않으려고 버티는 이들이 우리 주변에도 많이 있다. 이보다 더 비참한 조건 아래 있으면서도 삶을 개선해 줄 수 있는 변화를 한사코 마다하는 이들도 수두룩하다. 생소한 상황에 맞닥뜨리는 것이 무서워서 끔찍하지만 익숙한 조건들을 차마 포기하지 못하는 것이다. 한편으로는 자신의 삶을 책임지고 싶지 않은 것도 사실이다. 오바마 대통령은 개인의 책임이 중요함을 강조하며 "우리가 기다리는 변화의 주인공은 바로 우리 자신"이라고 했다. 그러나 아직도 수많은 이들이 익사 직전에 있음에도 불구하고 뭍으로 나오려 하지 않고 있다.

개중에는 책임을 회피하는 수준을 넘어 책임지는 것 자체를 두려 워하는 이들도 있다. 인생이 꼬이기 시작하면, 세상과 부모는 물론 이고 초등학교 3학년 때 도시락을 훔쳐 갔던 친구까지 원망하는 것 이다. 하지만 비난과 핑계로 문제를 해결할 수는 없는 일이다. 책임 을 받아들이는 것만이 삶을 가로막고 있는 조건들을 바꾸는 유일한 길이다. 나의 경험에 비추어 보면 긍정적인 방향으로 삶을 변화시키 는 데는 다음의 다섯 가지 단계가 있다.

변화가 필요하다는 사실을 인정하라

아쉽게도 달라져야 한다는 것을 인정하는 데 인색한 이들이 너무 나 많다. 그들은 아무리 불편해도 그 일상에 안주해서 좀처럼 움직 이려 하지 않는다. 특별한 뜻이 있다기보다 그저 게으르거나 두렵기 때문이다. 내게는 자살 시도가 그런 순간이었다. 여러 해 동안 꿋꿋 이 버텨가며 용감하게 어려움에 맞섰지만, 내면에서는 신체 조건이 나아지지 않을 바에는 죽는 것이 낫다는 어두운 생각에 끊임없이 시 달리고 있었다. 삶을 버리기 직전에야 비로소 스스로 책임감을 가지 고 행복을 일궈 가야 한다는 것을 깨달았다.

새로운 것을 꿈꾸라

네드라는 친구는 얼마 전에 아버지와 어머니를 설득해서 서글픈 숙제를 해결했다. 두 분이 40년 동안이나 살았던 집을 정리하고 의료 시설이 갖춰진 실버타운에 들어가도록 한 것이다. 아버지의 건강은 더 이상 손쓸 수 없을 만큼 나빠져서 이제는 곁에서 돌보는 어머니의 삶까지 위협하기에 이르렀다. 그래도 노인들은 움직이려 하지 않았다. 잘 아는 이웃들 틈에서 정든 집을 지키며 살고 싶어 했다. "지금도 편하고 좋은데 뭐 하러 옮기겠니?"

네드는 똑같은 이야기를 일 년 넘게 되풀이한 끝에, 집 근처에 있는 말끔한 실버타운에 가보기만 하겠다는 승낙을 받아냈다. 어른들은 '세상 떠날 날만 기다리는' 노인들이 모여 사는 냉랭하고 메마른 시설을 머리에 그리고 있었다. 하지만 막상 가보니 깨끗하고, 사람들도 따뜻할 뿐 아니라 활기까지 넘쳤다. 예전에 이웃에 살던 노인들도 여럿 함께 모여 날마다 즐거운 시간을 보내고 있었다. 의사와 간호사, 심리 치료사까지 두루 갖춘 병원도 딸려 있었다. 어머니 혼자서는 몸이 무거운 아버지를 돌보는 것이 아무래도 무리였으므로 직원들의 도움을 받을 수 있다는 것은 반가운 일이었다. 새로운 터전이 될 곳을 직접 보고 나자 두 어른은 이사에 동의했다. 아버지와 어머니는 입을 모아 말했다. "그렇게 깔끔할 줄은 몰랐구나."

지금 있는 곳을 떠나 바람직한 자리로 옮기는 것이 몹시 힘들다면, 장차 이르게 될 곳에 관한 선명한 비전이 도움이 될지도 모른다. 이사 갈 곳을 돌아보라. 새로운 관계를 맺으려고 노력해 보라. 진출하려는 분야에서 뛰어난 성과를 올린 이들을 찾아서 면밀히 살펴보라. 새로 옮겨 갈 자리가 일단 눈에 익은 뒤에는 옛 터전을 떠나기가 한결 쉬워진다.

옛것을 놓고 새것을 움켜 쥐라

이 단계는 많은 이들이 어려워하는 단계다. 먼저 여러분이 깎아지른 절벽을 올라간다고 가정해 보라. 골짜기에서 시작해서 천 길 낭떠러지의 중간쯤 기어올랐다고 치자. 한 뼘 남짓한 틈을 딛고 막 올라선 참이다. 돌풍이나 회오리바람이라도 몰아쳤다가는 속절없이 떨어지고 말 것이다. 생각만 해도 두렵다. 그나마 조금 좁기는 해도 발을 디딜 틈이 있어서 다행이다. 아쉬운 대로 안전감을 느낄 수 있으니 말이다.

하지만 올라가든 다시 내려가든 그 안전한 틈을 뒤로하고 또 다른 안전지대를 찾아야 한다는 것이 문제다. 암벽 등반이든 인생살이든, 알량하나마 안도감을 주던 자리를 버린다는 것은 엄연한 도전이다. 우리도 이제 옛것을 놓고 새것을 움켜 쥐어야 한다. 수많은 이들이 이 단계에서 얼어붙고 만다. 설령 움직인다 하더라도 겁에 질려 허둥거리거나 지레 포기해 버린다. 사다리를 딛고 올라간다면 잡고 있던 다리를 놓고 다음 단으로 팔을 뻗쳐야 한다. 먼저 손의 힘을 풀라. 그리고 위 칸을 잡고 몸을 끌어올리라. 그렇게 한 번에 한 단씩 올라가면 된다.

안정된 자리를 잡으라

옛것을 버리고 새것을 움켜 쥐었다 해도 완전히 편한 자리에 이르기 전에는 늘 되돌아가고 싶은 마음이 들게 마련이다.

"좋아, 여기까지는 잘 왔어. 이제 어떻게 해야지?"

여기서는 머릿속을 오가는 상념들을 면밀히 살필 필요가 있다. 뒤를 돌아다보며 겁에 질린 채 '맙소사! 도대체 무슨 짓을 한 거야!'라고 생각할지, 아니면 미래를 내다보며 '멋진 모험이야!'라고 외칠지 파악해야 한다.

어린 시절 미국에 도착한지 얼마 안 됐을 때는 심한 진통을 겪었다. 낯선 환경에 적응하지 못해서 날이면 날마다 침대에 누워 몸을 뒤척이며 조바심쳤다. 거절당하고 놀림 받는 것이 싫어서 친구들을 피하기도 했다. 그러다 서서히, 아주 조금씩 새로운 생활을 즐기기 시작했다. 무엇보다 사촌들이 있어서 좋았다. 오스트레일리아에 있는 친척들만큼 익숙한 사이는 아니었지만 함께 지내보니 미국의 사촌들도 참 좋았다. 뿐만 아니라 바다와 산, 사막이 모두 가까이에 있다는 점도 마음에 들었다.

그런데 캘리포니아도 썩 나쁘지 않다는 결론을 내리기가 무섭게 아버지와 어머니는 다시 오스트레일리아로 돌아간다고 선언했다. 하지만 성장해서 대학을 마치고 난 뒤에 결국 캘리포니아로 되돌아왔으며 이제는 두 번째 고향으로 여길 만큼 친숙한 곳이 되었다.

새로운 환경 속에서 성장하라

마지막은 성공적인 변화를 마무리하는 가장 멋진 단계다. 이미 도약을 이뤄냈으므로 이제는 새로운 환경 속에서 성장해야 한다. 변화하지 않으면 지속적으로 성장하지 못한다는 데는 재론의 여지가 없다. 스트레스가 많고 정서적으로, 신체적으로 고통스러운 과정을 거쳐야 하지만 성장을 추구하는 것은 그만한 가치가 있는 일이다. 성장통은 키가 자라고 몸이 커지고 있다는 증표다. 통증을 즐길 필요는 없지만 그 과정을 통과해야만 난관을 타개하고 더 나은 날들을 맞을 수 있는 법이다.

탈출구는 반드시 있다

2008년에 인도를 여행하면서 나는 앞에서 말한 각 단계에 속한 이들을 자세히 관찰할 수 있었다. 인도에서 가장 큰 도시이자 세계에서 두 번째로 인구가 많다는 뭄바이는 인디아 서부, 아라비아 해 연안에 자리 잡고 있으며 금융과 문화의 중심 도시다.

세계적인 갑부와 극빈층이 공존하는 뭄바이는 아카데미상에 빛나는 영화, 〈슬럼독 밀리어네어〉의 배경이 되면서 다시 한 번 스포트라이트를 받았다. 스크린에 비친 모습은 슬럼가의 비참한 모습과 사창가에서 일상적으로 벌어지는 일들을 지극히 일부분만 보여 주고 있다.

뭄바이를 통틀어 강압에 못 이겨 몸을 파는 인구는 무려 50만 명에 이르는 것으로 추산된다. 성 노예들 가운데 대다수는 네팔과 방글라데시, 인도의 산간오지에서 납치되어 끌려온 이들이다. 지금도 수많은 여자아이들이 데바다시, 곧 힌두 신전에 바쳐져서 브라만들을 위해 봉사하는 매춘부로 전락하고 있다. 성 노예 가운데는 거세된 남성인 히즈라도 있다. 이들은 지저분한 공동주택에 모여 살면서 밤마다 평균 네 명과 성관계를 갖도록 강요당하고 있다. 이런 성 노예들을 통해서 에이즈 또한 급속도로 퍼져나가고 있다.

한번은 뭄바이의 홍등가에서 성 노예로 살아가는 이들을 대상으로 소망의 메시지를 전할 기회가 있었다. 그곳에서 일하는 소녀들이 건전하고 건강한 삶을 살도록 도와주는 단체(Bombay Teen Challenge, BTC)를 운영하는 목회자의 초청으로 이뤄진 일이었다.

K. K. 데바라지 목사는 BTC 외에도 에이즈로 부모를 잃은 아이들을 돌보는 고아원과 급식 프로그램, 진료소, 에이즈 클리닉, 마약에 중독된 채 살아가는 이른바 '거리의 아이들'을 건져 내는 긴급 구호 팀들을 운영하고 있었다. 그는 비디오에서 내 모습을 봤다면서 뭄바이

> 비난과 핑계로 문제를 해결할 수는 없다. 책임을 받아들이는 것만이 삶을 바꾸는 유일한 길이다.
>
> Life Without Limits

를 변화시키는 일꾼으로 나서 달라고 했다. 그는 내가 성 노예로 일하는 여성들이 매음굴에서 탈출해서 쉼터에 들어오도록 설득해 주기를 부탁했다. 데바라지 목사는 거기에 갇힌 여성 하나하나가 모두 '소중한 영혼이며 값진 진주'라고 했다.

BTC는 진즉부터 뭄바이 슬럼가에 선한 영향을 미치고 있었으므로 힌두교를 신봉하는 포주와 뚜쟁이들조차도 데바라지 목사와 사역 팀이 들어와 메시지를 전하는 것을 막지 않았다. 심지어 성 매매 여성들에게 그리스도를 영접하고 사창가를 떠나 더 나은 삶을 열어 가자고 가르쳐도 신경 쓰지 않았다.

이 사역자는 조금씩 조금씩 노예 생활을 하는 여성들의 마음을 변화시켜 갔다. 대부분 열 살에서 열세 살 사이에 끌려온 평범한 소녀들이었다. 시골의 조그만 마을에서 살다가 유혹에 넘어가 비참한 구덩이에 빠진 이들은 대개 순진하기 짝이 없었다. 대도시에 나가면

몇 배나 많은 돈을 벌 수 있다는 꼬드김에 빠져 이리로 끌려온 아이들이었다. 아예 값을 치르고 팔려 온 경우도 비일비재했다. 소녀들을 모아서 데려가는 이들은 잔인한 폭력 조직의 하수인들이었다. 소녀들을 수중에 넣은 포주들은 그들을 마음대로 착취하고 학대했다. "너희들은 싫든 좋든 내 물건"이란 말을 입에 달고 살았다.

뭄바이에 머무는 동안, 성 노예로 일하다가 BTC의 도움으로 사창가를 탈출한 여성들을 여럿 인터뷰했다. 하나 같이 가슴 아픈 사연들이었지만, 그곳에서는 너무나 흔한 이야기기도 했다. 혹여나 저항이라도 하면 두들겨 패고 성폭행한 다음, 일어설 수조차 없을 만큼 비좁고 지저분한 토굴에 가둔 채 굶기고, 학대하고, 세뇌하기를 거듭하다가 고분고분해지면 끄집어내서 사창가에 다시 넘긴다고 한다. 포주는 한 명당 백만 원씩 주고 사왔으니 3년 간 일해서 갚아야 한다고 윽박질렀다. 인터뷰에 응한 어느 여성은 한 번에 2천 원씩, 수백 차례 몸을 팔아야 부채를 정리할 수 있었다고 증언했다.

일단 사창가에 들어서면 대부분은 체념하고 만다. 뚜쟁이들은 가족에게 돌아가는 건 꿈도 꾸지 말라며 기를 죽였다. 부모가 창피스러워서라도 집에 들이지 않을 것이라는 얘기였다. 수많은 소녀들이 성병에 걸리거나 원치 않는 아이를 가졌고 결국 오도 가도 못하는 신세가 됐다.

그렇게 처참한 인생을 살면서도 변화를 두려워하는 이들이 많았다. 믿음을 잃고, 이어서 소망을 잃고, 마침내는 인간성을 잃어버렸다. 될 대로 되라는 심정으로 그곳에 안주했다. 심리학자들은 학대받는 여성들 사이에서는 그처럼 탈출을 거부하는 성향이 드물지 않게 나타난다고 말한다. 두려움과 고통에 사로잡혀 지내면서도 미지의 세계로 나가는 것을 더 무서워하는 것이다. 꿈꾸는 능력을 상실한 탓에 미래를 내다보지 못하는 것이다.

뭄바이의 성 노예들이 그 끔찍한 삶에서 벗어나야 한다고 생각하는가? 그렇다면 자신의 상황에 대해서도 그렇게 분명하게 이야기할 수 있는가? 실제로는 비전과 용기가 부족하거나 더 나은 길을 보지 못했을 뿐인데, 환경과 조건에 발목을 잡혔다고 생각했던 적은 없는가? 달라지기 위해서는 목표에 도달했을 때 펼쳐질 상황을 그려 볼 줄 알아야 한다. 하나님과 더 나은 미래를 가꾸는 자신의 능력을 신뢰하고 거기에 소망을 두라.

> 달라지기 위해서는 목표에 도달했을 때 펼쳐질 상황을 그려 볼 줄 알아야 한다.
>
> Life Without Limits

BTC 관계자들은 사창가에서 일하는 여성들이 수시로 얻어맞고, 갇히고, 협박을 당하는 탓에 출구를 찾는 데 어려움을 겪고 있다는 사실을 밝혀냈다. 스스로 사랑과 인격적인 대접을 받을 가치가 없다고 믿는 여성들도 허다했다.

BTC 가족들은 나를 데리고 본격적인 가정 방문에 나섰다. 첫 번째 집에 들어서자 제법 나이가 든 노파가 천천히 자리에서 일어났다. 뚱쟁이였다. 통역을 통해서 "부디 내가 데리고 있는 '년'들에게 좋은 말씀을 들려주셔서 더 나은 생활을 할 수 있다는 소망을 불어넣어 주십시오"라고 했다. 그러고는 마흔 살은 족히 돼 보이는 여성을 소개했다. 시골에서 열 살 때 팔려 와서 줄곧 성매매를 하며 살았다고 했다.

"빚을 갚으려면 몸을 팔 수밖에 없었어요. 열세 살이 되어서야 겨우 풀려났죠. 난생처음 거리에 나가 손님을 끌던 기억을 지울 수가 없어요. 수없이 얻어맞고 강간을 당했습니다. 고향집에도 찾아가 봤지만 집안에 들어갈 수도 없었어요. 이리로 돌아와서 다시 매춘을 시작했습니다. 아이도 두 명 낳았는데 그중 하나는 죽었어요. 이틀 전에는 에이즈에 감염된 사실을 알게 되었어요. 포주가 당장 나가라더군요. 남은 자식을 돌봐야 하는데 이젠 갈 데도 없어요."

다른 길을 선택하지 그랬냐고 묻고 싶은가? 하지만 이 여인의 입장에서는 대안이 전혀 없는 것처럼 보였을 것이다. 사노라면 출구가 전혀 없는 것 같은 느낌이 들 때가 있지만 변화의 가능성은 언제나 열려 있다. 아무리 살펴도 다른 길이 눈에 띄지 않으면 도움을 청하라. 더 멀리, 더 넓게 볼 줄 아는 이들에게 길을 물으라. 가족이나 친구도 좋고, 전문적인 훈련을 받은 카운슬러나 관련 업무를 담당하는 공무원이어도 상관없다. 지레 달아날 길이 없다고 포기하는 것만큼은 피해야 한다. 탈출구는 어디엔가 반드시 열려 있다.

여인의 실제 나이는 스무 살이었다. 우리는 함께 기도했다. 그리고 사창가에서 나가서 BTC가 제공하는 쉼터에 머물며 에이즈 클리닉에서 진료를 받자고 했다. 눈을 뜨고 더 따뜻한 세상으로 이어지는 문을 본 여인은 기꺼이 변화의 길을 선택했을 뿐만 아니라 새로운 믿음까지 받아들였다.

"선생님이 하는 얘길 들으니 나의 삶을 통해서 같은 처지에 있는 동료들에게 그리스도를 전할 수 있겠네요. 내게는 아무것도 없지만 주님이 나와 함께하시는 걸 알겠습니다."

눈망울에 평안과 소망이 깃드는 걸 보는 순간, 숨이 막히도록 감격스러웠다. 그 여인은 믿음을 통해 한없이 아름다운 소녀로 돌아갔다. 그녀는 자신이 비록 죽음을 목전에 둔 몸이지만 자신을 향한 주님의 계획이 여전히 남아 있다는 걸 믿는다고 했다. 가난과 절망, 잔인한 폭력이 판치는 세계에서 하나님의 사랑에서 비롯된 권능과 인간의 영혼이 내뿜는 힘을 보여 주는 훌륭한 본보기가 된 것이다.

데바라지 목사와 선교 팀 가족들은 다채로운 방법들을 동원해서 뭄바이의 성 매매 여성들에게 마음만 먹으면 언제든지 위태로운 상황에서 벗어날 수 있다는 사실을 깨우치고 있다. 육아 시설과 학교를 세워서 아이들에게도 예수님과 그분의 사랑을 가르치고 있다. 언젠가는 아이들이 어머니에게 가서 하나님의 사랑을 얘기하게 될 날을 기대하면서 말이다.

나는 "하나가 천을 쫓으며 둘이 만을 도망하게"(신 32:30) 한다는 성경 말씀을 참 좋아한다. 이 말씀처럼 우리 모두가 삶을 바람직한 방향으로 이끌 변화를 받아들이고 이어서 다른 이들의 인생까지 한 차원 높이 끌어올리는 일꾼이 되기를 바랄 뿐이다.

그 여학생은 슬픔과 눈물을 삼켜 가며
머뭇머뭇 조심스럽게 손을 들었다.
그러고는 놀랍고도 용감한 질문을 했다.
앞에 나가서 한번 안아 봐도
괜찮겠느냐는 얘기였다.
너무도 뜻밖이어서 숨이 턱 막히는 것 같았다.

당신을 위한 기회가
반드시 온다

조슈아와 레베카 웨이겔은 흥미로우면서
도 영감 있는 영화를 만들려고 애쓰는 영화감독이
다. 그들은 우연히 나의 동영상을 보고 영감을 얻어
나를 주인공으로 한 영화를 제작하기로 결심했다.
대본을 쓰면서 웨이겔은 온갖 채널을 동원하여 나
를 직접 만나려고 시도했지만 연락이 닿지 않았다.
순회강연을 다니고 있었으니 그럴 수밖에 없었다.
그러던 어느 주일, 두 사람은 교회에 가는 길에 친
구 카일을 만나게 된다.

"어떻게 지내?" 웨이겔 부부가 물었다.

"음, 닉 부이치치라는 사람을 돌봐주고 있어."

카일이 대답했다. 조슈아와 레베카는 화들짝 놀
라며 반색을 했다. 어느 감독이 단 한 번도 만나 보
지 못한 주인공을 염두에 두고 시나리오를 썼는데

마침내 그를 찾아서 함께 영화를 만들 확률이 과연 몇 퍼센트나 되겠는가? 소설 같은 이야기다.

살아오면서 멋진 기회를 날려 버린 적이 있는가? 열려 있는 줄도 몰랐던 문을 통해 사람들이 오가는 것을 보면서 낙심한 적이 있는가? 그랬다면 거기서 뼈아픈 가르침을 얻으라. 토머스 에디슨은 "기회를 잡지 못하는 것은 기회가 작업복을 입은 일꾼의 모습으로 오기 때문"이라고 했다.

솔직히 고백하자면, 웨이겔이 처음 내게 연락을 했을 때는 관심조차 없었다. 카일은 정말 좋은 기회라며 끈덕지게 설명했다. 하지만 나는 코웃음을 치며 손을 내저었다. 가엾은 카일은 "내 친구가 당신을 주인공으로 영화를 만들고 싶어 해요"에서 단 한 걸음도 나가지 못했다. 내가 번번이 거기까지만 듣고 말허리를 잘라 버렸기 때문이다. 나는 늘 짜증 섞인 목소리로 카일의 입을 막았다.

"카일, 바빠 죽겠어요. 친구 얘긴 다음에 합시다."

게다가 몇 달 전에 이미 다른 출연 제의를 받은 터였다. 영화를 찍는다는 생각에 몇 달 동안은 영화를 떠올리기만 해도 가슴이 뛰었다. 난생처음 해보는 일이라 흥분되고 기대도 컸다. 얼마 뒤에 대본이 도착했는데 프로듀서는 처음부터 끝까지 감자 포대를 뒤집어쓰고 남의 등에 업힌 채 시거를 질겅거리며 상소리를 내뱉는 인물을 연기해 달라고 했다.

하지만 영화계의 첫 나들이를 그런 역할로 시작하고 싶지는 않았다. 그래서 정중히 거절했다. 찬스라고 해서 다 잡을 가치가 있는 것은 아니다. 장기적인 목표에 부합되는지, 가치 기준에 어긋나지는 않는지 꼼꼼히 챙겨 봐야 한다. 나중에 손자들이 DVD 대여점에 갔다가 닉 할아버지가 악당으로 등장해서 담뱃진이 잔뜩 묻은 입으로 추잡한 욕설을 쏟아내는 영화를 본다고 생각하니 끔찍해서 소름이 돋을 지경이었다. 그렇게 해서 첫 번째 영화 출연 계획은 물거품이 됐다.

영화를 찍는 건 좋았지만 가치 기준을 포기하면서까지 스크린에 데뷔하고 싶지는 않았다. 첫 번째 문이 닫히는 순간, 나는 마음에 빗장을 질렀다. 카일이 기쁘게 내놓은 웨이겔의 제안을 두 번도 생각하지 않고 무 자르듯 거절한 데는 이런 내막이 있었다. 백미러를 들여다보느라 앞을 내다보지 못한 처사였다.

다행스럽게도 웨이겔 부부는 호락호락 물러서지 않았다. 다른 친구에게 우리 단체 관계자를 만나 달라고 부탁했다. 시나리오를 받아서 찬찬히 읽어 본 미디어 책임자는 너무 마음에 든다며 내게 내밀었다. 몇 쪽 읽어보기도 전에 카일에게 사과해야겠다는 생각부터 들었다. 웨이겔은 소망과 구원에 초점을 맞추어 대본을 썼다. 내 뜻과 한 치의 어긋남도 없었다.

문제는 배역인데 나 말고 누가 그 짧은 영화의 주인공을 맡으려 하겠는가? 더구나 감독은 처음부터 나를 염두에 두고 '팔다리가 없는 남자, 월'이란 캐릭터를 만들어 냈다지 않는가! 주인공은 삼류 서커스단에서 막간의 공백을 메우는 괴팍하고 음울한 '괴물'이었지만, 주변의 따뜻한 배려 덕분에 썩 훌륭한 서커스단에 들어가 공중그네 공연의 스타가 되는 인물이다.

웨이겔의 감동적인 시나리오를 읽고 나자 우물쭈물 망설일 게 아

니라 당장 행동에 착수해야겠다는 확신이 들었다. 카일에게 고맙다
는 인사와 함께 웨이겔과 만나는
자리를 주선해 달라고 부탁했다.
얼마 지나지 않아 엄청난 일들이
펼쳐지기 시작했다. 우리는 만나자
마자 의기투합했고 계약서에 서명
했다. 노련한 배우들이 이미 여럿

> 꿈으로 통하는 문은 언제나 열
> 려 있다. 인생의 목표에 도달하
> 는 길은 언제나 나타나게 마련
> 이다.
>
> Life Without Limits

영화에 참여했다는 소식이 들려왔다. 가슴이 쿵쾅거렸다.

저예산 영화이고 제작 기간이 짧았으므로 일주일 정도 통째로 비
우면 되었다. 아무튼 〈버터플라이 서커스(The Butterfly Circus)〉라는 이
영화(www.thedoorpost.com에서 볼 수 있다)는 아주 성공적이어서 희망이 담
긴 영화를 만드는 감독을 지원하는 도어포스트 필름 프로젝트에서
상금 12억 원의 대상을 받게 되었다. 비슷한 주제를 다룬 단편 영화
100여 편과 경쟁해서 얻은 성과였다. 상을 받으면서 우리는 영화계
의 관심을 한몸에 받았으며 웨이겔은 극장용 장편 영화로 다시 제작
하는 길을 찾고 있다.

물론 나 역시 그 프로젝트에 적극 참여하고 있다. 연기를 잘해서라
기보다 팔다리가 없으면서 다이빙과 수영이 가능하고 오스트레일리
아 악센트를 구사하는 배우가 많지 않은 까닭이다.

▌레디, 액션!

확고한 목표를 세우고 소망과 믿음, 자존감, 긍정적인 마음가짐,

용기, 다시 일어서는 의지, 적응력, 그리고 좋은 관계까지 잘 챙겨 두었다면 가만히 앉아서 좋은 일이 생기길 기다릴 필요가 없다. 실이란 실을 다 긁어모았다면 타고 올라갈 밧줄을 만들면 된다. 때로는 바위가 굴러 떨어져 길을 막겠지만, 그래도 더 높은 곳으로 올라갈 구멍은 뚫려 있게 마련이다. 남은 일은 큰 용기와 단호한 결심으로 무장하고 위로 올라가는 것뿐이다.

"내일은 내일의 태양이 뜬다"는 모토는 우리 단체가 자주 내세우는 구호 중 하나다. 우리는 이 슬로건을 벽에 걸어 놓는 차원을 넘어 날마다 삶으로 살아 내려고 노력한다. 심리학자이자 리더십 코치인 카라 베이커 박사는 자신의 블로그에 나를 소개하면서 "닉 부이치치는 누구라도 백기를 들 만한 상황을 통하여 다른 이들에게 영감을 불어넣고 그 심령을 일깨우는 게 가능하다는 사실을 보여 주었다. 남들이 다 막장이라고 생각하는 곳에서 우리의 영웅, 부이치치는 기회를 보았다"라고 썼다.

글을 읽으며 몹시 부끄러웠다. 한창 자랄 때는 나 역시 갖지 못한 것과 할 수 없는 일들에 분노하고 좌절하면서 다가오는 이들을 모조리 몰아내던 한 소년에 불과했다. 그러나 남들을 섬길 기회를 찾기 시작하자 떠났던 사람들이 자연스럽게 돌아왔다. 그런 경험을 통해서 배운 것이 있다면 가만히 앉아 기회를 기다릴 것이 아니라 적극적으로 밀고 나가서 스스로 활로를 개척해야 한다는 것이었다. 일단 길이 열리면 통로는 계속해서 뚫리는 법이다. 강연을 하거나, 행사에 참여하거나, 다른 나라들을 방문할 때마다 사람들을 만나고, 새로운 단체들을 알게 되며, 또 다른 기회를 얻는 데 필요한 결정적인 정보를 얻게 된다.

▌변장된 축복

세상은 뿌린 만큼 거두게 되어 있다. 그 누구든 움직이지 않으면 수확을 거둘 수 없다. 앞으로 나가든지 휩쓸리든지 선택은 자신에게 있다. 삶의 기회, 또는 꿈으로 통하는 문은 언제나 열려 있다. 인생의 궁극적인 목표에 도달하는 길은 언제나 나타나게 마련이다. 그리고 하나님이 그 앞길을 환하게 비춰 주실 것이다. 그러므로 항상 준비를 갖추고 기다리라. 힘닿는 데까지 필요한 자질을 갖추라. 배워야 할 것이 있으면 열심히 공부하라. 아무도 문을 열어 주지 않는다면 이편에서 문을 부수고라도 소망하는 인생을 손에 넣으라.

전문 강사 생활을 시작한 지 얼마 안 됐을 때는 강연이 끝나면 항상 원하는 이들과 포옹을 나눴다. 줄이 아무리 길어도 포기하지 않았다. 요통이 생기기 전까지는 계속 그렇게 했다. 놀랍게도, 그리고 감사하게도 간단한 인사를 전하거나 손 한 번 잡아 보려는 이들이 끝도 없이 늘어서곤 했다. 더 감격스러운 것은 그렇게 만나는 이들마다 내게 특별한 가르침을 주었다는 점이다. 만남 그 자체가 무엇으로도 바꿀 수 없는 선물이었던 것이다. 기회도 그렇게 생각하면 좋겠다. 처음에는 대단해 보이지 않을지라도 일단 발을 들여놓으면 점점 더 빛을 내는 법이다.

장애를 신체적 한계에서 축복을 가져다주는 통로로 인식하면서부터 내 삶은 극적이리만치 긍정적으로 변했다. 베이커 박사는 이 사실을 정확하게 지적하고 있다. 나만이 아니라 누구나 그럴 수 있다. 하나님이 주신 몸을 어떤 점에서든 신기하고 놀라운 선물로 인식한다면, 그 축복이 뜻밖의 형태로 존재할 수 있다는 사실도 인정해야 한다. 가장 부족하고 약하다고 생각하는 부분에 주님의 은혜가 숨어 있을 수 있다는 뜻이다.

모든 것은 보기 나름이다. 완벽하게 안전한 인생은 없다. 언젠가는 크든 작든 타격을 입게 마련이다. 너무 강하게 얻어맞아서 의식불명 상태에 빠지지 않는 한, 어쩔 수 없이 좌절감과 분노, 슬픔에 시달리게 된다. 그것이 어떤 건지 나 역시 알 만큼 안다. 그래서 더 자신 있게 절망감과 쓰라린 아픔을 떨쳐 버리라고 이야기할 수 있는지도 모르겠다. 거대한 파도에 쓸려갈 수도 있지만 그 꼭대기에 올라타 편안하게 해변에 닿을 수도 있다. 감사의 고삐를 잡고 우울하고 고통스러운 상처를 요리하라. 기대하고 소망하는 삶을 향해 과감히 다가가라.

나는 장애가 심했기에 더 과감해질 수밖에 없었으며 마침내는 어른 아이 할 것 없이 메시지를 전하며 함께 교감할 수 있었다. 또한 그로 인해 감내해야 했던 깊은 아픔들이 결과적으로는 남들의 고통을 더 쉽게 이해하고 불쌍히 여기게 해주었다. 지난날 쓰디쓴 실패를 경험한 덕분에 오늘 누리는 성공에 더 깊이 감사하는 한편, 어려움을 겪거나 좌절을 맛보고 있는 이웃들을 긍휼의 눈으로 바라볼 수 있게 되었다.

▼기준을 명확하게 세워 두라

두 번째 영화 〈버터플라이 서커스〉에 대한 이야기를 좀 하자면, 내가 연기한 윌은 초반부에서는 용기와 영감을 주는 인물이 아니었다. 마음에 품은 상처와 절망 탓에 오히려 혐오스러운 인간에 가까웠다. 그럼에도 불구하고 내가 그 역을 맡았던 것은 윌이 고통과 원망을 이겨내고 전혀 다른 사람으로 변화했기 때문이다. 징그러운 애벌레가 나풀나풀 날아다니는 나비로 변하듯, 윌은 서서히 의심과 불신을 떨쳐 버리고 구원을 받았으며 사랑스

> ▼
> 장애를 축복을 가져다주는 통로로 인식하면서부터 내 삶은 극적이리만치 긍정적으로 변했다.
>
> Life Without Limits

럽고 영감이 넘치는 존재로 거듭났다. 나 역시 그런 과정을 거쳐서 사람들에게 알려지게 되었다.

자신의 삶의 목표를 이루고, 좋은 기회를 놓치지 않으려면 꿈에 더 가까이 다가서는 데 도움이 되는 일들을 찾고 실천해야 한다. 하루에도 열두 번씩 달라지는 감정이 아니라 최종 목표를 중심으로 모든 결정과 선택을 하라. 가치관과 원칙을 잣대로 평가하라. 개인적으로는 손자손녀가 기준선이어서 갈림길에 설 때마다 스스로에게 묻는다. "손자손녀들이 이 결정을 자랑스러워할까? 아니면 할아버지한테 일찍부터 치매기가 있었다고 생각할까?"

그래도 결정이 어렵다면 믿음직스러운 멘토나 친구를 만나서 장단점을 함께 검토하라. 그럼에도 불구하고 모든 책임과 권한이 자신에게 있음을 잊지 말라. 어떤 결정을 내리느냐에 따라 값진 열매를 얻을 수도 있고 비싼 대가를 치를 수도 있다. 그러므로 지혜롭게 결정하라.

큰 그림을 보라

평가할 때는 시점도 주요 항목으로 고려해야 한다. 특히 젊은 시절에는 눈앞에 나타난 기회와 제안에 정신이 팔려서 타이밍을 잘못 계산하기 쉽다. 돈을 감당할 수 없으면 사치스러운 휴가를 포기해야 하듯, 자격이나 준비가 설익은 상태로 무작정 일에 뛰어들어서는 안 된다. 너무 큰 대가를 치러야 하기 때문이다. 심각한 타격을 받고 좀처럼 헤어나지 못하는 경우도 부지기수다.

전문 강사 생활을 시작한 초기에 저질렀던 치명적인 실수 가운데 하나는 수많은 대중 앞에 설 준비가 완전히 갖춰지지 않은 채로 대규모 집회의 강연 초청을 받아들인 것이다. 당시에는 할 말은 있었지만 그 내용을 잘 정리하고 전달하는 기법을 세련되게 가다듬지 못했다. 결국 자신 있게 메시지를 전할 수 없었다. 나는 이야기하는 내내 허둥대고 더듬거렸다. 다행히 점잖은 청중들이라 휘파람을 불어 대지는 않았지만 한동안 자괴감에 시달릴 수밖에 없었다. 이런 부끄러운 경험을 통해서 나는 청중을 휘어잡을 준비가 완전히 갖춰지지 않았다면 절대로 강단에 서지 말아야 한다는 깨달음을 얻었다.

반면에 도약하고 성장할 수 있는 제안이나 기회를 그냥 흘려보내서도 안 된다. 폭발적인 인기를 끌고 있는 〈아메리칸 아이돌〉은 그런 개념을 토대로 기획된 텔레비전 프로그램이다. 가만히 지켜보면 적지 않은 출연자들이 압박감에 짓눌려 기를 펴지 못하거나 충분한 준비를 갖추지 못했음을 금방 감지할 수 있다. 하지만 드문드문 엄청난 부담감을 뚫고 뛰어난 재능을 보이거나 탁월한 솜씨를 뽐내는 이들이 나타난다. 그런 젊은이들은 뜻을 세우고 기량을 닦아 가며 꾸준히 성장해 온 까닭에 화려하게 등장할 수 있는 것이다.

여러 갈래 길을 하나하나 검토하라. 어떤 디딤돌을 디뎌야 목표에 더 쉽고 빠르게 도달할 수 있는지, 어디를 밟으면 미끄러지고 넘어지게 될지 신중하게 검토하라. 사노라면 수많은 제안을 받게 된다. 더러는 내가 처음으로 영화 출연 제의를 받았을 때처럼 단기적으로는 도움이 될 것처럼 보이지만 장기적으로 보면 목표에 부합되지 않는 기회들도 있다.

늘 염두에 두어야 할 것은 순간의 결정이 평생을 좌우하기도 한다는 것이다. 보안 의식 없이 인터넷에 접속하다가 재정이나 명예, 개인생활에 위협을 받을 수 있듯이 관계나 결정도 마찬가지다. 무심코 찍어서 올린 사진이나 동영상에서 이메일, 블로그에 쓴 글, 웹페이지에 남긴 짧은 코멘트까지 사이버 세상에 남긴 흔적은 하나도 사라지지 않고 검색 엔진 속 어느 자리에 그대로 보관된다. 어쩌면 그 주인공보다 더 질긴 생명력을 가지고 있다고 해도 무방하다. 기회를 평가하고 결정을 내리는 과정에서도 똑같은 일이 벌어진다. 오랜 시간이 흐른 뒤에 나타나는 결과들도 이처럼 도움이 될 수도 있고 상처가 될 수도 있다. 눈앞의 열매가 커 보인다면 그것이 먼 훗날에도 좋은 영향을 끼칠 것인지 따져 봐야 할 것이다.

뒤로 한 걸음 물러서서 큰 그림을 보라. 우리는 종종 시험을 치르지만 삶 자체는 시험이 아니라 현실이다. 날마다 내리는 이런저런 결정들이 평생 이어질 삶의 질을 좌우하므로 신중하게 접근하라. 마음에서 기회를 잡으라는 소리가 들리면, 그리고 그 제안이 가치 기준과 장기적인 목적에 어긋나지 않는다면 과감히 손을 내밀라. 어떨 때는 소름이 돋을 만큼 멋진 제안을 받고 잔뜩 흥분해서 당장이라도 뛰어들고 싶을 때가 있다. 하지만 그럴수록 심호흡을 하고 하나님이 지혜를 주셔서 올바른 결정을 내리게 해주시길 구해야 한다.

인생의 문이 열리지 않을 때

능력을 한껏 펼칠 준비를 잘 갖추었지만 문이 열리지 않는다면, 혹시 위치를 바꿔 주어야 하는 것은 아닌지 살펴보라. 때로는 기회를 잡기 위해 역동적으로 움직일 필요도 있다. 파도타기로 이름을 날리고 싶다면서 알래스카 바닷가를 어슬렁거려서는 안 된다. 나 역시 그런 시절이 있었다. 그래서 세계를 무대로 더 많은 청중들에게 메시지를 전하려면 오스트레일리아를 떠나서 미국으로 가야 한다는 결론에 도달했다. 나는 누구보다 고향을 사랑했지만 그리고 가족들도 대부분 거기에 있었지만 오스트레일리아는 미국 만큼 선택의 여지가 많지 않았고 알려질 기회도 적었다.

미국에 자리를 잡은 뒤에도 스스로 활로를 개척해야 했다. 나는 나처럼 강연을 통해서 다른 이들을 격려하는 일에 관심과 열정이 풍부한 동료들과 네트워크를 구성하기로 했다. 전문가들의 조사에 따르면 같은 일을 하는 친구나 동료들과의 관계망을 통해서 빈자리를 찾는 사례가 대부분을 차지한다고 한다. 그런 원리는 다른 기회들에도 적용된다. 덩굴을 따라 정보가 주렁주렁 매달려 있다면 굳이 다른 소식통을 구할 까닭이 없다.

직장이나 투자 대상에서 봉사 활동을 할 장소, 재능을 나눌 자리에 이르기까지 무엇을 찾고 있든지 우선 그 분야의 전문가 그룹, 지역 모임, 상공회의소, 교회, 자선 및 봉사 단체에 이름을 올리고 기회를 엿보는 것이 가장 바람직하다. 트위터나 페이스북 같은 인터넷 사이트를 이용하는 것도 좋은 방법이 될 수 있다. 네트워크가 넓어질수록 꿈으로 통하는 문도 더 넓게 열리는 법이다.

> 하루에도 열두 번씩 달라지는 감정이 아니라 최종 목표를 중심으로 모든 결정과 선택을 하라.
>
> Life Without Limits

간절히 기다리는 제안이나 기회가 좀처럼 찾아오지 않을 때는 지식과 소양을 더 쌓는 방안도 검토해 보라. 대학을 비롯한 전문 교육 기관의 문턱이 너무 높다고 생각되면 기술학교나 사회 교육 센터의 문을 두드리는 것도 한 방법이다. 학사학위를 가지고 있다면 석사나 박사 과정에 도전해 보라. 전문 기관이나 온라인 강좌, 인터넷 포럼에도 참여하라.

아인슈타인은 역경 속에는 반드시 기회가 있다고 했다. 최근 경기 침체로 수많은 이들이 실직자가 됐다. 집을 내놓거나 적금을 해약하는 이들이 이루 헤아릴 수조차 없이 많다. 이처럼 어려운 시기를 어떻게 헤쳐 나가야 할 것인가?

하지만 휴렛패커드, 리글리 검, UPS, 마이크로소프트, 시만텍, 토이자러스, 지포라이터, 도미노 피자 같은 회사들은 불경기에 사업을 시작해서 거대 기업으로 성장했다. 설립자들은 시장을 주도하는 기업들이 하향 곡선을 그리는 걸 보면서 어떻게 하면 고객들에게 더 새롭고 우수한 서비스를 제공할 수 있을지 모색했다. 그러다가 적절한 시점을 잡아 사업 구상을 실행에 옮겼다.

알다시피 2006년부터 2009년까지 계속된 불경기는 수많은, 그야 말로 허다한 가정과 기업에 강력하고도 집요한 타격을 주었다. 하지만 불황을 겪는 동안 퇴출된 회사와 직원들 가운데 상당수는 사업을 시작하거나 학교로 돌아가 공부를 계속했으며, 빵집을 열든, 정원관리 업체를 차리든, 밴드를 구성하든, 책을 쓰든 열정적으로 새 길을 열어 갔다.

구조조정의 광풍에 휩쓸려 밀려난 이들 가운데는 수천, 수만 명에 이르는 언론인들도 끼어 있었다. 다른 나라들도 다 비슷한 상황이지만 미국 언론계는 독점적인 지위를 누리던 광고 시장을 온라인 매체들에게 잠식당하면서 불황의 몸살을 더 심하게 앓았다.

개인적으로 알고 지내던 저널리스트 몇몇은 홍보업체나 비영리단체, 웹에 기반을 둔 미디어나 블로그에 뛰어들었다. 아주 가깝게 지내는 어느 편집장은 불황기에 들어서자마자 자신이 몸담고 있던 캘리포니아 주의 한 지방 신문사를 나와서 회생 가능성이 없는 회사들의 파산을 돕는 위기관리 회사의 부사장으로 들어갔다. 이른바 "호랑이 굴에 들어가야 범을 잡는다"는 정신을 온몸으로 보여 준 것이다. 여기에는 유연한 사고와 단호한 결심이 필요하다. 부정적인 상황을 긍정적인 방향으로 역이용할 준비를 해야 한다. 한 소매점 체인은 직원들에게 고객이 불평을 늘어놓으면 그 상점과 더 좋은 관계를 맺고 싶다는 뜻으로 해석하라고 교육하기도 한다.

▍세월을 허비하지 않으시는 하나님

몇 년 전, 도우미와 함께 북미 대륙을 가로질러 여행하는 중이었다. 출발이 지연되어 공항에서 한참을 기다리다 마침내 비행기에 올랐는데 기체가 서서히 움직이는 순간, 무심코 창밖을 내다봤다가 엔진에서 연기가 피어오르는 것을 보았다. 소방차가 사이렌을 요란하게 울리며 달려왔다. 소방관들이 뛰어내리더니 엔진의 불길을 잡았다. 큰 불은 아니었지만 승무원들은 승객들을 긴급 대피시켰다.

그나마 땅에 있을 때 불이 나서 다행이었다. 이륙한 뒤에 불이 붙었더라면 얼마나 위험했겠는가! 앞으로 두 시간이나 더 기다려야 한다는 안내 방송이 나오자 승객들은 몹시 불쾌해 하며 큰 소리로 불만을 터트렸다. 나 역시 빡빡한 일정을 떠올리며 계속 긍정적인 마음을 지키려고 애썼다.

"잊지 말자! 하나님은 세월을 낭비하지 않으셔!"

바로 그 순간, 곧 다른 항공기를 대기시킬 테니 조금 떨어진 게이트로 이동해 달라는 방송이 흘러나왔다. 참으로 반가운 소식이었다. 서둘러 지정된 탑승구로 달려가서 비행기에 올랐고 무사히 이륙했다. 막 안도의 한숨을 내쉬려는데 옆 자리에 앉은 여성이 말없이 흐느끼고 있는 모습이 눈에 들어왔다.

"어려운 일이 있으신가 봐요. 제가 뭘 좀 도와드릴까요?"

그녀는 간단한 수술을 받은 직후에 갑자기 증세가 악화되면서 생사의 갈림길에 있는 열다섯 살 된 딸을 만나러 가는 길이라고 했다. 도착할 때까지 계속해서 이야기를 나누며 최선을 다해 그 아픈 마음을 위로하려고 했다. 잠시 후 마음이 많이 가라앉은 아주머니는 비행공포증이 있다는 이야기를 하면서 살짝 미소까지 지었다. 이에 나는 슬쩍 우스갯소리를 던졌다.

"불안하시면 제 손을 꼭 잡으세요."

목적지에 도착한 후 그 아주머니는 자신을 위로해 주어서 고맙다며 인사했다. 나는 여러 차례 출발이 늦어지고 게이트가 바뀐 끝에 나란히 앉게 되어 참 다행이라고 대답했다.

그날도 하나님은 시간을 허비하도록 나를 버려두지 않으셨다. 주님은 그분의 계획을 따로 가지고 계셨다. 그날 일을 생각하면 너그럽게 귀를 빌려 줄 기회를 얻게 되어 거듭 감사하게 된다.

▌영혼을 감동시키는 사진사

사랑하는 이를 떠나보내거나, 관계가 깨지거나, 살림이 어려워지거나, 병에 걸리는 등 불행한 일들이 벌어졌을 때 슬픔과 절망을 제대로 추스르지 못하면 삶이 망가지게 마련이다. 이럴 때 촉각을 곤두세우고 무슨 일이 일어나는지 주의 깊게 관찰하는 것은 그런 도전과 맞서 싸우는 비결이 될 수 있다. 〈버터플라이 서커스〉촬영장에서 글래니스 시버슨을 만나면서 그 사실을 다시 한 번 확인했다.

올랜도에 살고 있는 글래니스는 가까운 친구이자 감독인 웨이겔의 부탁을 받고 캘리포니아까지 날아와서 세트 사진가로서 우리 단편 영화에 참여해 주었다. 그녀는 잡지와 기업 홍보물, 신문, 웹사이트에 사진을 제공하며 여러 차례 굵직굵직한 상을 받은 전문가였으며 인물과 풍경 사진에도 뛰어난 작가였다.

그녀는 무려 이십 년 넘게 어느 대기업의 인사 담당자로 일했다고 했다. 그러다 경기가 침체 국면을 맞으면서 '안전하고 편안한' 직장을 잃고 만 것이다. 하지만 실직은 막다른 골목이 아니었다. 이 당찬 여성은 그 일을 첫 단추로 삼아서 열정을 좇기로 작정했다. 그리고 마침내 전업 사진가가 되었다. 글래니스는 말했다.

"그때가 아니면 평생 결단을 내릴 수 없을 것 같았어요."

멋진 이야기다. 그렇지 않은가? 이 사진가야말로 부정적인 사건을 가져다 더 나은 삶을 열어 가는 계기로 바꾼 인물의 전형이다. 하지만 그것이 끝이 아니다. 사진작가로서 수많은 상을 거머쥔 글래니스는 거의 앞을 보지 못한다. 법률적으로는 이미 시각장애자다.

"어려서부터 시력이 아주 약했어요. 다섯 살이 되면서 안경을 쓰기 시작했는데 그 뒤로도 계속 눈이 나빠졌어요. 그러다 1995년쯤 각막에 병이 있다는 진단을 받았죠. 본래 기형이 있는데 퇴화되기까지 했다고 하더군요. 조금만 더 심해지면 왼쪽 눈으로는 아무것도 볼 수 없는 지경에 이른다고 하더군요. 고도근시까지 있어서 라식 수술은 생각도 못했어요. 남은 길은 각막 이식뿐이었죠."

2004년, 글래니스는 이식 수술을 받았다. 담당의사는 특별한 문제가 없는 한, 시력이 돌아와서 안경이나 콘택트렌즈를 끼지 않고도 잘 볼 수 있게 될 거라고 했다.

"하지만 사물을 분간하지 못하게 되는 바로 그 '특별한 문제'가 생겼어요. 수술을 받은 뒤에 시력은 더 악화되었고 결국 녹내장까지 왔지 뭐예요. 왼쪽 눈의 시력은 거의 바닥까지 떨어졌죠. 수술과 상관없는 오른쪽 망막에서도 출혈이 일어났어요. 전혀 보이지 않는 맹

점이 생긴 거죠."

그녀는 이십 년 동안 다녔던 직장에서 해고됐고 수술 실패로 시력을 잃었으며 망막 출혈까지 얻는 절망적인 상황이었지만 남의 탓을 하거나 포기하지 않았다. 웬만한 사람이라면 몹시 괴로워하며 분노에 사로잡혔을지도 모른다. 그러나 이 현명한 여성은 높은 곳에서 굽어보시는 하나님을 찬양했다.

"장애를 입었다고 생각하지 않았어요. 뭐든지 할 수 있다고 믿었죠. 앞이 거의 보이지 않게 되면서 사진가로서는 더 성숙해졌기 때문이에요."

그녀는 천지가 다 뿌옇게 보이지만 박탈감을 느끼기는커녕 사소한 디테일에 얽매이지 않게 된 걸 감사했다.

"시력이 아직 살아 있을 때는 머리칼 한 올도 놓치지 않고 인체의 구석구석을 한 장에 다 담아내려고 애썼죠. 그럴수록 구도를 잡는 데 집착해서 작품이 경직돼 보였어요. 하지만 이제는 아주 자연스럽게 접근하는 편입니다. 대상을 느끼려고 하죠. 사람이나 주변 환경과 훨씬 더 깊이 교감하면서 사진을 찍게 됐다고나 할까요?"

글래니스는 자신의 사진에 결함이 많지만 예술성이 짙어지고 마음을 뒤흔드는 힘이 생겼다고 말한다.

"한번은 어떤 아가씨를 찍었는데, 사진을 보더니 울음을 터트리더군요. 자신을 더할 나위 없이 정확하게 잡아냈다는 거죠. 예전에는 아무에게도 그런 감동을 준 적이 없었는데 말이에요."

시력이 심각한 수준까지 떨어진 뒤로, 글래니스는 인물과 풍경 사진으로만 열 개가 넘는 사진 관련 상을 받았다. 콜로라도 주 포트콜

린스의 사진 미술 센터에도 네 점의 작품이 전시되어 있다.

앞이 잘 보이지 않는 탓에 인사 업무를 계속할 수는 없었지만 그녀는 자신의 장애를 새롭고 신선한 방식으로 예술 세계를 펼쳐나가는 기회로 삼았다. 모네나 베토벤을 비롯해서 수많은 위대한 예술가들이 갔던 길을 그대로 따랐던 것이다. 글래니스는 가장 좋아하는 말씀으로 "이는 우리가 믿음으로 행하고 보는 것으로 행하지 아니함이로라"(고후 5:7)를 꼽았다. "우리는 믿음을 바탕으로 삼아서 살아가는 것이지, 보는 것을 바탕으로 삼아서 살아가는 것은 아닙니다."

"내 삶이 딱 그래요. 물론 잘 적응해야겠지만, 앞으로 완전히 보지 못하게 될까 봐 걱정이 되죠. 사실 너무나, 너무나, 너무나 두렵습니다. 여기에 관해서는 아무런 매뉴얼도 없거든요."

'낯선 길'에 들어선 것만은 분명해 보이지만 글래니스는 시력 상실을 인생의 걸림돌로 여기는 대신 선물로 생각하고 있다. "예전에는 거기에 눌릴 때가 많았지만 이제는 순간을 즐기면서 하루하루 살아가려고 해요. 아울러 몸을 누일 집이 있고, 아직 살아 있으며, 햇살이 비치는 것만으로도 충분히 감사해요. 내일 일은 염려하지 않아요. 누구라서 오늘 밤에 무슨 일이 생길지 알 수 있겠어요?"

이렇게 멋진 여성이 또 있을까? 자신에게 주어진 기회를 제대로 잡을 줄 아는 그녀와 같은 이가 세상에 몇이나 되겠는가? 글래니스의 이야기는 내게 큰 격려가 되었다. 이 글을 읽는 이들도 나와 똑같은 감동을 받아서 부지런히 꿈을 이룰 길을 탐색하며, 지혜롭게 바른 방향을 선택하고, 마음에서 "가라!"는 소리가 들리는 순간 주저 없이 행동에 옮길 수 있게 되길 바란다.

한계가 비전이 되는 삶

누구나 자신에게서 벗어나서 다른 이들에게 관심을 돌리면 내면이 달라지기 시작한
다. 겸손해지고 열의가 솟는다. 자신보다 더 크고 위대한 존재의 일부라는 깨달음이
그 어느 때보다도, 그 무엇보다도 강렬하게 와 닿는다. 뿐만 아니라 무슨 일로든 세상
에 기여할 수 있다는 자각이 생긴다. 그렇게 되면 스스로의 삶 역시 더 뜻 깊어지게 마
련이다.

Life Without Limits

안전지대에서 걸어 나오라

9일 간 인도네시아의 다섯 도시를 돌며 서른다섯 번의 메시지를 전하는 전도 여행을 절반쯤 마쳤을 무렵이었다. 마땅히 지쳐서 쓰러질 지경이어야 하는데, 이렇게 바쁜 일정을 소화하다보면 도리어 기운이 나서 잠시도 가만히 있지 못할 때가 있다. 자카르타에서 자바 섬으로 향하는 비행기에 탔을 때도 에너지가 주체할 수 없을 만큼 넘쳤다.

그때까지 비행기에는 나와 도우미인 본을 포함해서 모두 여섯 명뿐이었다. 본은 크고 건장한데다가 얼굴까지 잘생겨서 여승무원들은 기내에 들어서는 순간부터 그에게서 눈을 떼지 못했다. 휠체어에서 내려 내 자리까지 걸어갈 수밖에 없었으므로 스튜어디스들은 우리를 가장 먼저 비행기에 오르게 했다. 내가 앞장서고 본이 그 뒤를 따랐다. 갑자기 언젠가 꼭 한번 해보고 싶었던 엉뚱한 짓을 실행에 옮겨 보고 싶었다.

"본, 다른 승객이 타기 전에 어서 날 들어 올려 줘. 머리 위에 있는 짐칸에 들어갈 수 있는지 한번 보게!"

우리끼리는 틈틈이 이러고 논다. 며칠 전에는 게이트 앞에 있는 금속 상자 안에 넣어 달라고도 했다. 수하물이 기내에 들고 가도 될 만한 크기인지 넣어 보는 통이었다. 다행히 내 몸은 통 안에 쏙 들어갔다. 그때부터 공항 직원들은 나를 '수하물 닉'이라고 불렀다.

비행기 좌석 위에 있는 짐칸은 너무 높아서 웬만한 장사가 아니고서는 33킬로그램이 넘는 나를 들어올리기가 어렵다. 하지만 힘 좋은 청년 본은 나를 가볍게 들더니 마치 루이뷔통 트렁크라도 되는 듯 조심스럽게 짐칸에 올려놓았다.

"오케이, 이제 문을 닫아 줘. 다른 승객들이 오는지 기다려 보자고."

본은 머리에 베개를 괴어 주고는 높다란 짐칸에 날 남겨 둔 채 문을 닫았다. 여승무원들은 웃으며 그 꼴을 구경하고 있었다. 다들 어린아이들처럼 한패가 되어서 낄낄거렸다. 곧 이어 다른 승객들이 서서히 기내로 밀려들기 시작했다. 물론 짐칸에 밀항자가 숨어 있는 줄은 새카맣게 몰랐다.

마침내 나이 지긋한 신사가 복도를 따라 걸어와서 짐을 넣기 위해 캐비닛 손잡이에 손을 대는 걸 지켜보며 본과 여승무원들은 모두 숨을 죽였다. 뚜껑이 올라가고 내 머리가 튀어나오는 순간, 노신사는 너무 놀란 나머지 비행기 지붕을 뚫고 나갈 듯 튕겨 올랐다.

"아이고머니나! 하마터면 간이 떨어질 뻔했구려!"

다행히 성품이 좋은 양반이었다. 너나없이 배꼽을 잡고 웃었다. 나는 짐칸에 올라탄 채 다른 승객들과 승무원들의 기백 번의 플래시 세례를 받아야 했다. 예상했던 대로 짐칸에서 내려 주지 않겠다는 본의 협박이 이어졌지만 그것은 짐칸에 붙은 경고 문구를 보지 못하고 하는 얘기였다. "비행중에 떨어질 염려가 있으니 조심하십시오."

▼엉뚱한 재미

공항에서 수하물이 나오길 기다리면서 지루하고 답답하다는 생각을 해본 적이 있을 것이다. 그럴 때는 컨베이어벨트에 올라타고 짐칸으로 들어가 '가방 천국'을 탐험해 보고 싶지 않았는가? 물론 엉뚱하고도 웃기는 얘기지만 난 직접 해봤다.

강연을 하러 아프리카에 갔을 때였다. 공항에 도착해서 짐이 나오길 기다리는데, 얼마나 지루하던지 참다못해 도우미의 옆구리를 찔렀다. "컨베이어벨트를 타고 들어가 볼까 봐."

그의 눈이 휘둥그레졌다. "머리가 어떻게 된 거 아냐?"라고 묻고 싶은 눈치였다.

그러면서도 슬슬 장난기가 동하는 모양이었다. 날 번쩍 들어 올리더니 큼지막한 여행가방 옆에 내려놔 주었다. 여러 가방과 짐 꾸러미 틈에 끼어 앉았다. 선글라스를 씌워 놓은 조각상처럼 오도카니 앉아 컨베이어벨트를 따라 움직이기 시작하자 손님들은 날 가리키며 놀라운 표정을 짓거나 큰 소리로 웃음을 터트렸다. 다들 정말 인간인지, 아니면 기가 막히게 멋진 더플백인지 헷갈렸을 것이다. 마침내 좁은 통로를 지나 짐을 부리는 뒷방으로 들어갔다. 가방을 옮기던 이들이 왁자지껄 웃으며 '정신 나간 호주 친구'를 맞아주었다. "파이팅!"이라고 외치기도 했다.

일꾼들은 가끔 아이들이 그런 장난을 하는 경우는 봤지만 다 큰 청년이 컨베이어벨트를 타고 들어온 건 처음이라고 했다. 너나없이 즐거운 표정이었다. 젊은이다운 즐거움

> 인생이 지루하고 빤하다며 투덜거리지 말라. 지루하다는 생각이 들 때마다 나는 즐거운 일을 찾는다.
>
> Life Without Limits

을 만끽할 수 있다면 그 정도 미친 짓쯤은 해볼 만하지 않을까?

인생이 지루하고 빤하다며 투덜거리지 말라. 잠시 어린 날로 돌아가서 엉뚱한 재미를 찾으라. 체면 따위는 잠시 접어 두고 트램펄린 위에서 신나게 뛰어 보거나 당나귀 등에 올라타 보라. 지루하다는 생각이 들 때마다 즐거운 일을 찾으라. 삶을 두루 뒤져서 하나님이 세상에 사는 동안 누리라고 주신 신기하고 놀라운 일들을 골라내는 것이다.

엉뚱하게 산다는 것은 하나님의 목적과 계획을 전폭적으로 받아들여서 그 소망과 가능성이 교차하는 지점에서 생활한다는 뜻이다. '엉뚱한 인간이 되는 법'의 제2조는 이처럼 예측 가능한 틀을 깨고 한계를 넘어 엉뚱한 재미를 추구하라는 것이다. 쉴 새 없이 달리는 삶을 즐기고, 은총을 받아들이며, 단지 연명하는 것이 아니라 삶을 마음껏 즐기려고 노력해야 한다.

강연을 하다가 강단 모서리에 아슬아슬하게 걸쳐 서곤 한다. 톡 건드리기만 해도 떨어질 만큼 끄트머리까지 몸을 내민다. 그러곤 청중

들에게 창조주 하나님과 자신을 신뢰하기만 하면 그처럼 낭떠러지 끝에 서서 사는 것도 나쁘지 않다고 이야기한다. 나는 일을 하든지 놀든지 자신을 막다른 골목까지 몰아붙이는 스타일이다. 사실은 일과 놀이가 한 덩어리가 될 때 엉뚱한 기쁨이 최고조에 이른다. 이 글을 읽는 이들도 모두 그런 즐거움을 맛보게 되길 바란다.

▌엉뚱해질 수 있는 자유

나는 지금까지, 목표를 세우고, 소망을 품으며, 자신을 믿고, 훌륭한 마음가짐을 갖고, 용기를 가지고 행동하며, 쓰러져도 줄기차게 다시 일어나며, 변화의 기술을 체득하고, 기회를 잘 포착해서 꿈을 향해 다가서라고 조언하며 적절한 방안들을 제시했다.

이번에는 나처럼 조금 엉뚱해지기를 권하고 싶다. 나는 누가 봐도 웃기게 생겼다. 하지만 나뿐만 아니라 모두가 웃기는 사람이 되면 좋겠다. 아는지 모르겠지만 이래봬도 내가 인류 최초로 '엉뚱한 인간 법'을 창안한 인물이다. 지구상에서 아직 숨이 붙어 있는 인간이라면 누구나, 꿈을 좇기 위해 의도적으로 엉뚱한 일을 벌이든 그냥 재미 삼아 우스꽝스러운 짓을 하든, 적어도 하루에 한 번씩은 엉뚱한 행동을 해야 한다는 규칙이다.

이 원칙을 떠올리게 된 것은 "부족함이 곧 아름다움이고, 광기는 천재성이며, 한없이 지루한 것보다 턱없이 우스운 게 백번 낫다"는 격언 덕택이었다. 누가 처음으로 이처럼 흥미로운 이야기를 했는지는 모르겠지만, 부족함이 곧 아름다움이라면 나만큼 아름다운 존재가 또 있을까? 광기가 천재성이라는 데도 재론의 여지가 없다. 위험을 무릅쓰는 것을 광기라고 생각한다면 평범한 이들의 눈에는 천재역시 그런 부류에 속한다. 그리고 나 역시 지루한 것보다는 엉뚱한짓을 하는 쪽이 훨씬 낫다고 믿는다.

여태까지 이 책에서 다룬 모든 조건들을 충족시켰다 할지라도, 자신의 천재성을 몰라주는 이들에게서 미쳤다는 소리를 듣는 것이 두렵다면, 과연 꿈을 이룰 수 있을지 몹시 의심스럽다. 자신을 위해, 그리고 세상을 위해 '장난기'를 발휘하라. 가끔은 마음껏 웃고 느긋하게 쉬는 것이 먼 길을 가는 데 도움이 된다는 사실을 절대로 잊지말아야 한다.

인간은 '언젠가'를 앞세우는 사고방식에 빠지기 쉽다. '언젠가 부자가 되면 인생을 즐길 거야.' '언젠가 가족들과 더 많은 시간을 보낼수 있게 되겠지.' '언젠가 느긋하게 하고 싶은 일을 할 날이 올 거야.'

하지만 바로 지금 모험과 재미를 마음껏 즐기길 바란다. 의심하고회의하는 소리를 깡그리 무시해 버리고 꿈을 좇아 살라. '웃기는 녀석'이라고 혀를 차는 이들도 있을 것이다. "맞아요! 내가 좀 웃기는편이죠"라고 대꾸해 주라. 비전과 열정을 공유하지 못하는 부류의눈에는 엉뚱한 짓으로 비칠 수도 있다. 그런 얘기에 풀이 죽어서 꿈을 포기하지 말고 오히려 정상에 오르는 디딤돌로 삼으라.

시간을 내서 삶을 즐기고 사랑하는 이들과 어울려 행복한 시간을보내라. 밝게 웃고, 사랑을 쏟고, 엉뚱한 일을 벌이면 다른 이들과도재미를 공유할 수 있다.

어린 시절에 시각과 청각을 모두 잃었지만 장애를 딛고 저명한 활동가요 저술가가 된 헬렌 켈러는 "안전한 삶은 현실적으로 존재하지 않는다. … 인생은 위험을 무릅쓰거나 아무것도 하지 않거나 둘 중 하나다"라고 했다.

위험은 삶의 일부가 아니라 삶 그 자체다. 인생이란 안전지대와 꿈 사이의 공간을 가리킨다. 대단히 불안한 구역이지만 자신의 실체가 드러나는 자리기도 하다.

가족들과 함께 고공 줄타기를 하는 것으로 유명한 칼 월렌더는 이렇게 말한다. "팽팽한 줄 위에 서 있을 때만 살아 있음을 실감합니다. 나머지는 그저 그 순간을 기다리는 작업일 따름이고요."

스카이다이빙과 패러글라이딩을 즐기는 마니아들과 어린 물총새는 허공을 향해 첫걸음을 내딛는 것이 대단히 두려운 일이지만 날고 싶다면 피해갈 수 없는 일임도 잘 알 것이다. 과감히 맞서라. 언제 죽을지 모르는 것이 우리네 인생이다. 어떤 사람도 내일 아침에 반드시 자리에서 일어날 것이라고 장담할 수 없다. 패배를 두려워하면 승자가 될 수 없다. 넘어지는 것을 무서워한다면 평생 앉은뱅이로 지내야 할 것이다.

나는 태어날 때부터 지금까지 내일을 자신할 수 없는 삶을 살았다. 독립해서 스스로 살아 갈 능력이 있는지 늘 의심하고 회의했다. 팔다리가 없는 주제에 스릴까지 즐기는 성격이라 아버지와 어머니의 걱정은 곱빼기가 됐다. 갓난아이처럼 구석에 쭈그리고 앉아만 있었다간 결코 일어설 수 없다고 판단했으므로, 나는 쉴 새 없이 자신을 위험한 상황에 몰아넣었다. 스케이트보드를 타고, 축구를 하고, 수영을 하고, 파도를 탔다. 방향타가 망가진 미사일처럼 보잘것없는 몸뚱이를 정신없이 굴려댔으니 남들 눈에는 얼마나 우스워 보였겠는가!

▼성장은 안전지대에서 나오는 순간부터 시작된다

2009년 가을에는 아주 특별한 일을 시도했다. 듣는 이마다 너무 위험하다며 말렸던 일이다. 바다로 나가서 스쿠버다이빙을 시작한 것이다. 짐작하겠지만, 대단히 즐거웠다. 하늘을 나는 기분인 데다가 착륙도 아주 부드러웠다. 3년 전부터 해보고 싶었지만 강사가 허락해 주지 않아서 장비를 입은 채 수영장을 퍼덕거리며 돌아다니는 것으로 만족해야 했다.

그런데 이번에 만난 강사는 훨씬 열린 마음을 가진 사람이었다. 펠리페는 남아메리카 콜롬비아의 작은 섬, 무쿠라 아일랜드에서 스쿠버다이빙을 가르치고 있었다. 마침 그 섬에 있는 멋진 리조트 '푼타 파로'의 회장으로부터 강연 요청을 받고 찾아간 길이었다. 스쿠버다이빙을 배우러 갔을 때 펠리페가 했던 질문은 "수영할 줄 알아요?"가 전부였다.

실력을 확인한 강사는 나를 속성 코스에 넣었다. 수업 시간에는 물

> 가끔은 마음껏 웃고 느긋하게 쉬는 것이 먼 길을 가는 데 도움이 된다.
>
> Life Without Limits

밑에서 도움이 필요할 때 펠리페에게 상황을 알릴 수 있도록 어깨나 머리를 움직이는 몇 가지 신호를 연습했다. 그러곤 바닷가에서 얼마 떨어지지 않은 곳으로 데려가서 실습을 시켰다. 몸을 움직이고, 신

호를 주고받고, 장비를 점검하는 훈련을 계속했다.

"좋아요. 이제 산호초를 돌아볼 준비가 된 것 같아요." 마침내 허락이 떨어졌다.

강사는 내 가슴을 단단히 붙잡고 오리발을 움직이며 산호초 근처까지 헤엄쳐 갔다. 무지개처럼 아름다운 바다 밑 세상이 눈부시게 펼쳐졌다. 이윽고 펠리페가 나를 놓아 주었다. 그리고 산호초 주변을 돌아다니는 동안 바로 위에 떠서 기다렸다. 도와 달라는 신호를 보낸 건 단 한 번, 산호 틈에서 1.5미터짜리 곰치가 고개를 내밀었을 때뿐이었다. 육식을 하는 장어 종류의 뾰족한 이빨에는 박테리아들이 잔뜩 붙어 있다는 글을 읽은 적이 있어서 안전한 곳으로 옮겨 달라고 했다.

스쿠버다이빙 경험은 나로 새로운 세계를 보게 해주었다. 그렇게 엉뚱한 모험을 할 필요가 있는지 궁금한가? 두말할 것도 없이 그럴 가치가 충분하다. 우리가 안전지대에서 걸어 나오는 순간, 발전하고 성장할 가능성이 활짝 열린다. 과감하게 미지의 세계에 뛰어들어 몸을 맡기라. 비록 물 밑이라는 낯선 세계에서일지라도 새로운 차원의 삶을 경험하게 될 것이다. 돌고래와 함께 헤엄치라. 독수리와 더불어 하늘로 솟아오르라. 산을 오르고 동굴을 탐험하라. 닉 부이치치처럼 엉뚱한 일을 벌이라.

엉뚱한 모험과 어리석은 짓 사이에는 명백한 차이가 있다. 후자는 문자 그대로 너무 허황되어서 한 점의 가치도 없는 행동을 말한다. 반면 엉뚱한 모험은 황당하거나 이상하게 보일지 몰라도 다음의 요소들이 잘 갖추어져 있다. 먼저 철저한 준비가 되어 있고, 다음에는 위험 요인을 최대한 줄여 놓았으며, 마지막으로 뜻을 이루지 못했을 때를 대비한 계획이 마련되어 있다.

▶닉 부이치치의 위기 관리법

인생에는 두 가지 타입의 위기가 있다. 시도하는 데 따르는 위기와 시도하지 않는 데서 비롯되는 위기다. 간단히 말해서 제아무리 요리조리 피하려 해도 어차피 위기는 찾아오게 마련이라는 이야기다.

위험을 무릅쓰고 도전하다 보면 가끔은 소중한 것을 잃어버릴 수도 있고, 실패해서 주저앉기도 한다. 하지만 성공하는 순간까지 거듭 도전하지 않는다면 결코 영광을 누릴 수 없다. 살기 위해서는 손을 내밀고 몸을 뻗어야 한다. 그리고 움직이기 전에 오르막인지 내리막인지 꼼꼼히 살펴서 위기를 제어할 줄 알아야 한다.

간혹 서류상으로는 상태가 나빠 보이는데도 어쩐지 기회를 잡아야 할 것 같은 느낌이 들 때도 있다. 결과는 성공일 수도 있고 실패일 수도 있다. 다만 늘 뒤를 돌아보면서 후회하는 데 자신의 시간과 에너지를 낭비하지 않길 바랄 따름이다.

개인적으로는 전문 강사, 복음전도자, 사업가라는 일인삼역을 감당하고 있다. 지난 몇 년 동안 몇 가지 사업을 벌였으며 부동산에도 투자했다. 경영 관련 서적을 수없이 읽었는데 어느 책에나 위기 관리를 다룬 부분이 끼어 있었다. '사업가는 위험을 무릅쓰는 사람'이라는 이미지에도 불구하고 저자들은 대부분 성공적인 기업인들일수록 위험과 맞서 싸우는 데 익숙지 않다고 말한다. 위기를 통제하거나 최소화하고 위험 요인이 얼마쯤 남아 있음을 알면서도 그냥 전진할 뿐이라는 것이다.

살다가 만나는 위기를 잘 처리하도록 돕자는 뜻에서 이제 '닉 부이치치의 엉뚱한 위기 관리법'을 공개하려고 한다.

형편을 살피라

"두 발을 땅에 댄 채로는 물의 깊이를 잴 수 없다"는 아프리카 속담이 있다. 누군가와 새롭게 관계를 맺거나, 다른 도시로 이사를 가거나, 새로운 직장을 구하거나, 하다못해 거실 벽지를 바꾸려 할 때도 본격적인 작업에 들어가기 전에 미리 살피고 시험하는 과정을 거치게 마련이다. 뛰어들려는 일의 형편을 제대로 파악하기 전에는 성급하게 달려들지 말라.

끌어 모은 정보를 토대로 움직이라

이것은 새로운 경험을 하거나 낯선 이와 만나는 것을 피하라는 의미가 아니다. 다만 미리 숙제를 해두어서 위험 수치를 낮춰 보자는 뜻이다. 일단 오르막과 내리막, 기회의 여러 측면들을 두루 이해하고 나면 자신감을 가지고 발을 내디딜 수 있다. 전체를 꿰뚫지는 못했다 하더라도 걱정할 필요는 없다. 그것으로 충분할 때도 적지 않기 때문이다.

시점을 확인하라

움직이기에 가장 좋은 시점까지 기다릴 줄만 알아도 위기 요인을 훨씬 줄일 수 있다. 비즈니스의 '비'자도 모르는 문외한이라 할지라도 한겨울에 아이스크림 사업을 시작하진 않을 것이다. 그렇지 않은가? 앞서 이야기했듯이 영화에 뛰어들 당시, 처음으로 받았던 제안은 내 몫이 아니었다. 하지만 몇 달 뒤에 돌아온 역할은 나와 잘 들어맞았다. 타이밍이 완벽하게 맞았던 셈이다. 인내에는 그만한 보상이 따른다. 오래 기다리는 것을 두려워하지 말라. 한밤중에 쓴 글을 아침에 다시 읽어 보라. 고작 하룻밤 지났을 뿐인데도 얼마나 달라 보이는가! 누구나 그런 경험이 있을 것이다. 기회를 향해 손을 내밀기 전에 과연 지금이 가장 좋은 시점인지 생각하고 또 생각하라.

조언에 귀를 기울이라

주위의 강력한 권고를 따른 덕에 애초보다 더 큰 성공을 거두는 사례가 적지 않다. 하지만 복잡하고 까다로운 영역에 뛰어들 때는 성급해 하지 말고 두어 걸음 뒤로 물러서라. 그리고 믿을 만한 친구나 멘토에게 전화를 걸어서 상황을 정확하게 평가할 수 있도록 도와 달라고 요청하라. 나의 경우, 큰 결정을 앞두었을 때는 미국에 사는 바타 삼촌이나 오스트레일리아에 있는 아버지를 찾아간다. 혼자 고민하는 것보다는 여럿이 머리를 맞대는 것이 훨씬 낫다. 위기 상황을 앞에 두고 고독한 방랑자가 되는 것은 어리석은 짓이다.

예상치 못한 사태에 대비하라

무슨 일을 하든지, 특히 한계를 뛰어넘어 도전할 때는 항상, 정말 항상 예상치 못한 일이 벌어지게 마련이다. 우리는 처음부터 끝까지 완벽하게 예견할 수 없으므로, 뜻밖의 상황을 이리저리 가정해 보고 철저하게 대비해 두어야 한다. 개인적으로는 사업 계획을 세울 때마다 비용은 늘려 잡고 수익은 줄여서 계산한다. 일이 뜻대로 풀리지 않는 경우를 생각해서 일종의 완충 지대를 만들어 두는 것이다.

▌위험을 즐기는 스턴트맨처럼

〈버터플라이 서커스〉 출연을 결정했을 때만 해도 스턴트 연기까지 직접 해야 할 줄은 몰랐다. 생각해 보면 당연한 일이었다. 누가 나의 대역을 해줄 수 있겠는가?(지금이라도 팔다리가 없는 전문 스턴트맨을 알고 있다면 연락 주길 바란다.)

나는 의기양양했다. 러셀 크로가 영화에 출연했다면 똑같은 나라에서 나고 자란 내가 못할 이유가 뭐란 말인가? 그러나 러셀 크로는 나처럼 공중에서 날아다녔던 적은 없었다. 〈버터플라이 서커스〉에서는 스턴트 전문가이자 배우인 매트 올멘이 날 집어던지는 험악한 역할을 맡았다. 영화의 중심이 되는 대단히 중요한 장면이었다. 가볍게 들어 올려 웅덩이에 처넣는 단순한 동작이지만 매트는 매우 곤혹스러워했다. 어쩔 줄 모르기는 나도 마찬가지였다.

캘리포니아 고원지대 한복판, 가브리엘 산맥에서 흘러내린 물이 고인 웅덩이에서 마침내 촬영이 시작됐다. 물이 좀 찬 게 문제였지만 최악은 아니었다. 실수로 못에 빠졌지만 유유히 헤엄쳐 나오는 설정이었다. 물밑에 가라앉아 죽고 말 것이라는 예상을 깨고 수영 실력을 당당히 보여 주는 감동적인 신(scene)이다. 웅덩이라고 해

봐야 고작 1.5미터에 불과했으므로 처음 몇 번은 주저하고 조심하는 기색이 역력했다. 나는 매트의 팔을 떠나 어뢰처럼 날아갔다. 혹여 돌바닥에 부딪혀 으깨질까 잔뜩 겁을 먹고 허리를 활처럼 굽혔는데 그 덕택에 참사를 피할 수 있었다. 물에서 떠오른 뒤에도 몸을 움직일

> 패배를 두려워하면 승자가 될 수 없다. 넘어지는 것을 무서워한다면 평생 앉은뱅이로 지내야 한다.
>
> Life Without Limits

수가 없었다. 얼마 뒤에 숨을 크게 들이마시며 정신을 차리자 다들, 특히 매트가 무척 기뻐했다.

하지만 그것이 전부가 아니었다. 줄에 묶인 채 3층 높이에서 다이빙하는 장면을 촬영할 때는 더 위험하고 위태로웠다. 몇 가닥 줄에 매달려 허공에 떠 있는 것 자체가 겁나는 일이었다. 물론 스턴트 전문가가 세트 제작에 참여해서 바닥에 안전망을 까는 등 위험 요인을 최대한 줄였으므로 가장 두려운 촬영마저 재미있게 끝낼 수 있었다.

가끔은 암벽을 기어오르든, 파도를 타든, 스노보드를 지치든 위험 인자를 남겨 두는 편이 더 짜릿하고 생생한 느낌을 준다. 아이들은 물론이고 어른들도 위태로운 요소들을 신나는 놀이 형태로 바꾸어 즐기는 경우가 많다. 바로 그 모험적인 성분이 마음에 숨어 있던 여덟 살짜리 꼬마 아이를 깨워 일으키는 것이다.

▶엉뚱하게 산다는 것

심리학자이자 미국 놀이 연구소를 설립한 스튜어트 브라운 박사는

인간이란 놀이 기능이 내장된 존재라서 놀고 싶어 하는 욕구를 무시하는 것은 잠자기를 거부하는 것만큼이나 위험한 일이라고 주장한다. 연구 결과에 따르면 사형수와 연쇄 살인범들은 자라면서 통상적인 형태의 놀이를 하며 즐거워했던 경험이 거의 없는 경우가 대다수라고 한다. 브라운 박사는 놀이의 반대말은 일이 아니라 우울과 좌절이라고 말한다. 놀이를 생존 기술 가운데 하나로 여겨야 한다는 것이다.

시간을 뚝 떼어서 여가 활동을 벌이기보다 일과 놀이를 한데 섞어야 한다고 믿는 박사는 다소 위험하고 거친 유희가 아이들뿐만 아니라 성인들에게도 사회적이고, 인지적이며, 정서적이고, 신체적인 기술을 개발할 기회를 제공한다고 지적한다.

출세하고 돈 버는 데 젊은 날을 다 소진하고 막상 인생을 즐기고 싶다는 생각이 들 즈음에는 그럴 기력이 없어 아쉬워하는 이들이 얼마나 많은지 모른다. 그처럼 어리석은 선택을 하지 않으려면 먹고 사는 데 필요한 일들만큼이나 즐겁고 신나는 일에도 에너지를 쏟으라. 엉뚱한 재미를 찾는것은 대단히 중요하다. 무엇이든 세월을 잊고 쏙 빠질 만큼 신나는 일을 찾아 즐기라.

보드 게임이든 그림 그리기든 마라톤이든, 다른 그 무엇이든 그처럼 몰두하거나 몰입할 수 있는 활동을 하는 것이 인간이 세상에서 얻을 수 있는 행복의 극치에 가깝다는 연구 결과들은 이루 헤아릴 수 없을 만큼 많다. 내게는 낚시가 즐거운 놀이인데 낚싯대를 드리울 때마다 '신선놀음에 도끼자루 썩는 줄 모르는' 경지에 빠지곤 한다.

아버지와 어머니는 여섯 살짜리 어린 나를 데리고 낚시를 다녔다. 어머니는 낚싯바늘에 옥수수 쪼가리를 미끼로 꽂아 물에 던져 넣었다. 나는 발가락으로 줄을 단단히 붙들기만 하면 됐다. 물고기를 잡을 수 있다는 믿음을 가지고 고집스럽고 끈질기게 기다렸다. 큼지막한 물고기가 나타날 때까지 버티고 또 버티다 보면, 언젠가는 녀석이 옥수수 뭉치를 덥석 물 날도 오지 않겠는가!

전략은 어김없이 들어맞았다. 60센티미터가 넘는 물고기가 미끼를 쫓기 시작했다. 어쩌면 물위에 어른거리는 내 조그만 그림자를 먹잇감으로 착각했는지도 모른다. 놈이 미끼를 채서 달아나려 하는 순간, 발가락으로 줄을 잡아당겼다.

> 우리가 안전지대에서 걸어 나오는 순간, 발전하고 성장할 가능성이 활짝 열린다.
>
> Life Without Limits

마디마디가 끊어질 것처럼 아팠다. 그래도 풀어 주지 않았다. 대신 기발한 작전을 동원했다. 줄 위에 털썩 주저앉은 것이다. 물고기가 줄을 잡고 요동하는 통에 궁둥이가 불에 덴 것처럼 쓰렸다.

"잡았다! 아이고 엉덩이야! 어쨌든 잡았다!" 난 소리를 질렀다.

아버지와 어머니, 사촌들이 달려와서 커다란 물고기를 끌어올렸다. 거의 내 키만한 월척이었다. 하루 종일 잡은 것 가운데 단연 으뜸이었다. 아프고 쓰린 상처가 났지만 그만한 가치가 있었다. 그날 이후로 낚시는 내 생활의 일부가 됐다. 이제는 낚싯대와 릴 쓰는 법을 익혔으므로 더 이상 엉덩이에 불이 날 일은 없다. 녀석이 미끼를 물면 어깨와 뺨으로 낚싯대를 단단히 잡고 이로 줄을 물고 적절한 시점에 풀어 주고 당기기를 되풀이한다. 치실로 이를 청소하면서 물고기를 잡는 나만의 방법이다.

팔다리가 없는 몸으로 낚시를 하다니, 터무니없는 소리로 들리는 가? 그럼 학교 밴드부에서 북을 치고 나중에는 지휘까지 맡았다는 것은 어떻게 생각하는가? 믿기 힘들겠지만 그것은 엄연한 사실이다. 나는 아주 어린 나이에 나만의 타악기 연주법을 완벽하게 마스터하였다. 주일 밤마다 교회에 가서 두께가 다른 찬양집 몇 권을 줄지어 늘어놓고는 성가대의 찬양에 맞추어 발로 책을 리드미컬하게 두들겨 댔다. 나를 비롯하여 우리 집안에는 박자에 천부적인 감각을 가진 이들이 제법 있다. 오죽하면 삼촌들이 드럼 머신을 사주었겠는가? 사람들의 칭찬에 힘입어 나는 팔다리가 없는 타악기 연주자로 거듭났다. 스네어 드럼(뒷면에 울림줄을 댄 작은 북)에서 시작하여 베이스 드럼을 거쳐 나중에는 심벌즈까지 두루 섭렵했다. 지금도 업그레이드 된 드럼머신을 가지고 더러 연주를 한다. 음악은 영혼을 어루만져 주는 힘이 있는 것 같다.

재즈 앙상블과 재즈 밴드에서 활동하면서 음악에 대한 사랑은 더 깊어졌지만 평생을 통틀어 음악적으로 가장 빛났던 시기는 고등학교 오케스트라를 지휘했을 때가 아닌가 싶다. 오케스트라에 나 같은 사람이 끼어들 구석이 있으리라고는 누구도 생각지 못했을 것이다. 한번은 음악 교사가 건강 문제로 리허설을 진행할 수 없게 되자, 나는 주저 없이 60명으로 구성된 오케스트라를 지휘해 보겠다고 나섰다. 이미 연주할 목록을 꿰고 있었으므로 수많은 학생 연주자들 앞에 서서 어깨를 움직이는 것만으로도 충분히 오케스트라를 이끌 수 있었다. 위험을 무릅쓰고 모험을 감행했으며 관객들 역시 그날 연주가 유난히 아름다웠다는 칭찬과 함께 박수를 보내 주었다.

▐ 다 쏟아부으라

그 누구도 "나를 향한 하나님의 일간, 월간, 평생 계획이 이렇다"라고 똑 부러지게 말할 수 없을 것이다. 하지만 거기다가 이런저런 장식을 붙이고, 나름대로 목표를 세우고 추구하며, 무모한 시도와 엉뚱한 열정을 통해 기쁨과 의욕을 얻는 것은 얼마든지 가능하다. 앞부분은 다 제쳐 두고라도 이 장에서 내가 말했던 모험담들, 곧 비행기 짐칸에 올라가고, 수하물 컨베이어벨트를 타고 돌아다니며, 스쿠버다이빙을 하고, 스턴트맨으로 활약하며, 물고기를 낚고, 드럼을 치고, 오케스트라를 지휘하는 모습 등을 잠시 떠올려 보라. 사지가 온전하지 못한 내가 이처럼 엉뚱한 재미를 추구했다면, 한계를 딛고 서서 삶의 즐거움을 마지막 한 방울까지 맛보고 있다면, 멀쩡한 여러분의 삶은 어떠해야 할까?

하나님께 영광을 돌리는 삶을 살라. 한 줌의 에너지도 남기지 말고 다 쏟아부으며 살라. 자기만의 독특한 자질을 낱낱이 끄집어내라. 엉뚱하고 우스꽝스러워지는 걸 두려워하지 말라. 언젠가 엉뚱한 행복을 누리게 될 것이다.

사방이 캄캄하기만 했던 그날 밤,
끝내 난 내 목숨을 건드리지 못했다.
주님은 내 인생을 가져다가
열 살짜리 꼬마가 이해할 수 있는
제한된 비전보다 훨씬 월등하게
큰 의미와 목적, 기쁨을 가득 담아 주셨다.

삶의 목적을 찾는 것만큼 소중한 일은 없다.
분명히 말하지만,
누구에게나
세상에 보탬이 될 만한 구석이 있는 법이다.

혼자보다 둘이 더 낫다

열한 살 때, 부모님과 함께 오스트레일리아의 골든 코스트에 가게 되었다. 두 분이 잠시 해변을 거니는 사이 나는 바닷가의 차가운 모래 위에 앉아 파도를 굽어보며 바람을 쐬고 있었다. 큼지막한 티셔츠를 뒤집어쓰고 있었으므로 일광욕을 할 수는 없었다.

그때 바닷물을 찰박거리며 걷던 젊은 여성이 다가오더니 환하게 웃으며 말을 걸었다. "와, 멋지다!"

울퉁불퉁 튀어나온 이두박근 얘기가 아닌 줄 뻔히 알면서도 짐짓 모르는 체 물었다. "무슨 말씀이세요?"

"그렇게 파고 들어가는 데 얼마나 걸렸어?"

모래 속에 하반신을 감추고 있다고 생각한 모양이었다. 장난기가 발동해서 시치미를 뚝 떼며 대답했다.

"아, 이거요? 제법 오래 팠지요."

아가씨는 깔깔거리며 웃으며 돌아섰다. 하지만 금방 다시 돌아보리라는 걸 알았으므로 잠자코 기다렸다. 아니나 다를까, 얼마 가지 않아서 고개를 돌려 이쪽을 바라보았다. 순간 나는 팔짝 뛰어올라 깡충깡충 바다를 향해 뛰었다. 화들짝 놀란 아가씨는 넘어질 듯 비틀거리며 냅다 달음질쳐 사라졌다.

어린 시절에는 더러 그런 처지를 원망하곤 했지만 차츰 상대방의 입장을 이해하고 인내할 줄 알게 됐다. '넘치는 이가 있는가 하면 다소 모자라는 사람도 있는 법'이라는 것을 배웠던 것이다.

마음을 읽고, 관계를 맺으며, 깊이 교제하고, 상대편의 입장이 되어 생각하고, 누구를 신뢰하고 어떻게 신뢰를 받을 것인지 판단하는 기술은 행복한 삶을 누리는 데 대단히 중요하다. 서로 이해하고 의지하는 관계를 형성하는 능력이 부족하면 성공하기 어렵다. 인간에게는 사랑을 나눌 파트너뿐만 아니라 꿈을 믿어 주고 성취하도록 도울 친구, 멘토, 역할 모델, 그리고 후원자가 필요하다.

인간은 태생적으로 사회적 동물이다. 하지만 관계가 예상했던 것처럼 원만하게 돌아가지 않는다면 교감하는 방법, 거기에 투자하는 자원, 기대하는 보답 따위에 관한 자신의 관점을 다시금 돌아볼 필요가 있다. 자신의 됨됨이, 두려움, 좌절, 기쁨 따위를 일방적으로 전달하면서 친구를 얻으려고 애쓰는 태도야말로 관계를 형성하고 이끌어 나갈 때 저지르기 쉬운 가장 큰 실수다. 서로에게 유익을 주는 탄탄한 우정을 쌓으려면 상대에 관해 배우며 공통 관심사를 찾아야 한다.

관계를 만들어 가는 과정은 적금을 붓는 것과 비슷하다. 무언가를 집어넣지 않으면 아무것도 꺼낼 수 없다. 그러므로 가끔씩 가까운 이들에게 접근하는 방식을 점검해서 어떤 부분이 훌륭하고 어떤 점이 부족한지 정리하는 관계의 기술을 다듬어야 한다.

▶마음과 마음을 잇는 다리

어린 시절, 어머니는 시장을 비롯하여 공공장소에 나를 데리고 다닐 때가 많았다. 일을 보는 동안 나는 휠체어에 앉아서 행인들의 얼굴을 관찰하며 시간을 보냈다. 스치고 지나가는 사람들을 보면서 무슨 일을 하고 있을지, 어떤 됨됨이를 가졌을지 상상해 보았다. 한번 훑어보고 내린 판단이 정확하다고 자신할 수는 없겠지만 진지하게 한 사람 한 사람의 몸짓과 표정을 살피고 전반적인 됨됨이를 읽어 내려고 노력했다. 물론 의식하고 한 행동은 아니었지만 되짚어 볼수록 본능적으로 대단히 중요한 능력을 단련하는 과정이었다는 생각이 든다. 나로서는 자신을 지킬 팔이 없고 달아날 다리가 없었으므로 상대방을 신뢰할지의 여부를 재빨리 판단해야 한다. 누구보다 취약점이 많았던 까닭에 그만큼 인간에 대한 관심이 높았다.

나는 주변 사람들의 기분, 감정, 또는 목소리에 주의를 기울였다. 이상하게 들릴지 모르지만, 누가 언제 휠체어 손잡이를 만지작거리는지 촉각을 곤두세우고 관찰했다. 마치 손이 맞닿는 느낌이었다. 악수를 하거나 손을 잡을 때처럼 몸과 몸이 연결되는 묘한 느낌이

들었다. 가족들이나 친구들이 휠체어에 손을 올려놓으면 따뜻하게 맞아주는 상대방의 마음이 감지됐다.

전문 강사로서 사람들과 관계를 맺어 가는 것도 나만의 독특한 방식이 있다. 무대에 자주 서는 사람들은 두 손을 어떻게 처리해야 좋을지 난감하다지만 나로서는 그런 염려를 할 필요가 없다. 하지만 얼굴, 특히 눈으로 마음을 전달하는 데는

> 관계는 적금을 붓는 것과 비슷하다. 무언가를 집어넣지 않으며 아무것도 꺼낼 수 없다.
>
> Life Without Limits

신경을 많이 쓰게 된다. 제스처를 써서 요점을 강조하거나 감정을 표현할 수 없기 때문이다. 그래서 눈을 크게 떴다 가늘게 뜨기도 하고 표정을 바꿔 가며 느낌을 전하고 청중들의 주목을 이끌어 낸다.

나는 눈 맞추는 것을 아주 좋아한다. 눈은 마음의 창이라고 믿기 때문이다. 눈을 들여다보면 그 사람의 멋진 됨됨이가 가장 잘 드러난다. 물론 나쁜 점도 있고 불완전한 구석도 보이지만 가능하면 좋은 점을 먼저 보려고 한다.

마주앉은 이들의 눈을 들여다보고 이런저런 질문을 하면서 공통적인 화제를 찾아내면 빠르고 쉽게 상대방의 마음 문을 열 수 있다는 사실을 나는 체험을 통해 배웠다. "와, 반가와요. 이리 와서 한번 안아 줄래요?"라는 간단한 말로도 금방 친해질 수 있다. 상대방에게 손을 내밀고, 유대감을 형성하며, 공통분모를 발견하는 일련의 작업들은 누구나 마스터해야 할 관계의 기술이다. 얼마나 능숙해지느냐에 따라 주위에 있는 이들과 교감하는 깊이도 달라진다.

대인관계의 기술

대다수 운전자들이 자신의 운전 실력을 과신하듯, 수많은 이들이 자신의 대인관계 기술이 출중하다고 믿는다. 남동생 에어런은 나더러 "운전면허증도 없는 주제에 뒷자리에 앉아 입으로만 운전하는 엉터리"라고 놀린다. 인간관계를 맺어가는 능력이 차츰 나아지고 있지만 여전히 미완성이라는 것이다. 하긴 누구라서 완성된 기술을 가졌다고 장담할 수 있겠는가!

아무런 제한도 없이 거침없는 삶을 사는 길은 누구에게나 활짝 열려 있지만 제아무리 대단한 인물이라도 서로 신뢰하는 관계를 맺지 않고 외따로 살 수는 없는 법이다. 주변에 있는 이들과 친하게 지내는 방법을 늘 점검하고 평가해야 할 이유가 바로 거기에 있다. 심리학자들은 신뢰를 토대로 상호의존적인 관계를 구축하는 능력은 몇 가지 새로운 대인관계 기법에 따라 크게 달라질 수 있다고 말한다. 예를 들자면 이런 것들이다.

- 감정과 기분을 읽어 내는 능력
- 상대방이 무엇을, 어떻게 말하는지 귀 기울여 듣는 능력
- 비언어적 표현들을 평가하고, 이해하며, 거기에 반응하는 능력
- 모임이나 만남의 성격을 파악하고 맞추는 능력
- 금방 유대감을 갖게 하는 능력
- 어떤 상황에서도 매력을 드러낼 줄 아는 능력
- 재치 있게 대처하고 자신을 통제할 줄 아는 능력
- 말이 아니라 행동으로 다른 이들을 보살피는 능력

이제 이런 대인관계의 기술들을 하나하나 구체적으로 살펴보자.

감정을 읽어 내는 기술

사람마다 어느 정도까지는 상대방의 신체 언어, 목소리 톤, 표정, 눈길에 담겨진 메시지를 읽어 낼 줄 안다. 그것은 일부러 노력하지 않아도 자연스럽게 포착되는 신호들이다. 그래서 화가 잔뜩 났으면서도 아닌 척하거나 관심을 끌기 위해 아픈 시늉을 하면, 얼마 못 가서 탄로가 나게 마련이다. 심리학자들은 나이가 많을수록 상대방의 감정을 알아채는 기술이 더 나아지며 남성들에 비해 여성들이 한 수위라고 말한다. 아이를 키우는 여성들의 눈치가 '9단'을 넘는 걸 보면 충분히 수긍할 수 있는 일이다.

잘 듣고 이해하는 기술

집안 어른들에게 적어도 한두 번쯤은 이런 얘길 들어봤을 것이다. "하나님은 입 하나에 귀 두 개를 주셨다. 그러므로 말하는 것보다 곱절은 더 들어야 한다." 우리는 상대방을 이해하기 위해서가 아니라 대답하기 위해 상대방의 말에 귀를 기울이는 경우가 얼마나 많은지 모른다. 마음을 나누려면 단순히 말귀를 알아듣는 차원에 그치지 말고 그 이면에 감춰진 감정까지 이해해야 한다. 인간관계 전문가는 아니지만 주위의 친구들이 그런 이유로 아내나 애인과 갈등을 겪는 걸 자주 보았다. 일반적으로 여성들은 상대적으로 더 직관적이어서 상상력이 부족한 남성들을 짜증스러워한다고 한다. 그런 부류의 남자들은 감성보다는 말 그 자체에 초점을 맞추기 때문이다.

감지하고 반응하는 기술

잘 듣고 면밀하게 관찰하는 것도 중요하지만 상대방의 마음을 정확하게 평가하고 거기에 적절히 대응하는 것은 더욱 중요하다. 여기에 뛰어난 이들은 좋은 관계를 유지하며 업무에서도 탁월한 성과를 올리는 경향이 있다. 〈뉴욕 타임스〉는 이라크에 파병된 두 병사의 이야기를 실었는데 이들은 정찰을 하다가 주차된 차량 안에 사내아이 둘이 타고 있는 것을 발견했다. 바깥 온도가 48도가 넘는데도 창문을 꼭 닫고 있었다. 한 병사가 함께 수색에 나선 고참에게 물을 좀 주고 오겠다며 대답할 틈도 없이 자동차 쪽으로 몇 걸음 다가갔다.

상황을 전체적으로 살펴보고 있던 선임 사병은 위험을 직감하고는 동료에게 즉시 물러서라고 지시했다. 후임이 막 돌아서는 순간, 차에서 폭탄이 터졌다. 안에 있던 두 소년은 즉사했다. 도와주러 가던 병사는 파편에 부상을 당했지만 다행히 목숨은 건졌다고 한다.

나중에 선임 사병은 동료가 자동차를 향해 움직일 당시의 상황을 이렇게 증언했다. "순간 소름이 끼쳤어요. 본능적으로 위험을 느꼈지요." 그는 미묘한 상황 변화가 있어서 이미 조심하고 있던 참이라고 했다. 그날 아침은 평소와 달리 단 한 발의 총성도 없었으며 거리 전체가 이상하리만치 조용했다는 것이다.

고참 병사의 이야기는 감각과 신체 언어, '어딘지 모르게 어색한 변화' 따위를 기준으로 상황을 신속하게 인식하고 해석해서 반응하는 능력이 얼마나 중요한지를 단적으로 보여 준다. 그러한 역량을 키우는 것은 관계뿐만 아니라 생존에도 결정적인 역할을 한다.

모임의 성격을 파악하고 맞추는 기술

나는 외국을 방문할 때마다 주최 측 인사나 통역에게 지역의 관습과 전통을 잘 지켜서 청중들을 불쾌하게 만들 만한 실수를 저지르지 않게 도와 달라고 부탁한다. 어떤 나라에서는 금기 사항이 다른 나라에서는 일상적인 행동인 경우가 더러 있다. 대부분 식사중 트림을 결례로 여기지만 몇몇 나라에서는 그 요란한 소리를 요리사에 대한 감사의 표현으로 생각한다.

그리고 모임 장소나 성격에 따라 피해야 할 주제가 있다. 이건 아주 깊이 유념해야 할 문제다. 해묵은 갈등을 들춘다든지, 정치적인 얘기를 한다든지, 심지어 신앙적인 화제를 꺼내는 것조차 상황과 조건에 따라 곤란한 사태를 불러올 수 있다.

하지만 언제 어디서나 사람을 가깝게 해주는 공통된 주제가 있게 마련이다. 시간이 지날수록 더 실감하는 것이지만 잘 들어 주는 것이야말로 다른 사람들과 가까워지는 가장 좋은 기술이다.

유대감을 불러일으키는 기술

말뿐만 아니라 여러 가지 표현들이나 몸짓을 통해서도 유대감을 형성할 수 있다. 누군가가 사적인 공간을 침범해 들어오기 전까지는 이러한 사실을 의식하지 못하는 경우가 많다.

가까이 다가서서 대화를 나누는 것이 좋은 예가 될 수 있겠는데 이것은 유대감을 표현하는 몸짓일 수도 있지만 상대방을 물러서게 만드는 행동이 될 수도 있다. 어디까지를 기본적인 공간으로 보느냐는 사람마다 다르므로 한마디로 그 범위를 규정하기는 어렵다.

가까이 지내는 한 친구는 어느 모임에서 손님 넷이 동시에 관심을 보이며 다가오는 바람에 구석에 몰린 채 내게 도와 달라는 눈짓을 보냈다. 마치 사냥개에 둘러싸인 여우처럼 처량하고 절박한 눈빛이었다.

매력을 드러내는 기술

본의 아니게 언제 어디서나 주목을 받는 편이지만 그 관심을 지켜 내는 건 또 다른 문제다. 나로서는 불과 몇 초 안에 매력적인 진면목을 보여서 내 몸으로 인한 불편한 감정을 상쇄시켜야 한다. 어린이나 십대 청소년들에게는 여러분을 만나니 너무 좋아서 사족을 못 쓰겠다거나 너희는 내 오른팔과 같은 존재라는 따위의 농담을 던진다. 아이들에게 별의 별 소리 다 듣고 살았으니 염려 말고 편히 여기라는 메시지를 전하는 셈이다. 왁자지껄 웃음이 터지고 나면 청중들과 함께 시원스럽게 웃을 수 있다. 개인적으로는 상대방이 이야기할 때 전적인 관심을 보여 주는 것이야말로 좌중을 휘어잡는 가장 확실한 방법이라고 생각한다.

재치있게 대처하는 기술

남동생은 어린 시절, 내가 자기를 쥐고 흔들었다는 이야기를 자주 한다. 억울하지만 참을 수밖에 없었다는 것이다. 심지어 아버지와 어머니가 모두 집안에 있는 상황에서도 둘이 한 방을 쓰는 바람에 어쩔 수 없이 형을 돌봐야 했다고 투덜거린다. 어느 날 아침, 에어런의 친구 필이 찾아왔던 기억이 난다. 때마침 아침을 먹으려던 참이라 필에게 베이컨과 계란프라이를 먹겠느냐고 물었다.

"좋아요, 형. 고맙습니다."

다음에는 동생을 시켜서 요리를 시작했다. 고래고래 소리를 질러 가며 지시했다. "오케이, 에어런. 달걀을 몇 개 가져와. 프라이팬도 있어야겠다. 됐어. 이제 팬을 불 위에 올려놔. 계란을 깨 넣어. 난 잘 익는지 지켜볼게."

나이를 먹고 등치가 커지면서 동생은 툭하면 명령 투로 이래라저래라 하는 형을 관리하는 방법을 찾아냈다. 요구가 지나치다 싶으면 눈을 부라리면서 옷장 서랍에 집어넣고 놀러가 버리겠다고 협박하기 시작한 것이다. 나로서는 대인관계의 요령을 익히든지 영원히 장롱 안에서 살든지 선택해야 했다.

말한 대로 실천하는 기술

말은 청산유수지만 도무지 행동으로 옮길 줄 모르는 이들을 더러 보았을 것이다. 남의 말을 귀 기울여 듣고, 잘 공감하며, 금방 친해지고, 매력적이며, 재치 있는 인물이라 할지라도 결정적인 상황이 닥쳤을 때 도움의 손길을 내밀 줄 모른다면, 다른 능력들은 그저 말뿐인 공치사에 그치고 만다. "참 안됐군요"라는 말로 모든 것을 다 덮을 수는 없다. 말보다 행동의 목소리가 더 큰 법이다.

겸손한 마음으로 도움을 청하라

이러한 대인관계의 기술을 체득하기 위해서는 개인적인 이해와 관심, 일정들을 뒤로 미루고 이웃들에게 초점을 맞추어야 한다. 화제의 중심이 되어야 한다거나 남들을 즐겁게 해주어야 한다는 것이 아니라, 상대방이 좋아하는 방식으로 가까워지며 그의 삶 가운데로 초대받을 만큼 편안하게 해주어야 한다는 뜻이다.

관계의 깊이는 그저 스쳐 지나가는 정도(가게 점원, 레스토랑 종업원, 집배원, 비행기 옆자리에 앉은 승객)에서부터 규칙적으로 만나서 교감하는 수준(이웃, 직장 동료, 고객과 거래처), 더 나아가 삶의 중요한 부분을 차지하는 차원(가장 가까운 친구, 배우자, 가족들)에 이르기까지 매우 다양하다. 그리고 각 단계마다 적절한 인간관계의 기술, 즉 남들과 관계를 맺고 마음을 주고받으며 조화를 이뤄 가는 능력이 필요하다.

내게는 아주 익숙하지만 사람들이 무시하거나 지나쳐 버리기 쉬운, 그러면서도 반드시 필요한 기술이 하나 더 있다. 필요하다 싶으면 겸손한 마음으로 기꺼이 손을 내밀어 도움을 청하는 태도다. 도움을 청하는 것은 허약함의 상징이 아니다. 오히려 참다운 힘을 가졌다는 증거다. 성경은 "구하라 그리하면 너희에게 주실 것이요 찾으라 그리하면 찾아낼 것이요 문을 두드리라 그리하면 너희에게 열릴 것이니 구하는 이마다 받을 것이요 찾는 이는 찾아낼 것이요 두드리는 이에게는 열릴 것이니라"(마 7:7-8)라고 말한다.

나는 한동안 독립적으로 움직였지만, 점점 여행 스케줄이 빡빡해지면서 다시 도우미의 손을 빌리고 있다. 지금보다 조금 더 어렸을 때는 누구의 손도 빌리지 않고 혼자서 모든 일을 처리할 능력이 있음을 입증해 보이고 싶었다. 나에겐 '독립'이 가장 중요한 삶의 목표였다. 그래야 마음이 편할 것 같았다. 언제라도 마음만 먹으면 스스로 앞가림을 할 수 있다는 자존감도 필요했다.

하지만 전문 강사의 길에 본격적으로 들어서고 세계 곳곳에서 강연 초청이 들어오기 시작하면서 제 한 몸 추스르는 데 너무 많은 에너지를 투입하고 있다는 사실을 깨달았다. 전문가라면 각 지역의 다양한 청중들에게 메시지를 전달하는 데 모든 역량을 집중할 필요가 있었다. 언젠가 먼 장래에 아내와

> 제아무리 대단한 인물이라도 서로 신뢰하는 관계를 맺지 않고 외따로 살 수는 없다.
>
> Life Without Limits

가족이 생기고 나면 다시 독립적인 생활로 돌아가겠지만 지금 당장은 도우미의 지원을 받는 것이 낫다는 결론을 내렸다.

나처럼 누군가의 도움을 받아야 하는 처지라면 대인관계의 기술들은 선택 사항이 아닌 필수 사항이 된다. 상대가 나를 좋아하지 않으면 제아무리 많은 돈을 준다 해도 먹여 주고, 여행을 도와주고, 수염을 깎아 주고, 옷을 입혀 주고, 경우에 따라서는 업어다 주는 일을 하려고 들지 않을 것이다. 나의 경우에는 더러 어려운 시기를 맞기도 했지만 전반적으로 도우미와 좋은 관계를 유지하고 있다.

2005년, 그러니까 크레이그 블랙번이 찾아오기 전까지는 상주 도우미를 쓰지 않았다. 그는 내가 교회에서 강연하고 간증하는 것을 듣고 감동을 받았다고 했다. 그리고 3주에 걸쳐 햇살이 뜨거운 퀸즐랜드 해안을 따라 여행하며 강연하는 동안 도우미, 운전기사, 코디네이터 등 일인삼역을 맡아 주겠다고 자원했다. 됨됨이를 알 수 없는 누군가와 여행하는 것이 다소 부담스럽기도 했지만, 이력서를 살펴보고는 한번 믿어 보기로 작정했다. 크레이그는 내게 큰 힘이 되

어 주었다. 덕분에 강연을 비롯해서 중요한 일을 할 힘을 많이 비축할 수 있었다.

분주하게 여기저기 돌아다니며 전문 강사로서 경력을 쌓는 동시에 다른 한편으로는 독립적인 생활을 하겠다는 결심이 단호하던 시절이었으므로, 자존심을 꺾기 싫어서 꼭 필요한데도 도움을 요청하지 않는 경우도 많았다. 여러분은 나처럼 그런 실수를 범하지 않기를 바란다. 자신의 한계를 정확히 인식하고 어쩔 수 없는 상황에서는 인간답게 손을 내밀어 도움을 청하라. 신체와 정신의 건강을 지키려면 반드시 그래야 한다. 그러나 평소에 꾸준한 관심과 배려를 보이지 않았다면 친구나 동료에게 무언가를 요청하는 것 자체가 무례한 행동이 될 수 있음을 잊지 말라. 인생은 늘 베푼 만큼 받게 되어 있다.

가족이나 친구들, 또는 자원봉사자들이 몇 년에 걸쳐 대가 없이 도우미 역할을 해주기도 했지만 대부분은 급여를 지불했다. 분주한 일정을 소화하도록 돕자면 이만저만 힘든 것이 아니기 때문이다. 미국의 각 지역을 순회하며 강연을 했던 2006년부터는 더 많은 도우미들을 채용했다. 미국 순회강연을 마칠 때까지는 조지라는 친구가 자청해서 봉사자 겸 운전기사로 섬겨 주었다. 하지만 솔직히 말해서 시끄럽고 냄새나는 고물 소형차를 몰고 처음 나타났을 때는 기가 막혀서 입이 다물어지지 않았다. 심지어 자동차 바닥에는 제법 큰 구멍까지 뚫려 있었다. 그리로 쑥 빠져서 도로에 나뒹구는 상상을 했다. 그랬다가는 십중팔구 뒤따라오는 트레일러 바퀴에 깔려 쥐포처럼 납작해질 것이다. 차를 타고 달리는 내내 조마조마했지만 조지는 충실하고 섬세하게 보살펴 주었다.

현직 도우미들 가운데서는 브라이언의 고생이 가장 컸다. 그는 2008년에 나와 함께 유럽 순회강연을 다니면서 온갖 고초를 다 겪었다. 우리는 일주일 내내 단 한 번도 쉬지 않고 강행군을 펼친 끝에 루마니아 티미소아라의 호텔에서 하룻밤을 묵어가기로 했다. 트란실바니아 알프스 산맥에 자리 잡은 도시로 '작은 비엔나'라고 불릴 만큼 아름다웠다. 하지만 여정을 시작하기 전에 누군가에게서 이곳이 으스스한 동네란 소리를 들은 적이 있었는데, 그 의구심이 현실로 변하는 사건이 일어났다.

잠이 부족해서 죽을 만큼 피곤했던지라 귀신이 어쩌고 하는 얘기 따위는 새카맣게 잊어버리고 있었다. 여행을 시작한 이래 마음먹고 쉬는 건 그날이 처음이었다. 좀처럼 잠을 이루지 못하자 브라이언은 시차를 극복하는 데 도움이 될 거라며 멜라토닌을 한 알 먹을 것을 권했다.

처음에는 먹지 않는 게 낫겠다고 사양했다. 체중이 워낙 가벼운 탓에 생약 제재나 비타민에도 이상 반응을 보이는 경우가 더러 있었기 때문이다. 브라이언은 안전하니 염려 말라고 했다. 그래도 영 찜찜해서 절반만 복용하기로 했다. 한 알을 몽땅 삼키지 않은 게 천만다행이었다. 알약을 넘기자마자 깊은 잠에 빠져들었다. 여행을 하다보면 너무나도 피곤한 나머지 아무리 애를 써도 잠이 오지 않는 경우가 있다. 그럴 때는 차라리 일어나 침대에 앉아 있곤 했는데, 이번엔 꿈속에서 똑같은 짓을 했다. 게다가 잠이 든 채로 침대에 앉아 마치 청중이 앞에 있는 것처럼 설교까지 시작했다. 갑자기 옆방에서 자는 브라이언을 깨워서 메시지를 들려주어야겠다는 생각이 들었다. 영어도 아니고 평생 배운 적이 없는 세르비아어로 강연을 하고 있는데 그 신기한 장면을 어찌 혼자만 보고 말겠는가!

바로 그 순간, 브라이언이 날 흔들어 깨웠다. 가만 두었다가는 잠꼬대 설교로 루마니아 전 국민을 깨울 지경이어서 더는 두고 볼 수가 없었던 것이다. 둘 다 땀에 젖어 있었다. 잠자는 동안 냉방 장치가 멈추는 바람에 한여름 밤의 열기에 푹 삶은 돼지고기 꼴이 되고만 것이다. 어쩔 수 없이 창문을 활짝 열었다. 신선한 공기가 방안으로 밀려들었다. 누가 먼저랄 것도 없이 다시 쓰러져 코를 골았다.

한 시간이나 흘렀을까? 우리는 다시 잠에서 깨어났다. 이번에는 트란실바니아의 모기로 추정되는 무언가가 몸에 들러붙어 포식을 하는 바람에 도저히 누워 있을 수가 없었다. 피곤해서 녹초가 됐고, 공기는 후텁지근하고, 온몸은 근질거리는데다가 남들 다 가진 도구가 없어서 긁지도 못하는 판이었다. 고문도 그런 고문이 없었다.

브라이언은 샤워를 하면 가려움증이 좀 덜할 거라고 했다. 그리고 물린 자리마다 벌레 물린 데 쓰는 스프레이를 뿌려 주었다. 침대로 돌아가 누웠지만 채 십 분을 못 넘기고 브라이언을 불렀다. 온몸이 불에 덴 것처럼 화끈거렸다. 스프레이 성분에 알레르기 반응이 일어난 것이다.

브라이언은 얼른 나를 안고 욕실로 들어가 다시 몸을 씻게 하고는 곧바로 화장실 바닥에서 잠에 빠져들었다. 머리가 흔들거리며 변기에 부딪혔지만 아랑곳하지 않았다. 저러다 정신을 잃는 게 아닌가 싶을 정도였다. 끔찍한 밤이 좀처럼 지나가지 않을 듯했다. 말할 수 없이 고단해서 어떻게든 잘 수만 있으면 바랄 게 없었다. 그러나 에어컨은 여전히 고장이고 방안은 찜통이었다. 둘 다 제정신이 아니었다. 브라이언에게 베개를 달라고 했다. 그리고 황당한 얼굴로 쳐다보는 그에게 말했다.

"복도는 냉방이 되는 것 같아. 난 나가서 잘래."

브라이언 역시 말다툼을 벌일 기력이 없었다. 고꾸라지듯 침대에 누웠다. 난 문을 밀어젖히고 복도로 나섰다. 혹시라도 필요하면 도움을 청할 수 있도록 문틈을 조금 벌여 놓았다. 한 시간 남짓, 그 꼴로 단잠을 잤다. 소란스러운 소리에 눈을

> 혼자서 해결하려 하지 말라. 도움을 청하는 것은 허약함의 상징이 아니다.
>
> Life Without Limits

떠보니 낯선 남자가 나를 넘어 방안으로 들어가는 것이 보였다. 이 윽고 서툰 영어로 불쌍한 브라이언을 질책하는 소리가 터져 나왔다.

한참 뒤에야 남자가 무언가 오해를 하고 있다는 데 생각이 미쳤다. 브라이언이 몸뚱이뿐인 장애인을 복도에 내팽개치는 바람에 어쩔 수 없이 한뎃잠을 잔다고 생각하는 게 틀림없었다. 그로부터 한참 동안, 선한 사마리아인을 자처하는 이 남성에게 자발적으로 복도에 나가서 잤다는 사실을 납득시키느라 진땀을 뺐다.

이제 내가 왜 도우미를 세 명씩이나 고용해서 일주일 내내 돌아가며 근무하게 하는지 알았으리라고 믿는다. 지금은 트란실바니아에서 겪은 그 끔찍한 일을 웃으며 이야기할 수 있지만 당시에는 벌레가 나오지 않는 시원한 방에서 며칠을 내리 자고서야 간신히 그 악몽에서 벗어날 수 있었다.

태어나서 가장 먼저 받은 가르침 가운데 하나는 도움을 청하는 것이 부끄러운 일이 아니라는 것이었다. 사지가 멀쩡하든 그렇지 않든, 혼자서는 도저히 감당할 수 없는 상황에 부닥칠 때가 있는 법이다. 겸손은 대인관계를 원만하게 이끌어 가는 주요한 기술인 동시에 하나님이 주신 선물이다.

▚바지를 잃어버리고 강의도 놓치고

아직 오스트레일리아에 살고 있던 2002년, 한 교회 수련회에 초청을 받아 강연을 하게 되었다. 사촌인 네이선 폴자크와 동행하게 되었는데 하루 전날 집회 장소에 도착한 터라 시차에 적응하기가 힘들었다. 결국 늦잠을 자고 말았다.

아침 일찍 성경공부를 인도하기로 되어 있었는데 아무도 깨우러 오지 않았다. 간신히 눈을 떠보니 모임 시작 15분 전이었다. 숙소가 집회 장소와 아주 가까웠으므로 서두르면 시간 안에 도착할 수 있을 것 같았다. 정신없이 달려서 캠프에 도착했는데 갑자기 배가 아파오며 화장실에 가고 싶었다. 믿거나 말거나, 평소에는 혼자 볼일을 보고 뒤처리를 한다. 지퍼 대신 벨크로를 사용한 뒤부터는 일이 훨씬 쉬워졌다. 네이선은 뭐든지 필요한 것이 있으면 도와주겠다고 했다. 그만큼 시간이 촉박했기 때문이다. 동생은 공중화장실로 데려가서 볼일을 볼 수 있도록 모든 준비를 갖추어 주었다.

일을 치르고 난 뒤에는 다시 들어와서 마무리를 도왔다. 그런데 모든 절차가 다 끝날 무렵 엄청난 사건이 터졌다. 네이선이 내 반바지를 변기 안에 떨어뜨린 것이다. 우리는 너무나 놀라서 그 자리에 얼어붙고 말았다. 입을 떡 벌린 채, 운명과도 같은 바지가 서서히 소용돌이 속으로 빨려 들어가는 것을 지켜볼 따름이었다. 속옷 바람으로 서 있는 것 말고는 할 일이 없었다.

성경공부 시간은 벌써 놓쳐 버렸다. 난감한 표정으로 사촌동생을 바라보았다. 네이선 역시 충격에 빠진 표정으로 날 바라보았다. 그러고는 화장실을 처음 써본 원숭이들처럼 큰 소리로 웃음을 터트렸다. 동생의 웃음은 전염성이 강해서 녀석이 웃기 시작하자마자 나도 곧 킥킥대기 시작했다. 밖에서 기다리던 이들로서는 3번 화장실 안에서 얼마나 재미있는 일이 생겼기에 저토록 웃음을 참지 못하나 몹시 궁금했을 것이다.

사촌 형제들과 내 두 동생들은 우스꽝스러운 일을 당했을 때 웃는 법을 가르쳐 주었다. 화장실 사건도 그 가운데 하나다. 아울러 그들은 기꺼이 도와주고 싶어 하는 이들에게 기대는 법도 일러 주었다. 무거운 짐을 지고도 자존심 때문에 도움의 손길을 외면하는 어리석은 짓을 저질러선 안 된다는 사실도 분명히 알려 주었다.

▌내 인생의 도우미

여태까지 만난 도우미들은 하나 같이 훌륭했다. 그들은 친구로서 내 곁에 머물며 삶의 일부를 나누어 주었다. 대부분은 친구들이거나 강연을 듣고 마음이 움직여서 함께 일하겠다고 찾아온 이들이었다. 힘들고 어려운 시기가 어김없이 찾아왔지만 고단해 하기보다 즐기려고 했다.

그들은 나와 함께 지내면서 내가 팔다리가 없다는 사실을 의식하지 못하게 됐다거나 장애에 무신경해졌다는 이야기를 자주 했다. 멋진 일이다. 물론 처음에는 삐거덕거리게 마련이다. 신참 도우미들에게 물을 달라고 부탁하면 잔에 따라서 그냥 건네주기 일쑤다. 물 컵을 쥔 손이 한참이나 허공에 떠 있은 뒤에야 갑자기 얼굴이 빨개지면서 사태를 깨닫는다. "아이고 맙소사! 팔이 없다는 걸 깜빡 잊어버렸네요. 도대체 무슨 생각을 하는 건지! 미안합니다."

이제는 그러려니 한다. "괜찮아요. 한두 번도 아닌데요, 뭐."

하루 스물네 시간, 일주일 내내 일할 수 있는 숙련된 전문가가 될 필요는 없을 것 같다. 그러나 어떤 의미에서든 우리는 모두 도우미가 필요하다. 반짝이는 아이디어를 줄 수 있는 도우미, 솔직하게 충고를 해줄 수 있는 도우미, 격려나 위로를 줄 수 있는 도우미, 멘토나 역할 모델이 되어 줄 도우미들 말이다.

그러려면 스스로가 부족한 사람이며 얼마든지 도움을 받을 수 있다는 겸손한 마음과 용기가 필요하다. 앞에서 이미 지적한 바와 같이 목표의식이 투철하고 헌신적으로 꿈을 좇는다 하더라도 딴죽을 걸고 우리의 가치를 깎아 내리려는 '불청객'들이 반드시 등장하게 마련이다. 하지만 다행스럽게도 기운을 북돋아 주거나 앞길을 안내해 주는 이들도 같이 나타난다. 따라서 그들과 단단한 유대 관계를 맺어 열린 마음으로 그 손길을 받아들이는 것은 대단히 중요하다.

우리의 삶에 영향을 미치는 관계에는 세 가지 형태가 있다. 멘토, 역할 모델, 동반자다. 멘토는 목표에 이미 도달해 있는 인물로서 같은 꿈을 꾸면서 진심으로 성공을 빌어 주고 지원과 격려를 아끼지 않는 이들이다. 그런 의미에서 부모는 태어나는 순간부터 멘토 구실을 한다. 개중에는 또 다른 이들이 나타나서 평생의 멘토가 되어 주기도 한다.

나의 경우에는 외삼촌(지금도 오스트레일리아에서 후덕한 숙모, 그리고 효심 많은 사촌들과 살고 있다)이 그 역할을 맡아 주었다. 외삼촌은 천부적인 사업가에다 뛰어난 발명가였으며 비전을 품은 탐험가였다. 그래서 내게 늘 새로운 경험을 할 수 있도록 길을 열어 주었고 끊임없이 비상할 수 있도록 날개를 달아 주

> 어떤 의미에서든 우리는 모두 도우미가 필요하다.
>
> Life Without Limits

었다. 외삼촌은 입만 열면 자기가 쳐 놓은 장애물이 인생의 가장 큰 걸림돌이 된다고 말했다. 그렇게 인도하고 지원해 준 덕분에 난 마음껏 꿈을 펼칠 수 있었다. 게다가 외삼촌은 단 한 번도 뒤를 돌아보지 않았다. 설령 실수를 범했다 할지라도 인생과 사랑에 빠진 청년처럼 불굴의 의지로 다음 기회를 노렸다. 그리고 내가 나를 불신하던 때도 변함없는 신뢰를 보내 주었다.

우리는 저마다 자신의 멘토를 만나야 한다. 멘토는 치어리더와 달라서 우리가 바른 길에서 벗어났다 싶으면 가차 없이 잘못을 지적해 준다. 따라서 우리는 칭찬뿐 아니라 진실한 사랑과 관심이 깔려 있는 꾸지람에도 기꺼이 귀를 기울일 수 있어야 한다.

나의 사촌 던컨도 내가 존경하는 사람 중 하나다. 나는 어려서부터 누군가에게 폐를 끼치고 싶지 않아서 화장실에 가는 걸 꾹 참곤 했

다. 하지만 삼촌은 분명하게 선을 그어주었다. "가고 싶으면 사람을 불러. 이것저것 생각할 필요 없어." 다른 사촌들도 언제나 사랑과 성원을 보내 주었지만, 특히 던컨 형과 숙모 다닐카는 전문 강사로 첫발을 내딛고 고전하던 시절에 내가 두려움을 극복할 수 있도록 많은 용기를 불어넣어 주었다.

역할 모델은 장차 도달하고 싶은 자리에 이미 가 있기는 하지만 일반적으로 멘토만큼 가깝지는 않다. 하지만 멀리서나마 지켜보고, 움직임을 연구하며, 저서를 찾아 읽고, 그 길을 따라가는 대상이다. 대개는 한 분야에서 성공하고, 이름을 떨치고 있으며, 두루 존경을 받는 유명 인사들이다. 개인적으로 오랫동안 마음에 품고 바라보며 늘 만나기를 소망했던 역할 모델이 있었다. "온 천하에 다니며 만민에게 복음을 전파하라"는 마가복음 16장 15절 말씀에 은혜를 받고 그 가르침을 온몸으로 실천했던 빌리 그레이엄 목사였다. 감동을 받은 말씀마저도 나와 똑같았다.

철든 이후 지금까지 한 해에 적어도 한 번씩은 찾아보고 있는 빅 슈라터와 엘지 슈라터 부부는 멘토와 역할 모델 중간쯤 되는 존재들이다. 두 사람은 쉴 새 없이 자극을 주어서 내가 더 나은 그리스도인이자 더 훌륭한 인간이 되는 길을 꾸준히 걷게 해준다. 두 분은 오스트레일리아에 살지만 남태평양의 오지에 65개의 교회와 선교 단체를 세웠다. 내게는 선교사로서 남다른 삶을 사는 귀중한 본보기다. 드러내지도 않고 떠들어대는 법도 없지만 온 세상의 수많은 영혼들을 변화시키는 사역을 조용히 펼쳐 가는 감동적인 모델이라 할 수 있다.

십대 시절, 엘지의 환상 가운데 찾아오신 예수님은 다짜고짜 "가라!"고 말씀하셨다고 한다. 소녀는 그 말씀을 언젠가 선교사가 되어 사역하라는 뜻으로 받아들였다. 원자력 발전소에서 근무하는 빅을 만나 결혼한 엘지는 남편과 힘을 모아 교회를 세웠으며, 그리스도의 진리를 들어 보지 못한 남태평양의 부족국가 파푸아뉴기니에 들어가 선교 사역을 펼칠 계획을 추진하기 시작했다. 인구 3백만에 불과한 아주 작은 나라지만 종족들은 다양하기 짝이 없어서 방언만 해도 7백 개가 넘는 나라다.

빅과 엘지는 지구상의 그 한 지점과 깊은 사랑에 빠졌다. 지금은 오스트레일리아 북부 해안에 살면서 그곳을 근거지로 남태평양 인근의 선교 사역을 진두지휘하고 있다. 두 사람은 여러 권의 신앙 서적뿐 아니라, 성경을 토착화된 영어와 부족의 방언으로 번역하는 작업을 진행 중이다.

나의 경우 대단히 독특한 인생길을 걸어온 탓에 동반자를 찾기가 하늘의 별따기 만큼이나 어려웠다. 보통은 또래친구, 동료, 같은 목표를 가지고 비슷한 길을 걷는 이들이 동반자가 된다. 선의의 경쟁을 펼치는 라이벌도 일종의 동반자다.

부족함이 아니라 넘침에 토대를 둔다면 라이벌을 격려하고 지원하는 것도 얼마든지 가능하다. 풍성하다고 믿으면, 그러니까 하나님의 은혜가 풍족하다고 생각하면 누구에게나 아낌없이 나누어 줄 수 있다. 세상에 자원이 부족하고 기회가 제한되어 있다고 여기면 이 땅에 존재하는 인간들이 온통 나의 소중한 자산을 빼앗아가는 위협 요인으로 보일 수밖에 없다. 하지만 모든 것이 넉넉하다는 사고방식을 가지면 경쟁이 건전해질 수 있다. 그러므로 누구에게나 넉넉히 돌아갈 몫이 있다고 믿으라. 그러면 스스로 최선을 다할 뿐만 아니라 남들을 격려하는 데도 힘을 쏟을 수 있다.

풍부함에 뿌리박은 정신 자세를 갖추면 나란히 삶의 여정에 나선 나그네들에게 동지애를 느끼고 서로 협력할 수 있게 된다. 개인적으로는 비슷한 궤적을 그리며 살아온 조니 에릭슨 타다와 우정을 나누면서 자연스럽게 그 진리를 체득했다. 앞에서 이야기한 바와 같이, 얼굴을 대하기 훨씬 전부터 조니는 나의 역할 모델이었다. 그녀는 나중에 내가 미국에서 자리를 잡을 수 있도록 도와준 멘토가 되었으며, 지금은 지혜로운 충고를 해주고 따뜻한 마음으로 하소연을 들어주는 동반자로 자리 잡았다.

그리고 십대 때 우리 옆집에 살면서 다양한 형태로 날 위해 힘써준 재키 데이비슨도 나의 동반자라 할 수 있다. 그녀는 어린 자녀를 키우며 바쁘게 살아가는 중에도 언제나 내게 시간을 내주었으며 거침없이 쏟아지는 내 하소연(좋은 일이든 나쁜 일이든)을 싫은 기색 없이 잘 들어 주었다. 나이 차이가 크지 않았으므로 판단이 앞서는 어른이라기보다 지혜로운 친구에 가까웠다. 나 또한 그 집 가족들을 정말 좋아해서 아이들의 숙제를 도와주거나 큰형 노릇을 해주었다.

힘겹고 고단했던 2002년, 오래 사귀던 여자 친구와도 헤어진 터라 나는 몹시 심란하고 혼란스러워 통 마음을 잡을 수 없었다. 대단히 예민해진 상태에서 나는 재키에게 달려갔다. 그리고 실타래처럼 엉켜버린 상황을 정리할 수 있도록 도와 달라고 요청했다. 이편에서 속내를 다 쏟아 낼 때까지 상대는 두 손을 무릎에 올려놓은 채 잠자코 듣기만 했다. 불현듯 감정의 짐을 엉뚱한 이에게 떠넘기고 있다는 생각이 들었다. 끈질기게 기다리던 재키가 마침내 입을 열었다. "어떻게 해주면 좋겠어요? 한번 얘기해 봐요." 그리고 반짝이는 눈에 환한 미소를 담고 말했다. "하나님을 찬양하세요."

어리둥절하고 다소 낙심한 말투로 물었다. "뭘 가지고 하나님을 찬양하죠?"

"그냥 하나님을 찬양하세요."

고개를 숙이고 바닥을 내려다보며 생각했다. '해줄 얘기가 고작 이것뿐이란 말인가? 이게 내가 알던 그 여성이란 말인가?'

그때 문득 재키가 하나님을 신뢰하며 그분이 결코 나를 잊지 않았음을 기억하라는 이야기를 하고 있음을 깨달았다. 인간의 지혜가 아니라 하나님의 권능을 믿으라는 것이다. 주님께 굴복하고 감정과 상관없이 그분께 감사하라는 충고였다. 주님이 주실 축복에 미리 감사하면 결국 그 은혜를 누리게 된다는 걸 가르치고 있었다. 재키는 대단한 믿음의 소유자였다. 갈피를

> 자신과 연결되어 있는 이들을 소중하게 여기고 그들의 중요성을 잠시라도 잊지 말라.
>
> Life Without Limits

잡지 못하고 헤매거나 상처를 입고 괴로워할 때마다 그것들을 하나님 앞에 내려놓는 것을 일깨워 주었다. 하늘 아버지는 거룩한 자녀들 하나하나를 향해 특별한 계획을 가지고 계시기 때문이다.

함께 가는 길

누구나 자신의 주변에 핵심을 짚어 주고 잘못을 정확하게 지적해 주는 사람이 한둘쯤은 있으면 좋겠다고 생각한다. 자신이 무엇을 하고 있으며, 어디로 가고 있고, 무엇 때문에 경주를 벌이며, 다음에 무슨 일을 해야 할지 정확하게 판단할 수 있도록 보살펴 줄 만한 인물을 그리워하는 것이다.

전문 강사가 되기로 마음먹었을 때, 부모님을 비롯한 몇몇 지인들은 여러 가지 염려가 많았다. 내가 교단과 교파를 초월해서 온 세계 교회들을 찾아다니며 내 신앙에 관해 이야기하고 싶다고 하자, 어머니와 아버지는 건강은 괜찮을지, 그리고 과연 하나님이 나를 통해 그런 일을 하고 싶어 하시는지 확신하지 못하는 눈치였다.

걱정이 앞서는 두 어른의 심정을 충분히 헤아릴 수 있었지만 나를 전도자로 부르시는 하나님의 음성 또한 너무나 또렷했다. 그래서 두 분이 나와 똑같은 결론에 이르게 되기를 기도할 뿐이었다. 감사하게도 주님의 은혜로 두 분뿐만 아니라 온 교회가 나의 부르심을 인정하고 받아들여 주었다. 그래서 장로와 리더들이 지켜보는 가운데 우리 교회의 첫 번째 전도 사역자로 임명받았다.

2008년, 전도 사역자로 임명받던 날, 아버지와 어머니는 나를 위해, 그리고 나와 함께 기도했다. 자식이 하나님 말씀을 온 세상에 두루 전하는 일에 뜨겁게 헌신했음을 두 분도 분명히 깨달았다. 온 교인들 앞에서 부모님이 나를 위해 기도해 주던 장면은 아마 죽는 날까지 잊지 못할 것이다. 이제 두 분은 일생일대의 중요한 결정을 내릴 때 보였던 그릇된 반응을 상쇄하고도 남을 만큼 강력하고 든든한 후원자가 됐다.

내면의 자아와 대인관계의 기술, 관계를 맺고 유지하는 능력을 평가해 보라. 어떤 점에서 보완이 필요한가? 신뢰를 살 만한 됨됨이를 갖추었는가? 가까운 이들을 믿고 의지하는가? 성공적인 삶을 살도록 기꺼이 모든 자원을 투자해 줄 이들이 있는가? 그런 후원자들을 존경하고 존중하는가? 받은 만큼 돌려주고 있는가?

관계의 질은 삶의 질에도 큰 영향을 미친다. 따라서 자신과 연결되어 있는 이들을 소중하게 여기고 그들의 중요성을 잠시라도 잊지 말라. 성경은 말한다. "혼자보다는 둘이 더 낫다. 두 사람이 함께 일할 때에, 더 좋은 결과를 얻을 수 있기 때문이다. 그 가운데 하나가 넘어지면, 다른 한 사람이 자기의 동무를 일으켜 줄 수 있다. 그러나 혼자 가다가 넘어지면, 딱하게도, 일으켜 줄 사람이 없다"(전 4:9-10).

하나님은 단 한순간도
나를 포기하신 적이 없다.
그래서 나 자신도
나를 포기하지 않는다.

작은 나눔이 세상을 바꾼다

스무 살이 되던 해, 두 주간에 걸쳐 남아프리카공화국을 여행하며 강연할 기회가 있었다. 모임을 주관하고 일정을 잡아주기로 한 사람과는 일면식도 없었던 탓에 부모님은 달가워하지 않았다. 안전과 건강이 염려되는데다가 여행 경비도 만만치 않았기 때문이다.

내막은 이랬다. 존 핑고는 나의 비디오 한 편을 보고는 빈민가의 가난한 이들에게 이 희망의 메시지를 들려주어야겠다는 사명감이 샘솟더라고 했다. 그래서 교회, 학교, 고아원 등지를 도는 순회강연을 직접 주선했다. 그러곤 내게 남아프리카공화국을 방문해 달라고 간청하는 편지와 전화, 이메일 등의 폭탄을 쏟아 부었다.

그의 끈기와 열정이 내 마음을 흔들었다. 열악한

환경과 불확실한 미래를 바라보며 고통스러워하던 성장기에 그나마 편안한 마음이 들었던 순간은 남들에게 관심을 가지고 무언가 보탬이 되는 일을 할 때뿐이었다. 시선을 돌려서 다른 이들의 필요를 채우는 데 집중하면 마음이 홀가분해지고 나만 어려운 처지에 있는 것이 아니라는 자각이 들었다.

친절이나 베풂은 그것이 아무리 사소할지라도 강력한 힘이 있다. 자그마한 친절은 비슷한 행동을 일으키는 연쇄 반응의 시발점이 되어 결국 처음과는 비교할 수 없을 만큼 대단한 결과를 내기도 한다. 누구나 한번쯤은 받은 호의에 감사해서 똑같은 친절을 다른 이에게 베풀었던 경험이 있을 것이다.

스스로 아무짝에도 쓸모없고 누구도 좋아해 주지 않을 거라고 생각하던 내 삶의 가장 어두웠던 시기에 학교에서 만난 여학생 하나가 아주 간단한 이야기로 자신감을 불어넣어 주었다는 이야기를 앞에서 한 적이 있다. 그 아이는 내게도 무언가 나눠줄 게 있다는 확신을 주었으며 그 결과 사람들을 격려하는 지금의 이 일을 하게 되었다. 어린 여학생의 작지만 따뜻한 친절이 수백, 수천 배의 결실을 맺고 있는 것이다. 그러므로 가진 것이 좀 더 많아지면 남을 돕겠다고 생각하고 있다면 지금 곧, 하루하루의 삶 속에서 할 수 있는 일들을 실천하라는 이야기를 해주고 싶다.

얼마 전에 홍콩의 어느 고등학생이 보내온 이메일은 나이가 많든 적든, 부유하든 가난하든 얼마든지 변화를 일으킬 수 있음을 여실히 보여 준다.

비교적 넉넉한 가정에서 태어나 풍요로운 생활을 하고 있음에도 불구하고, 드문드문 나 자신이 아무짝에도 쓸모없는 존재인 것 같은 두려운 느낌이 들 때가 있습니다.

그런데 고등학교에 들어간 첫 날, 다른 학생들과 함께 '사람답게 사는 길'이란 수업을 듣게 되었습니다. 선생님은 우리들에게 이제는 한 반이 아니라 한 가족으로 생각하라고 가르치셨습니다. 수업을 받으면서 많은 걸 배웠습니다. 선생님은 1994년 르완다에서, 그리고 요즘 수단 다르푸르에서 자행되고 있는 집단 학살을 비롯해서 세계 곳곳에서 벌어지는 중요한 사건들을 설명해 주셨습니다. 저뿐만 아니고 우리 반 모두가 난생처음 격정을 느꼈습니다.

이제는 다르푸르에서 일어나고 있는 사태를 파악하고 어떻게든 돕고 싶은 마음이 가득합니다. 어른들은 고작 열네 살짜리들이 뭘 어떻게 하겠느냐고 생각하겠지요. 하지만 우리는 세상을 향하여 변화를 이끌어 내는 법을 보여 줄 길을 찾았습니다. 사람들에게 지금 다이푸르에서 진행되는 일들을 알려 주는 퍼포먼스를 준비한 겁니다. 우리는 마음과 영혼에 불을 댕겨 줄 열정의 씨앗을 발견했습니다. 그 덕분에 뜻밖의 많은 돈이 거둬져서 다르푸르의 불쌍한 시민들에게 생필품을 보낼 수 있었습니다.

*

어린 친구들이 참으로 지혜롭지 않은가? 남들을 섬기려는 열정은 하나님이 주시는 가장 놀라운 선물일지도 모른다. 생필품을 전달받은 다르푸르의 가난한 시민들은 크든 작든, 물품 하나하나에 깊이 감사하리라고 굳게 믿는다. 다른 이들을 위해 무언가를 하길 원한다면 능력에 못지않게 의지가 중요한 법이다. 그리고 그 이면에는 하나님의 놀라운 권능이 감춰져 있다. 우리가 어려운 이웃에게 손을 내밀 때 주님은 우리를 통해 역사하신다. 성경은 "내게 능력 주시는 자 안에서 내가 모든 것을 할 수 있느니라"(빌 4:13)라고 말한다.

무엇이든지 자신이 대접 받기 원하는 대로 남에게 베풀라. 작은 사랑이라도 날마다 실천하면 저도 모르는 사이에 힘이 생기고 자신의 상처와 좌절에서 벗어나게 될 것이다. 대가를 바라고 베풀어서는 안 되지만, 선한 행위에는 놀라운 상급이 따르게 마련이다.

조그만 친절로 세상을 얼마나 바꿔 놓을 수 있는지 아는가? 잔물결이 거대한 파도의 출발점이 될 수 있다. 놀림을 받고 풀이 죽은 내게 다가와 '넌 참 괜찮은 아이야'라고 이야기해 주었던 여학생은 상처 입은 감정을 다독여 주는 차원을 넘어 내 열정의 도화선에 불을 붙였다. 지금 내가 세계 곳곳의 수많은 이들을 섬기는 일을 소명으로 감당하도록 이끌어 준 셈이다.

먼저 손을 내밀라

사람들을 위해 얼마나 많은 일을 할 수 있을지에 대해서는 염려할 필요가 없다. 내가 베푸는 친절이 상상 이상으로 막강한 힘을 발휘

할 것을 믿고 그저 손을 내밀기만 하면 된다. 홍콩의 학생들이 그랬던 것처럼, 나 역시 남아프리카공화국을 생각할수록, 그리고 존 핑고에게 더 많은 이야기를 들을수록 그곳에 가려는 의지가 더욱 강해졌다.

제안을 받고 나서 3주를 고민하며 기도했다. 비로소 하나님이 가라고 하신다는 확신이 들면서 힘닿는 데까지 기운을 북돋아주고 싶었다. 남아공에 대해서는 아는 것이 거의 없었다. 사실은 부모님 없이 혼자 여행하는 것도 처음이었다. 아버지는 현지의 친구들에게 연락을 해보고 난 뒤로 더 불안해했다. 들리는 소식은 폭력 범죄가 심각한 수준이며 여행자들이 공격을 받고 소지품을 털리는 것은 물론이고 살해당하는 일까지 벌어진다는 얘기뿐이었다.

"얘야 치안 상태가 몹시 불안하단다." 아버지는 극구 만류했다. "게다가 존 핑고라는 사람이 누군지도 정확히 모르잖니? 그 사람을 어떻게 믿고 함께 전국을 돌아다닌다는 거니?"

여느 부모들처럼 두 분도 자식에 대해서는 대단히 방어적이다. 장애를 가진 채 태어났다는 이유만으로 끝까지 안전을 지켜줘야 한다는 책임감이 과할 정도다. 하지만 나로서는 하루빨리 독립해서 하나님의 부르심을 따라 전도자요 영감이 넘치는 강사로서 경력을 쌓아가고 싶은 마음이 굴뚝같았다.

부모님의 머리에 간간히 보이는 새치들이 어쩌면 모험을 좋아하고 고집 센 아들 때문에 생긴 것인지도 모르겠다. 여행 계획을 알렸을 때 두 어른이 보인 첫 반응은 어떻게 신변을 보호하고 경비를 마련하느냐는 것이었다. 난생처음 내가 번 돈으로 집을 마련한 직후인지라 여기저기 떠돌아다니지 말고 차분히 빚을 갚아 나가는 것이 좋겠다는 의견이었다. 게다가 다음의 두 가지 사실을 추가로 알게 되면서 어른들의 걱정은 곱절로 늘었다. 먼저는 나의 전 재산과 다름없는 2천 5백만 원을 현지 고아원에 기부하려고 한다는 것이었고, 다음은 어린 동생을 함께 데려가려고 한다는 것이었다.

두 분의 입장에서 보면 내가 얼마나 걱정스러웠을지 짐작이 가고도 남는다. 하지만 나의 마음도 단호했다. "누가 이 세상의 재물을 가지고 형제의 궁핍함을 보고도 도와줄 마음을 닫으면 하나님의 사랑이 어찌 그 속에 거하겠느냐?"(요일 3:17)는 성경 말씀처럼 사람들을 섬김으로써 믿음을 실천해 보이고 싶었다. 심한 장애를 가졌을지라도 믿음으로 넉넉히 감당할 수 있으며 바로 지금이 목표를 향해 발을 내디뎌야 할 시점이라고 생각했다.

두 분에게 무사히 일정을 마치고 돌아올 수 있다는 믿음을 심어 줄 필요가 있었다. 게다가 남동생마저 여행을 달가워하지 않았다. 사실 처음에는 내 부탁을 거절했다. 치안 상태가 좋지 않다는 뉴스를 본 데다가 '사자 밥'이 되는 건 자기 취향이 아니라는 이유였다. 하지만 착한 에어런은 형과 함께 가서 여행을 돕는 게 도리라고 결론지었다. 어른들과 더불어 여행을 위해 계속 기도했고 결국은 두 어른도 축복하며 보내 주었다. 여전히 걱정스럽기는 했지만 하나님이 보살펴 주실 것을 신뢰했다.

온 세상을 섬기려는 마음

오랜 비행 끝에 남아공에 도착했다. 집회를 주선한 현지 책임자는 약속대로 공항에 나와 있었다. 그동안 특별한 이유 없이 존 핑고라는 인물이 나이 지긋한 남성일 것이라고 믿고 있었다. 아버지만큼은 아닐지라도 최소한 삼십대는 됐을 거라고 상상한 것이다. 그런데 공항에서 만난 존은 당시 나보다 한 살 아래인 열아홉 살이었다.

'어른들 말씀을 들을 걸!' 얼굴을 맞대는 순간 속으로 생각했다. 다행스럽게도 시간이 지날수록 그가 대단히 성숙하며 뛰어난 능력을 가진 인물이라는 사실이 또렷이 드러났다. 그는 비디오를 보면서 나의 라이프스토리에 큰 감명을 받았다고 했다.

존은 남아프리카공화국 오렌지 자치국에 있는 어느 목장에서 자랐다. 어려서는 나쁜 친구들과 어울려 다녔지만 곧 열렬한 그리스도인이 되었으며 젊은 나이에 이미 트럭으로 화물을 나르는 조그만 운송회사를 소유하고 있었다. 자신의 삶을 변화시켜 주시고 축복을 베풀어 주신 하나님께도 늘 감사했다.

그는 불쌍한 이들에게 믿음의 메시지를 들려주어야겠다는 열의가 이만저만 뜨거운 것이 아니었다. 나와 함께 교회와 학교, 고아원, 감옥을 돌아다니기에 충분한 비용을 마련하기 위해 자동차까지 처분했다. 그러곤 숙모가 가진 푸른색 밴을 빌려서 나와 함께 강연 일정이 잡혀 있는 케이프타운, 프리토리아, 요하네스버그 등지를 돌아다녔다.

하루에 네다섯 시간밖에 못 자는 강행군이 이어졌다. 하지만 그 여행을 통해서 인생을 영원히 바꿔 놓을 사람들과 사건들을 접하게 되었다. 나는 남아공을 누비면서 내가 평생 무슨 일을 하며 살아야 할지 알게 되었다. 격려와 위로의 메시지를 온 세상의 수많은 이들과 나누겠다는 소명의식이 생긴 것이다.

오스트레일리아에서 자라고 기껏해야 미국 캘리포니아에서 잠시 살았던 에어런과 나는 세상을 몰라도 너무 몰랐다. 제법 컸다고 생각했지만 그곳에 가 보니 우리는 온실 속의 화초나 다름없었다. 그런 느낌은 공항을 떠나 요하네스버그

> 많이 가졌든 적게 가졌든, 친절이나 베풂은 그것이 아무리 사소할지라도 강력한 힘이 있다.
>
> Life Without Limits

로 가면서부터 짙어지기 시작했다. 에어런은 창밖으로 무시무시한 표지판이 있는 걸 보고는 소스라치게 놀랐다.

'주의 : 퍽치기 강도 잦은 곳.'

동생은 차를 몰고 있는 존에게 물었다. "저게 무슨 뜻이죠?"

"아, 그거요? 사람들이 자동차 유리창을 깨고 물건을 털어서 달아나는 사고가 빈번하게 일어나는 지역이라는 말이죠."

우리는 창밖을 두리번거리며 사방을 경계하기 시작했다. 꼭대기까지 철조망을 올린 높다란 콘크리트 장벽이 서 있고 그 주위로 수많은 집들이 다닥다닥 붙어 있는 걸 보고 난 뒤에는 걱정이 더 깊어졌다. 하지만 하루 이틀 지내보니 가난하고 범죄율이 높은 다른 나라들보다 특별히 위험한 것 같지는 않았다. 사실 남동생과 나는 남아공과 그곳 사람들을 깊이 사랑하게 되었다. 골치 아픈 문제가 많은 것은 사실이지만 그 열악한 환경에도 불구하고 대부분의 사람들은 소망과 기쁨을 품고 살았다. 그처럼 뼈에 사무친 가난과 절망도

처음이었지만 그렇게 불가사의한 기쁨과 단단한 믿음도 본 적이 없었다.

고아원에서는 가슴 저며 오는 아픔과 새로운 영감을 동시에 느꼈다. 한번은 쓰레기장이나 공원 벤치에 버려진 아이들을 데려다 돌봐주는 고아원을 방문했는데 대부분이 병을 앓고 있거나 영양실조에 걸려 괴로워하고 있었다. 말할 수 없을 만큼 가슴이 아파서 다음날 피자, 청량음료, 장난감, 축구공 따위를 사들고 다시 찾아갔다. 아이들은 그 시원찮은 선물에도 뛸 듯이 기뻐했다.

살을 파고드는 박테리아에 감염된 아이들, 에이즈로 죽어가는 어린이와 어른들, 한 줌의 음식과 물로 하루하루 연명하는 가족들이 그야말로 부지기수였다. 그런 참상을 두 눈으로 똑똑히 확인하며, 괴로움에 찌든 사람들이 풍기는 질병과 죽음의 냄새를 직접 맡으며, 위로해 줄 길이라고는 기도뿐임을 절감하는 것은 놀랍고 충격적인 경험이었다.

나름대로 큰 고통을 견뎌 왔다고 생각했지만 그런 가난과 고통은 단 한 번도 본 적이 없었다. 그들에 비하면 나는 귀하고 곱게 자란 축에 속했다. 당장이라도 현장에 뛰어들어 무슨 일이든 닥치는 대로 돕고 싶은 갈망과 그처럼 고통스러운 환경이 개선될 가능성이 크지 않다는 데 대한 맹렬한 분노가 뒤섞여 마음이 복잡했다.

아버지는 빵 한 조각과 물 한 모금, 설탕 약간으로 저녁을 때우고 잠자리에 드는 세르비아 아이들의 이야기를 자주 했다. 할아버지와 증조부는 모두 이발사였다. 아버지는 국영 상점에서 일했지만 공산당에 가입하길 거부한다는 이유로 쫓겨났다. 공산주의자들이 수시로 압력을 행사하는 바람에 개인 상점을 열기도 어려웠다. 온 가족들이 한두 해 걸러 한 번씩 이사를 다녔다. 할아버지가 다니는 교회에서는 무기 소지를 금지했으므로 군대에 징집되는 걸 피하자면 그럴 수밖에 없었다. 폐결핵에 걸려 더 이상 일을 할 수 없게 되자 할머니가 바느질 일로 남편과 여섯 아이를 먹여 살렸다.

비슷한 가난과 굶주림을 가까이서 목격하고 난 뒤로, 아버지가 들려주었던 이야기들이 전혀 다른 의미로 다가왔다. 배고프고 아파서 울부짖는 자식의 목소리를 들으며 죽어 가던 아이 엄마와 그 눈동자에 서려 있던 눈물을 지금도 잊을 수가 없다.

우리는 양철쪼가리를 얼기설기 덧대고 신문지로 바람을 막은 비좁은 집들이 끝없이 늘어서 있는 빈민촌도 찾아갔다. 그곳에 사는 사람들은 대부분 헛간만한 집에서 수많은 식구들이 뒤엉켜 살고 있었다. 수돗물 따위는 기대할 수도 없었다.

감옥에서도 메시지를 전했다. 재소자들은 예배당으로 쓰이는 강당이 모자라 마당에까지 빼곡하게 앉았다. 아직 재판 심리조차 받지 못한 이들이 허다했다. 상당수는 힘깨나 쓰는 권력자들의 주머니에서 푼돈을 슬쩍하는 따위의 사소한 범죄를 저지르다 체포된 이들이었다. 20만원을 훔치고 10년 형을 받은 이도 있었다. 그날 모임에는 재소자들의 특별 찬양 순서가 있었다. 처지는 한없이 궁벽했지만 목소리에는 커다란 기쁨과 감격이 흘러넘쳤다.

작은 친절의 힘

이곳에 오기 전에는 내가 이 넓은 땅을 변화시킬 수 있으리라 생각했는데 와서 보니 도리어 남아공이 나를 바꿔놓았다. 여행을 통해서 나는 그동안 자기중심적이고 이기적인 삶을 살았다는 뼈아픈 자각을 얻었다. 팔다리가 없다는 이유로 뭐든지 보채고 요구하기만 했으며 나보다 더 고통스러운 삶을 사는 이들이 있으리라고는 눈곱만큼도 생각지 않았다.

여행 이후로는 상점에 드나드는 마음가짐조차 달라졌다. 이곳은 동네 구멍가게에도 먹을거리가 차고 넘치는데 남아공 고아원이나 빈민촌에서 만난 이들로서는 상상도 못할 일이다. 냉방이 잘되는 사무실에 편안히 앉았거나 시원한 음료를 마실 때마다 그처럼 사소한 행복감마저 맛보기 힘든 그 나라, 그 백성들이 생각난다.

지금은 오스트레일리아의 고등학교에서 수학과 과학을 가르치고 있는 남동생 에어런은 지금도 그 여행에서 경험했던 일들을 자주 이야기한다. 평생을 통틀어 가장 멋진 여행이었다는 데는 둘 다 이견이 없다. 우리는 똑같은 고민을 안고 집으로 돌아왔다. "다른 이들의 고통을 덜어 주기 위해 무슨 일을 할 수 있을까? 어떻게 하면 수많은 이들이 그처럼 힘겹게 살고 있다는 사실을 항상 기억할 수 있을까?"

꼭 세계 곳곳을 돌아다녀야 누군가를 도울 수 있는 것은 아니다. 멀리 갈 필요도 없이 이 나라, 이 동네에도 형편이 어려운 이들이 널려 있다. 마음만 먹으면 요양원이나 적십자사, 구세군, 노숙자 쉼터, 푸드 뱅크, 무상 급식소 등에서 자신의 시간이나 재능, 재물을 나누어 줄 수 있다. 돈이든, 시간이든, 재주든, 친구와 동료들을 연결하는 네트워크든, 그밖에 무엇을 베풀든 그 나눔이 세상을 변화시키는 밑거름이 될 수 있다.

나는 그곳에서 가져간 돈을 모두 나누어 주었다. 그 기간에 추가로 모금된 2천 5백만 원도 다시 나누어 주었다. 하나님의 부르심에 응답하기 시작했다는 사실이 내게는 가슴 벅차도록 기뻤다. 하루 종일 시장을 누비며 시설에서 지내는 아이들에게 줄 선물과 음식을 샀다. 책과 담요와 침대도 잔뜩 끌어 모았

> 작은 사랑이라도 날마다 실천하면 어느 새 자신의 상처와 좌절에서 벗어나게 될 것이다.
>
> Life Without Limits

다. 고아원에는 텔레비전과 DVD 플레이어를 사 주었으며 여섯 개 자선단체에도 기부금을 나누어 주었다. 지금의 형편으로도 그 돈이 적지는 않지만 더 베풀지 못한 것이 아쉬울 따름이다.

남아공에서 보았던 장면들 가운데 가장 기억에 남는 충격적인 장면은 수백 명의 병자와 장애인, 죽음을 목전에 둔 이들이 기적을 바라고 교회 앞에 길게 늘어서 있는 모습이었다. 나는 여느 때처럼 듣는 이들의 마음을 편안하게 해주려는 뜻에서 팔다리가 없는 내 몸뚱이를 가지고 우스갯소리를 던졌다. 하지만 그날은 단 한 명도 웃지 않았다. 그들은 재미있는 이야기를 들으러 온 것이 아니라 고침을 받기 위해 교회를 찾았던 것이다. 다들 기적을 기다렸다.

목에 깁스를 하거나, 목발을 짚거나, 휠체어를 탄 이들이 혹시나 나을까 하는 소망을 품고 밤마다 교회에 몰려들었다. 에이즈 환자들을 친구들이 이부자리째 들어다 교회에 내려놓기도 했다. 그중에는 네다섯 시간씩 걸어서 온 이들이 태반이었다.

모두가 고통 받는 이들을 치유해 주시는 권능을 기대하고 소망했다. 나도 마찬가지였다. 나와 거기 있는 이들에게 기적이 일어나게 해 달라고 간구했다. 비록 팔다리를 가질 수는 없었지만 그것이 기적이 일어나지 않는다는 뜻은 아니다. 언젠가는 내 삶도 기적으로 평가받게 될 것이기 때문이다. 다양한 청중들에게 믿음과 위로의 말씀을 전할 수 있다는 것 자체가 기적이 아니겠는가!

세르비아의 후손으로 오스트레일리아의 그리스도인이 된 이 몸뚱이뿐인 청년이 코스타리카, 콜롬비아, 이집트, 중국의 정부 관리로부터 강연 요청을 받았으니 그것만으로도 작은 기적이 일어난 셈이다. 내 삶은 곧 "스스로 설정하지 않는 한 인간에게는 아무런 제한도 없다"는 사실을 증명하는 과정이라 해도 지나치지 않을 것이다.

나눌 것이 없다거나 스스로 도울 힘이 없다고 생각하지 않는 삶, 그것이 바로 한계가 없는 인생이다. 2010년, 아이티에서 끔찍한 지진이 일어나자 미국 적십자사는 즉시 어떤 식으로든 도움을 주고 싶어 하는 이들을 위한 프로그램을 만들었다. 휴대폰으로 아이티를 뜻하는 'HAITI'라는 문자메시지를 적어서 90999번으로 보내면 언제 어디서든 10불을 후원할 수 있게 한 것이다.

큰돈은 아니었다. 문자메시지를 작성하고 다이얼을 누르는 것 역시 부담스러운 일이 아니었다. 하지만 거기에 참여한 이들은 거대한 변화를 만들어 냈다. 적십자사에서는 마지막 집계를 기준으로 3백만 명 이상이 휴대전화로 아이티 난민을 지원해 주었다고 밝혔다. 결국 40억 원 가까운 성금이 모여 극심한 고통에 빠진 이재민들을 도울 수 있게 되었다고 한다.

▼즐기면서 남을 도울 수 있다

현재 내가 운영하고 있는 비영리단체 '사지 없는 삶'(Life Without Limbs)은 선교사를 파송해서 고아원과 교회를 세우고 유지하는 사도 교회 재단과 앞에서 소개한 인디아의 BTC(Bombay Teen Challenge)를 비롯해서 열 개 이상의 자선 재단을 후원하고 있다. 또 '조니와 친구들'의 파트너로 휠체어를 수리해서 필요한 이들에게 공급하는 일도 돕고 있다.

무엇이든 좋아하는 일을 하면서 남을 도울 수 있는 방법이 궁금한가? 테니스 치는 걸 좋아한다면 자선단체를 후원하는 테니스 대회를 조직하라. 자전거를 탈 때 날아가는 기분이라면 불우 청소년들을 모아서 자전거 동호회를 만들라. 춤추는 걸 즐긴다면 댄스파티를 열어서 옷 바자회 같은 것을 열어 보라.

힐러리 리스터는 요트 타기를 무척 좋아해서 서른일곱 살 무렵, 단독으로 영국을 한 바퀴 도는 항해에 나서기로 했다. 장애인들과 사회적으로 소외된 이들에게 항해술을 가르치는 자선재단(Hilary's Dream Trust)을 이끌고 있던 터라, 그 기금을 모금하기 위해 40일 여행을 계획한 것이다. 그녀는 진행성 신경 질환 탓에 열다섯 살 이후로 팔다리를 쓰지 못했다. 사지마비를 딛고 옥스퍼드 대학에서 학위를 받은 힐러리는 스트로를 통해 입김으로 조작할 수 있게 특수 제작한 요트를 타고 항해를 시작했다. 그리고 마침내 사지마비 장애인 최초로 영국 해협을 지나 브리튼 섬을 일주하는 데 성공했다.

힐러리처럼 창의적인 방법을 동원해서 남들을 후원하고 지원할 길을 찾으라. 최근에는 소액 대출 프로그램이 성공을 거두면서 기부의

트렌드가 소량, 소규모 쪽으로 급격히 바뀌고 있다. 휴대폰과 몇 분의 시간만 있으면 얼마든지 어려운 처지에 있는 이들이나 소중한 이념을 추구하는 단체에 작은 도움을 줄 수 있다.

최근에 한 기업은 스마트폰이나 웹브라우저를 이용해서 자투리 시간에 선한 일을 하고 싶어 하는 이들에게 적절한 기회와 방법을 제공하는 유료 서비스를 내놓았다. 하루 종일 봉사 활동에 매달릴 수 없는 이들을 위해서 틈날 때마다 휴대폰이나 인터넷을 통해 조금씩 봉사할 수 있도록 한 것이다.

시각장애인들을 위한 오디오북을 만드는 일을 돕는다든지, 영어로 된 웹 문서를 다른 나라 말로 조금씩 번역해서 올린다든지, 코넬대학 조류 연구소에서 진행하는 조류 분류 작업을 돕는다든지, 스미소니언박물관 소장품 이미지에 꼬리표를 붙인다든지, 어린이들이 놀기 좋은 장소와 출입 제한 지역을 선정해서 지도에 표시해 준다든지, 국회에서 심의하고 있는 법안의 핵심을 정리하고 감춰진 의도를 분석해서 알려 준다든지 등의 활동 목록이 제시되어 있어서 언제든지 신청하여 참여할 수 있게 되어 있다.

▌한 번에 한 사람씩

오스트레일리아에서 영리와 비영리의 개념이 한데 섞인 'Peace/Works'라는 식품 및 조미료 회사를 설립하고 자연친화적인 과일과 견과류들을 생산 판매하는 대니얼 루베츠키처럼 인터넷의 힘을 이용하는 창의적인 사회사업가들도 점점 늘어나고 있다.

Kinded.com에 실린 포스트에 따르면, 루베츠키는 뜻밖의 친절한 행동으로 누군가를 놀라게 하고 격려하는 '친절 운동'을 창안했다. 관심이 있는 이들은 웹사이트를 방문해서 친절 카드를 출력해서 가지고 있다가 누군가에게 호의를 베풀면서 함께 넘겨준다. 카드를 받은 이는 또 다른 이에게 친절을 베풀고 카드를 전달한다. 카드에는 코드가 찍혀 있어서 언제든 웹사이트에 접속하면 선행의 파급 효과를 관찰할 수 있다.

어려운 이웃에게 손을 내미는 창의적인 방법은 무수히 많다. IfWeRantheWorld.com은 단체, 기업들로 하여금 작지만 뜻 깊은 일에 나서도록 적극적으로 자극하고 격려하는 신규 프로젝트다. 참여하길 원하는 이들은 웹사이트에 들어가서 "세상을 바꾸려면"으로 시작하는 문구에 자기 의견을 채워 넣기만 하면 된다. 사이트 운영자는 그 생각에 동의하는 이들과 연결해서 서로 힘을 모아 방법을 찾도록 돕고 있다.

> 나눌 것이 없다거나 스스로 도울 힘이 없다고 생각하지 않는 삶, 그것이 한계가 없는 인생이다.
>
> Life Without Limits

지금 우리 단체에서도 비슷한 자선프로그램을 가동중인데 청소년들을 위한 온라인 쉼터, 또는 셀프 카운슬링 센터의 성격을 가지고 있다. 저마다 상처를 입고 치유를 받았던 경험들을 올리고 거기에 관해 서로 의견을 주고받으면서 정서적으로든 영적으로든 더 성숙하도록 돕는 시스템이다.

우리는 사이트를 통해 두 단계의 경험을 제공하려고 한다. 제1단계에서는 방문자들이 힘들고 고단한 이야기를 나누게 하고 제2단계에서 도움이나 위안을 주고 싶어 하는 이들과 연결 짓는다는 전략이다. 한 번에 한 사람씩 세상을 변화시키자는 것이 목표인데 목표 치고는 참으로 소박하다. 아직 완성된 상태는 아니지만 십대 청소년들이 거기서 기운을 얻고 이웃을 돕는 일에 참여하게 되면 좋겠다.

남아공을 방문한 지 두 해 뒤에 인도네시아에서도 강연 초청을 받았다. 큰 격려와 도전이 되었던 그곳에서의 여정은 퍼스라는 신사가 보낸 한 통의 이메일 초대장에서 시작되었다. 그는 중국계 이민자로 오스트레일리아에서 인도네시아 사람들을 위한 교회를 담임하고 있었다. 나는 곧장 전화를 걸어서 그가 계획하고 있는 구체적인 이야기를 들었다. 그는 인터넷에 있는 동영상 덕분에 인도네시아에서는 이미 내 존재가 잘 알려져 있다고 하며 주말마다 수만 명이 모이는 강연회를 열자고 제안했다. 아버지와 어머니는 오래 기도한 끝에 요청을 받아들이기로 했다.

강연과 여행이 촘촘히 들어 찬 일정표에는 빈틈이 보이지 않았다. 게다가 도우미 역할을 하기로 한 현지인은 영어를 한 마디도 할 줄 몰랐다. 바이러스성 장염까지 걸리고 보니 언어 장벽은 예상했던 것보다 더 큰 문제로 다가왔다. 도우미는 내 형편을 전혀 헤아리지 못했다. 손짓발짓을 할 수도 없는 처지인지라 도와 달라는 요청을 할 길도 없었다.

행사를 주최한 쪽에서는 나의 스물세 번째 생일상까지 성대하게 차려 주었지만 위와 장의 상태 탓에 축제 분위기에 빠져들 수가 없었다. 너무나 배가 아파서 잔치 자리에서 떼굴떼굴 구르며 하나님께 도와주시길 간구했다. 다행히 다음날부터 병원에서 치료를 받아 오스트레일리아로 돌아가기 직전에는 완전히 건강을 회복했다.

몇 년 뒤, 퍼스가 다시 한 번 인도네시아 투어를 기획하자고 연락을 해왔다. 이번에는 이편에서 도우미를 구해 동행하기로 하고 물도 얼음을 넣지 않은 생수만 마시기로 했다. 인도네시아에서는 파초크로라는 비즈니스맨이 집회를 조직하고 주관했는데, 다섯 개 도시에서 무려 40만 명이 모여 메시지를 들었다. 집회는 텔레비전으로도 중계됐다.

어느 주일 아침, 우린 잠시 휴식을 취하고 있었다. 그날 저녁 세 군데나 강연 일정이 잡혀 있었기 때문이다. 때마침 강의 장소에서 멀지 않은 곳에 중국 음식점이 보여서 우리는 배고픔부터 면하기로 했다. 지역 사회 지도자들과 집회를 지원하는 후원자들과 함께 식당으로 갔다. 도우미 본이 날 안고 들어갔다.

식당은 콘크리트 바닥에 나무탁자와 의자가 전부였다. 우리가 자리에 앉자 마침 한 젊은 여성이 따라와서 문틀에 기대서는 눈물을 쏟았다. 흐느끼며 인도네시아어로 내

> 하나님은 당신을 사랑하는 이들에게 가장 좋은 선물을 베풀어 주신다.
>
> Life Without Limits

게 직접 말했는데 무슨 소린지 알아들을 수는 없었지만 어쩐지 가여운 마음이 들었다. 몸짓을 보니 안아 주고 싶다는 의사를 표현하는 것 같았다. 함께한 기업인들과 리더들은 아가씨의 이야기에 깊이 감동한 눈치였다.

통역에 따르면 아가씨의 이름은 에스더로 양철 지붕을 얹은 판잣집에 어머니랑 두 동생과 살고 있다고 한다. 그녀는 집 바로 옆에 있

는 쓰레기 처리장에서 폐기물들을 헤집고 먹을 만한 것을 찾거나 플라스틱 따위를 재생 공장에 팔아 끼니를 이어갔다. 하나님을 진실하게 믿었지만 아버지가 가족을 팽개치고 떠나버리자 깊이 실망해서 자살할 마음까지 먹었다고 한다.

자신이 살 가치조차 없는 존재라고 생각하며 집을 나간 아버지에 대한 원망으로 목숨을 끊을 틈만 노렸다. 하나님께도 더 이상 교회에 다니지 않겠다고 선언했다. 그런데 바로 그날, 교회 목사가 나의 DVD를 보여 주었다고 한다. 암시장에서 사온 복사판이었다. 인도네시아에서 불법으로 제작되어 팔려나간 15만 개의 DVD 가운데 하나였다.

에스더는 DVD를 통해서 자신이 버림받았다는 절망감을 떨쳐버릴 수 있었다. '닉 부이치치처럼 참담한 처지에 빠진 사람도 하나님을 믿는다면, 나도 그럴 수 있어'라고 생각하며 소망도 얻었다. 그리고 여섯 달 동안이나 기도하며 간구한 끝에 우리가 들어갔던 바로 그 중국 음식점에 일자리를 얻었다.

얘기를 듣고 난 후 나는 에스더를 안아 주며 앞으로 어떤 계획이 있는지 물었다. 모아둔 돈도 없고 하루에 열네 시간씩 일을 해야 하지만 어린이 사역에 헌신할 준비를 하고 있다고 했다. 만에 하나, 형편이 닿는다면 바이블칼리지에도 다니고 싶다고 했다. 당장은 지낼 곳이 없어서 음식점에서 숙식을 해결하고 있는 처지였다.

함께 갔던 이들 가운데 목회자가 있었는데 에스더가 일하러 돌아가자 바이블칼리지는 학비가 몹시 비싼데다가, 입학 시험을 치를 기회를 잡는 데만도 1년이나 걸리고, 그 가운데 극소수만 합격할 수 있다며 고개를 저었다. 음식이 나오고 누군가 식사 기도를 했다. 나는 에스더를 위해 기도했다. 그리고 채 말이 끝나기도 전에 응답이 왔다. 곁에 앉았던 목회자가 내 쪽에서 비용을 부담해 주면 반값에 에스더에게 교회 숙소를 빌려 주겠다고 나선 것이다. 얼마나 기쁘던지 당장이라도 주인공에게 알려주고 싶었다. 하지만 에스더가 채 돌아오기도 전에 어느 사업가가 나머지 절반은 자신이 대겠다고 했다. 제안은 감사하지만 나도 내 몫을 하고 싶다고 사양했다. 바로 그때, 또 다른 신사가 입을 열었다.

"제가 바로 바이블칼리지의 학장입니다. 에스더에게 이번 주에 시험을 치를 기회를 주겠습니다. 합격하면 장학금도 주선해 보겠습니다."

하나님의 계획이 온전히 드러났다. 에스더는 만점으로 입학시험을 통과했으며 모든 과정을 마치고 2008년 11월에 졸업했다. 지금은 인도네시아의 한 교회에서 어린이 사역 책임자로 일하면서 지역사회에 고아원을 세우려는 계획을 추진중이다.

▶우리는 하나님의 손과 발

에스더와 그녀가 가진 목적의식, 더 나은 삶을 바라는 한결같은 소망, 주님을 향한 믿음, 자신을 사랑하는 마음, 긍정적인 마음가짐, 두려움을 모르는 용기, 넘어져도 다시 일어나는 의지, 위험을 감수하고 몸을 사리지 않는 태도, 다른 이들에게 손을 내밀려는 자세를 생각하면 절로 고개가 숙여진다. 에스더의 이야기는 정말 감동적이어서 새록새록 생각할 때마다 영감을 준다. 이 이야기를 읽는 모든 이들의 마음에도 소망의 불이 지펴져서 한계가 없는 삶을 살게 되기를 바란다.

몹시 어렵고 힘든 환경과 씨름하고 있는가? 건강이나 재정, 또는 관계가 흔들려서 고민하는 중인가? 하지만 목적의식과 미래를 향한 믿음, 결코 포기하지 않겠다는 단호한 결심을 품으면 어떤 장애든지 다 극복할 수 있다.

에스더는 그렇게 했다. 그리고 누구나 그럴 수 있다. 나 역시 어려서는 팔다리가 없다는 사실이 결코 넘을 수 없는 장벽처럼 보였지만, 사실 내 '장애'는 여러 가지 측면에서 큰 축복이었다. 무엇보다 그 덕에 하나님을 좇는 길을 찾았기 때문이다.

이제 나는 내 존재의 이유가 역경을 재료로 하나님을 영화롭게 하고 이웃들의 기운을 북돋는 가르침을 빚어내는 것임을 안다. 주님은 내게 복을 주셔서 다른 이들에게 은혜를 전하게 하셨다. 자신이 가진 축복을 열심히 나누라. 그러면 수백, 수천 배의 열매를 거두게 될 것이다. 하나님은 당신을 사랑하는 이들에게 가장 좋은 선물을 베풀어 주신다.

그리스도인들은 이 세상을 살아가는 '하나님의 손과 발'이다. 문자적으로 해석하자면 몸뚱이뿐인 나는 쓸모없는 인간이겠지만 영적으로 보면 나의 간증과 삶을 통해 수많은 이들이 위로와 격려를 얻고 주님을 섬기고 있다. 그리고 죽는 날까지, 그리스도의 사랑을 세상 모든 이들에게 비쳐 보여 주고 싶다.

창조주께서 우리에게 생명을 주셔서 그 선물을 서로 나누게 하신 일을 돌아보면 기쁘고 감격스러울 뿐이다. 여러분도 그러길 바란다. 이 책에 실린 이야기와 메시지들이 목적을 발견하고, 소망을 품고, 믿음을 지키고, 자신을 사랑하며, 긍정적인 마음가짐을 갖고, 두려움을 이기며, 불굴의 의지를 기르고, 변화를 받아들이며, 신뢰할 만한 존재로 성장하며, 열린 마음으로 기회를 붙들고, 위기 앞에서 몸을 사리지 않고, 이웃에게 넉넉히 베풀고자 하는 각오를 새롭게 하는 데 큰 보탬이 되길 기대한다.

웹사이트 nickvujicic.com나 lifewithoutlimbs.org, 또는 attitude-isaltitude.com을 방문해서 이 책에 대한 여러분의 이야기와 생각을 들려주면 좋겠다. 이것 하나만은 잊지 말라. 하나님은 우리 각자의 삶을 향해 대단한 목적을 가지고 계신다. 그러므로 한계를 넘어 자유롭게 살라!

불러 주는 곳이면 어디든지 가리지 않고
온 세상을 돌아다니며
사람들에게 소망을 심어 줄 수 있다니,
얼마나 멋진 삶인가!